Für Jürg Weis

Das Fünfhundertjährige Reich

Emanzipation und lateinamerikanische Identität: 1492 – 1992

Herausgeber
Bruni Höfer, Heinz Dieterich, Klaus Meyer

Mit Unterstützung folgender Institutionen

Hamburger Institut für Sozialforschung, Medico International, Monimbó e.V., Swiss Aid, terre des hommes (BRD), Umverteilen-Stiftung für eine solidarische Welt

Verlag: Medico International

Umschlaggestaltung: Uli Pflaum
Umschlaggrafik: Eko; © copyright: Eko/Emancipacíon
e Identidad de América Latina: 1492 — 1992
Satz: Hamburger Satz- und Verlagskooperative
Druck: Fuldaer Verlagsanstalt
ISBN Nr. 3-923363-10-9
1. Auflage, Jan. 1990; 2.000 Stück
Preis: DM 19,80

Inhalt

Anhang

Einleitung

Am 12. Oktober 1992 jährt sich zum 500. mal der Tag, an dem Cristobal Colón im Auftrag der spanischen Krone die vermeintliche Westküste Indiens entdeckte und das Land zum Patrimonialeigentum der europäischen Metropole erklärte. Der Vorgang besaß einen symbolischen und einen realen Gehalt: er dokumentierte das Recht der Europäer zur „Inbesitznahme“ der von „Eingeborenen“, „Negern“ und „Wilden“ bewohnten oder — wie uns Generationen von Anthropologen gelehrt haben — „durchstreiften“ Länder. Zugleich initiierte er die Konstituierung des Weltmarktes und damit der Weltgeschichte.

Die Folgen der Invasion Amerikas

Erstaunlich ist die Kontinuität der transzendentalen Folgen, die Kolumbus' Expedition in die westliche Hemisphäre nach sich zog. Auf vier geschichtliche Konsequenzen, die unserer Ansicht nach das wesentliche Erbe der „Entdeckung Amerikas“ darstellen und die Existenz aller heute lebenden Menschen essentiell betreffen, wollen wir kurz eingehen.

1. Mit dem 12. Oktober 1492 beginnt die Entwicklung eines internationalen europäischen Herrschafts- und Ausbeutungssystems, welches Amerika, den „schwarzen Kontinent" und Teile Asiens als natürliches Hinterland für die Bereicherung der Metropolen ansieht. Was spanische und portugiesische Karavellen begannen, britische, französische und deutsche Kanonenboote fortsetzten und US-Marines vollendeten, manifestiert sich heute als ehernes internationales Gefüge, in dem die Randvölker des Planeten, d.h. 80 Prozent der Menschheit, den unsagbaren Reichtum der Metropolen erarbeiten.

Seit seiner abhängig-gewaltsamen Integration in das okzidentale Herrschaftssystem vor fünfhundert Jahren ist es Lateinamerika (mit Ausnahme Kubas und, partiell, Nicaraguas) nicht gelungen, seinen Vasallenstatus zu durchbrechen. Dort wo seine Völker den Versuch unternahmen, wurden sie blutig niedergeschlagen. Nicaragua und Kuba sind nur die letzten Glieder in einer langen Kette von Aggressions-Opfern dieses atlantisch dominierten (USA-Europa) Weltsystems, dessen politische und ökonomische Institutionen fest in der Hand der westlichen Metropolen sind.

Der Charakter dieses internationalen Systems ist hierarchisch-dichotomisch und antidemokratisch. Zwischen „Erster" und „Dritter Welt" existiert, wie Sartre einmal treffend bemerkte, ein numerus clausus, der vier Fünftel der Menschheit von angemessenen Lebensbedingungen ausschließt. Über die sozialen Beziehungen und Strukturen in diesem System gab und gibt es keine demokratische Einflußnahme. Die Abstimmungen in Weltbank und Weltwährungsfonds sowie im Sicherheitsrat der Vereinten Nationen erfolgen nicht aufgrund von Mehrheiten, sondern ökonomischer und politisch-militärischer Macht.

2. Der 12. Oktober 1492 signalisiert den Verlust der ökonomischen und politischen Souveränität der lateinamerikanischen Völker. Die ökonomische Verfügungsgewalt über die nationalen Ressourcen geht über in die Hände der europäischen Eroberer, Plantagenbesitzer, Bankiers, Staats- und Kirchenfunktionäre. Fünfhundert Jahre später liegt sie primär bei den

multinationalen Konzernen und Banken des atlantischen (und zunehmend japanischen) Industrie- und Finanzkapitals sowie seiner internationalen Gendarmen (IWF etc.).

Die politische Souveränität wird im langen Befreiungskrieg gegen den spanischen Kolonialismus (1809-1825) zurückgewonnen, doch nur in einem formalen Sinn. Wirtschaftlich abhängig, willkürlich geteilt in viele verschiedene Nationalstaaten, sind die Lateinamerikaner weiterhin Opfer vielfältiger militärischer Interventionen der europäischen Großmächte und der Vereinigten Staaten. Bis auf den heutigen Tag ist daher das Selbstbestimmungsrecht der lateinamerikanischen Völker mehr eine politisch-rhetorische Floskel als eine politisch-völkerrechtliche Realität.

3. Die „Entdeckung" und Kolonisierung Amerikas durch den iberischen Merkantilkapitalismus und Feudalismus führte zugleich zur Etablierung dichotomischer, patriarchalisch-rassistischer Klassengesellschaften, in denen eine privilegierte Elite alle materiellen, kulturellen, sozialen und politischen Vorteile für sich monopolisierte, während die ausgebeutete Masse der Bevölkerung dahinvegetierte. Das soll nicht heißen, daß die Entwicklung der Klassengesellschaft auf amerikanischem Boden (in der Kolonialsprache: „República de Españoles" und „República de Indios" genannt) ausschließlich der Invasion der Europäer geschuldet ist. Die aztekische, inkaische und, in geringerem Masse, auch die Maya-Gesellschaft waren Klassengesellschaften mit entsprechendem Staatsapparat. Doch erlitten Reproduktions- und Überlebensbedingungen der Massen in diesen gebrauchswertbestimmten Gesellschaften eine dramatische Verschlechterung, als sie mit Feuer und Schwert in die Logik der merkantilkapitalistischen Profit- und Feudalproduktion gepreßt wurden. Wie jeder Reisende in der überwiegenden Mehrzahl der lateinamerikanischen Länder visuell und statistisch ohne Schwierigkeiten wahrnehmen kann, ist die dramatische Spaltung der Gesellschaft in privilegierte „Eroberer"-Eliten und dahinvegetierende Massen heute gültiger denn je.

4. Mit der Eroberung und Kolonisation Amerikas durch die Europäer erleiden die amerikanischen Völker jene kafkaeske

Metamorphose, die sie aus Menschen in „Eingeborene", „Indios" und „Neger" verwandelt. „Eingeborene" sind, wie Sartre und Fanon in eindrucksvoller Reflexion gezeigt haben, das notwendige Produkt des Kolonisationsprozesses: weder Mensch noch Tier, sondern ein Mittelding zwischen beiden. In der brutal-enthüllenden Sprache des Faschismus: Untermenschen, die in ihrer Totalität die Randvölker (im heutigen akademischen Sprachgebrauch: marginale oder periphere Völker) bilden, welche den Herrenvölkern der Ersten Welt als Kultursklaven dienen.

Die Zerstörung der Identität, der historischen Wahrheit und des historischen Bewußtseins der amerikanischen Völker einerseits und der ihm korrespondierende Rassismus der westlichen Metropolenbewohner — sei es in der Primärform des offenen Ausländerhasses oder der Sekundärform des Paternalismus — andererseits, war kein einmaliger Vorgang zu Beginn der Conquista. Es handelt sich vielmehr um einen kontinuierlichen Prozeß stets sich erneuernder Diskriminierung, welcher über den herrschenden westlichen Diskurs vermittelt wird, der nach wie vor eurozentristisch, kolonialistisch und rassistisch von der „Entdeckung Amerikas", der „Neuen Welt", den „Indios" usw. spricht.

Die Interessen Spaniens

Vor diesem geschichtlich-kontemporären Hintergrund sind die Feiern für den „500. Jahrestag der Entdeckung Amerikas" zu sehen, welche unter Führung der spanischen Regierung seit 1981 vorbereitet werden. Mit der Machtübernahme der spanischen Sozialdemokratie (PSOE), die unter Willi Brandts eifrigem Schüler Felipe González seit 1982 die Modernisierung des Landes zu einer euro-kapitalistischen Macht vorantreibt, erlangte das Projekt sehr schnell multinationalen Charakter. Heute sind 22 lateinamerikanische Staaten mit offiziellen Regierungskommissionen (Comisiones Nacionales Quinto Centenario) in einer „Ständigen Iberoamerikanischen Konferenz" vertreten, deren Sekretariat in Madrid ist. Italien, die USA, Israel, die Bahamas und die Organisation Amerikanischer Staaten (OAS) haben „permanente Beobachterkommissionen" entsandt.

Für Spaniens sozialdemokratische Elite ist 1992 — Jahr der „Entdeckung Amerikas", der Olympischen Spiele in Barcelona und der Universalen Weltausstellung in Sevilla — das magische Datum, welches das Land, ähnlich wie Südkorea während der letzten Olympiade, aus dem Status des Drittweltlandes befreien und als moderne europäische Macht in das internationale Staaten- und Wirtschaftsgefüge eingliedern soll. Gegenwärtig sind dafür ca. 10 Milliarden Dollar vorgesehen, davon allein 6 Milliarden Dollar für die Olympischen Spiele. Ein Teil dieser Finanzierung kommt aus dem Etat der spanischen Bundesregierung, ein Teil aus EG-Geldern und der Rest wird über Steuererleichterungen, staatliche Lotterien usf. aufgebracht. Daher überrascht es nicht, daß das offizielle Projekt den Interessen und der Staatsraison der beteiligten kapitalistischen Eliten entspricht. Da 1992 zugleich das Jahr der Konstituierung eines quasi-nationalen europäischen Binnenmarktes und semi-nationalen Staatenbundes ist, stößt die gesamteuropäische Ideologie des 500. Jahrestags der Entdeckung Amerikas bei den übrigen europäischen Eliten nicht auf taube Ohren.

Bleibt die Frage, warum die lateinamerikanischen Bourgeoisien an der neokolonialistischen Farce teilnehmen. Die Antwort ist einfach. Angesichts ihrer ökonomischen und politischen Abhängigkeit vom westlichen Herrschaftssystem lohnt es nicht, in einer für sie sekundären ideologischen Frage einen Konflikt mit den imperialen Machtzentren zu riskieren.

Das Projekt: „Emanzipation und Lateinamerikanische Identität: 1492-1992"

Angesichts der Interessenidentität der Mächtigen überrascht nicht, daß die historische Wahrheit bei den offiziellen Feierlichkeiten unter die Räder kommt und die Stimme der Randvölker im Chor der Sieger nicht zu vernehmen ist. Mit der Intention, den „500. Jahrestag der Entdeckung Amerikas“ in ein kritisch-emanzipatorisches Diskussions- und Arbeitsforum des atlantischen Kolonialismus und Neokolonialismus zu verwandeln, hat sich daher vor zwei Jahren das *Foro y Concurso Internacional Independiente: „Emancipación e Identidad de América Latina: 1492-1992“* („Internationales Kultur- und Wissenschaftsforum: Emanzipation und Lateinamerikanische Identität: 1492-1992“) in Mexico gebildet, welches nach Einschätzung der internationalen Presse (siehe u.a. die kubanische Nachrichtenagentur „Prensa Latina“, die spanische Tageszeitung „El Independiente“ und das US-Magazin „Newsweek“) das bedeutendste internationale Forum gegen die Feiern des V Centenario darstellt.

Das Forum, dessem Internationalen Organisationskomitee Mitglieder aus Peru, Mexico, USA, Spanien und der BRD angehören, geht von folgenden konstitutiven Überlegungen aus: 1. die Initiativen gegen den V Centenario, wie die Befreiung Lateinamerikas überhaupt, müssen primär Aktivitäten der Betroffenen selbst sein, das heißt der Menschen, die in Lateinamerika leben und arbeiten. Das schließt ein Dependenz- oder paternalistisches Verhältnis zu den Institutionen der Ersten Welt aus. 2. Die Zusammenarbeit mit den fortschrittlichen Sektoren der Ersten Welt ist unverzichtbar für den Erfolg unseres Kampfes. Dies gilt sowohl für die materielle als auch die ideelle Unterstützung der Kampagne. 3. „Emanzipation und Lateinamerikanische Identität: 1492-1992“ ist ein pluralistisches Forum, in dem alle Sektoren und Personen mitarbeiten können, deren Kriterium die substantielle Verbesserung der Situation unserer Völker ist. Die Zusammensetzung des Forums aus Organisationen und Persönlichkeiten verschiedenster Bereiche: Bauern, Arbeiter, „indígenas“, Frauen, Künstler, Wissenschaftler, Afro-Amerikaner etc., reflektiert diese Auffassung. 4. Das Forum geht davon aus, daß das prinzipielle Problem Lateinamerikas angesichts des „500. Jahrestages“ das internationale ökonomische und politische System darstellt, welches seit 1492 ununterbrochen auf unseren Völkern lastet. Das Problem der

„indios", der „negros", „de la tierra", der politischen Autonomie, der Außenverschuldung, des Patriarchalismus, des spanischen Kolonialismus usw. sind nur verschiedene Facetten der negativen Auswirkungen dieses Systems, d.h. Symptome seines unmenschlichen Charakters. Folgerichtig muß die Arbeit gegen die Zelebrationen des V Centenario als strategische Zielrichtung das transatlantische Herrschaftssystem haben (i.e. sich gegen die Ursache der Symptome wenden) und die o.g. Aspekte als Teil dieser strategischen Perspektive behandeln. Mit anderen Worten: der V Centenario ist nicht primär ein Problem der Hautfarbe, des Geschlechtes, der Geographie (Lateinamerika versus Spanien), der Geschichte (spanischer Kolonialismus) oder bestimmter gesellschaftlicher Sektoren (Bauern vs. Intellektuelle), sondern ein Problem der dem allen zugrundeliegenden Totalität. 5. „Emanzipation und Lateinamerikanische Identität: 1492-1992" versteht sich in der Tradition der Protagonisten der amerikanischen Völker, so wie sie, u.a., in den Namen: Cuautemoc, Lautaro, Tupac Amaru, Tatanka Yotanka („Sitting Bull"), Bolívar, San Martín, Sucre, José Martí, Emiliano Zapata, Lazaro Cardenas, Salvador Allende, Camilo Torres und Ernesto „Che" Guevara überliefert ist.

Das Forum realisiert vier wesentliche Aktivitäten. Es führt, erstens, einen internationalen Wettbewerb über die Thematik in folgenden Genres durch: Essay, Roman, Zeitdokument, Geschichte, Karikatur, Fotografie, Video und Radio. Die dafür ausgesetzten Gesamtpreise in Höhe von 45.000.- DM sind von folgenden Institutionen gestiftet worden: Monimbó e. V. (Dietzenbach), Medico International (Frankfurt), terre des hommes (Osnabrück), Terre des Hommes (Basel), Swiss Aid (Bern), Fundación Lelio Basso (Mailand), Amaiurko Quetzal Agiria (Euskadi/Spanien), Asociación Latinoamericana de Educación Radiofónica (Quito), Comité Ecuménico de Proyectos (Quito), Universidad Autónoma Metropolitana (México, Unid. Xoch.) sowie verschiedenen Hilfsorganisationen der EKD.

Die zweite Aktivität sind die „encuentros nacionales" — nationale Begegnungen, auf denen Künstler, Wissenschaftler, Basissektoren und Aktivisten zusammen über die Problematik arbeiten. 1989 haben diese „encuentros nacionales“ in Honduras, Bolivien, Peru, Ecuador und der Bundesrepublik stattgefunden. 1990 werden als zusätzliche Länder Nicaragua, Argentinien, Mexico, Spanien und Norwegen hinzutreten.

Die Produktion graphischer Arbeitsmaterialien ist die dritte wesentliche Aktivität des Forums. *Nuestra América frente al V Centenario* ist das erste Buch, welches vom Forum veröffentlicht wurde. Es erschien 1989 in Mexico und Spanien. 1990 wird es in Italien, Frankreich, der BRD (Lamuv), Chile, Kuba usw. publiziert. 1990 werden, wiederum bi-kontinental, zwei weitere Bücher über das „Fünfhundertjährige Reich“ veröffentlicht. Von besonderer Wichtigkeit ist eine aus 45 Aquarellen bestehende graphische Darstellung der Conquista, welche ohne Zweifel ein neues Paradigma im Verständnis der Kolonisation repräsentiert, ähnlich dem von Galeano verbal geschaffenen Paradigma. In Großbritannien wird zur Zeit von unserem Komitee eine Dokumentation für Schulen und ähnliche Institutionen zusammengestellt. Verschiedene Plakate — in mehreren Sprachen — und mehr als acht Postkarten sind bereits erarbeitet worden, neben anderen Materialien.

Die Produktion und Distribution der dreimonatlich erscheinenden Zeitschrift *América, la Patria Grande*, die in 22 Ländern verteilt wird, ist die dritte Aktivität des Forums. *América, la Patria Grande* erfüllt drei Funktionen. Sie dient erstens der Weiterentwicklung des theoretischen Verständnisses des V Centenario; zweitens stellt sie eine Plattform für die Stimmen der Völker und Basisinitiativen dar und drittens diffundiert sie Information über die Initiativen, die gegen den V Centenario arbeiten.

Kulturelle Ereignisse, wie eine Kunstausstellung mit rund 50 gestifteten Werken lateinamerikanischer Künstler über die 500 Jahre, vervollständigen die Aktivitäten. Diese Wanderausstellung ist zur Zeit in Spanien, wird aber voraussichtlich auch nach Frankreich und in die BRD kommen.

Der 1. Bundeskongreß in Hamburg

Der in Hamburg am 28./29. Oktober 1989 durchgeführte Erste Bundeskongreß ist Teil dieser internationalen Befreiungsinitiative. Er stellt zugleich einen wichtigen Schritt in der Entwicklung unserer antiimperialistischen Arbeit in der BRD dar.

Der Beginn dieser Arbeit liegt zwei Jahre zurück, als die Initiatoren der lateinamerikanischen Kampagne mit dem Monimbó e. V., Medico International, terre des hommes in Osnabrück und Basel, Swiss Aid und später der Stiftung Umverteilen, beschlossen, das Projekt auf beiden Kontinenten durchzuführen. Die nationale Koordination in der BRD übernahm der Verein Monimbó. In der Schweiz hatte Jürg Weis vom Zentralamerika Sekretariat die Koordination übernommen. (Jürg wurde im August 1988 von einer Sondereinheit der Armee in El Salvador ermordet.)

Die erste Frucht dieser Zusammenarbeit war das Sonderheft „Emancipación e Identidad de América Latina: 1492-1992" der epd-Entwicklungspolitik, das im Oktober 1988 erschien und Texte/Informationen für eine *allgemeine* Diskussion der Problematik zur Verfügung stellte. Mit dem Fortschreiten der Diskussion wurde es notwendig, ein tiefergehendes theoretisch-politisches Verständnis über das *Fünfhundertjährige Reich* zu gewinnen. Diesem Bemühen diente ein am 17./18. Juni 1989 durchgeführtes Seminar in Dietzenbach, an dem rund 80 Teilnehmer aus der gesamten Bundesrepublik partizipierten. Als Referenten waren präsent Alfred Schmidt von der Johann Wolfgang Goethe Universität, Jan Philipp Reemtsma vom Hamburger Institut für Sozialforschung und Heinz Dieterich von der Universidad Autónoma Metropolitana in Mexico City. Aus diesen Beiträgen und Diskussionen entstand die zweite Arbeitsbroschüre, die den Titel des Projektes trägt und über den Solidaritätsshop in Frankfurt vertrieben wird, ebenso wie eine Serie von Farbpostkarten und Farbplakaten.

Die Diskussionen auf dem Seminar in Dietzenbach sowie das Interesse an der Thematik, das von vielen Gruppen und Einzelpersonen in der BRD über Briefe und Telefonate bekundet wurde, führte uns zum Entschluß, die geleistete Arbeit mit lateinamerikanischen Referenten weiter zu vertiefen, sie einer interessierten Öffentlichkeit nun auch bundesweit vorzutragen und in eine gemeinsame zukünftige Arbeit einzubringen. Das war die Funktion des Kongresses in Hamburg.

Gemeinsam kämpfen, gemeinsam siegen

Aus der vorhergehenden Darstellung wird deutlich, daß das Problem der „500 Jahre atlantischer Kolonialismus" alle Aspekte unseres gesellschaftlichen Seins betrifft: in der Dritten wie in der Ersten Welt. Es handelt sich um ein weltumspannendes Phänomen, dessen Zelebrationen über Madrid weltweit und mit Milliarden Dollar realisiert werden. Wir stehen der größten Machtkonzentration gegenüber, die die Geschichte je gekannt hat. Daher wäre es absurd zu glauben, daß die Organisation einiger Gruppen in irgendeinem Land zu Zwecken des Protestes nachhaltige Bedeutung haben kann. Ebenso wie es absurd ist zu glauben, daß eine sektorale Organisation, umfasse sie auch mehrere Länder, irgendeine substantielle Politik gegen dieses Weltsystem durchsetzen könne.

Doch die Kristallisierung aller Interessen der westlichen Imperien, symbolisiert durch 1992, enthält andererseits — und objektiv — das Potential für die fortschrittlichen Kräfte, die Arbeit in den Solidaritätskomitees, den Arbeitsgruppen gegen den Weltwährungsfonds, den Komitees gegen Ausländerhaß, den Friedenskomitees usw., wie in einem Prisma, zu „bündeln" und diese partiellen Initiativen in einen großen Strom völkerverbindender Solidarität gegen neokolonialistische Praktiken und Lebensformen zusammenfließen zu lassen. 1992 kann zu einer weltweiten Initiative gegen das Fünfhundertjährige Reich werden.

Das Internationale Wissenschafts- und Kulturforum, das daraufhinarbeitet, nationale gesellschaftliche Basisorganisationen und intellektuelle Sektoren in einer länderübergreifenden Initiative zusammenführen, hat sich mit der zweiten großen kontinentalen Dynamik, „500 años de resistencia indígena y popular“ (Bogotá), in der gemeinsamen Arbeit zusammengefunden. Beide Kampagnen haben sich deklariert und verstehen sich als „instituciones hermanadas“, d.h. als Organisationen, die Gruppenegoismen zurückstellen, um gemeinsam für eine bessere Zukunft zu kämpfen.

Wir sind uns bewußt, daß die Konstruktion der Einheit gegen das Fünfhundertjährige Reich die notwendige und unverzichtbare Bedingung unserer Befreiung darstellt. Die Konstruktion dieser Einheit in der Praxis — in desinteressierter Solidarität mit den Völkern Lateinamerikas — ist der Prüfstein aller Kräfte, die bereit sind, gegen 1992 zu arbeiten.

Koordination des Foro y Concurso Internacional Independiente: „Emancipación e Identidad de América Latina: 1492-1992“ Ciudad de México, Nov. de 1989

concurso y foro
internacional independiente
emancipación e identidad de américa latina: 1492-1992
comité internacional organizador

Ehrenrat

Jorge Enrique Adoum, Rafael Alberti, Osvaldo Bayer, Mario Benedetti, Fernando Benítez, Larry Birns, Fernando Birri, Leonardo Boff, Miguel Bonasso, Juan Bosch, Hortensia Bussi de Allende, Stella Caloni, Ernesto Cardenal, Luis Cardoza y Aragón, Pedro Casaldáliga, Fernando Castillo Velazco, Suzy Castor, Noam Chomsky, Domitila Chungara, Agustín Cueva, Ulises Culebro, Benedita da Silva, Hector de la Garza „Eko", Poli Délano, Rubén Dri, Enrique Dussel, Ignacio Ellacuría (†), Roberto Fernández Retamar, Helmut Frenz, Paulo Freire, Alejandro García „Virulo", Pablo González Casanova, Xabier Gorostiaga, Norbert Greinacher, Oswaldo Guayasamín, Gustavo Gutiérrez, Matilde Herrera, Gabriel Kolko, Manfred Kossok, Gustavo Lara, Hugo Loetscher, Jose Luis López Aranguren, Luis Llach, Carlos Mejía Godoy, Rigoberta Menchú, Sergio Morales, Javier Muguerza, Rafael Murillo-Selva, Rogelio Naranjo, René de la Nuez, José Palomo, Leonard Peltier, Alejandro Pérez Basurto „Apebas", Adolfo Pérez Esquivel, James Petras, Gérard Pierre-Charles, Elena Poniatowska, Darcy Ribeiro, Eduardo del Rio „Rius“, Augusto Roa Bastos, Silvio Rodríguez, Mauricio Rosencof, Rafael Sánchez Ferlosio, Jorge Sanjinés, Alfonso Sastre, Gregorio Selser, Rogelio Sinán, Muniz Sodré, Jalil Sued Badillo, Edelberto Torres Rivas, Manuel Vázquez Montalbán, Daniel Viglietti, Pierre Vilar, Jean Ziegler.

Teilnehmende Organisationen

AMERICA:

Argentina: Centro de Estudios Históricos, Antropológicos y Sociales Sudamericanos (CEHASS), Servicio Paz y Justicia (SERPAJ), Buenos Aires; Museo de Historia Natural de San Rafael, Mendoza; **Bolivia**: Federación Universitaria Local, FLACSO, Museo Nacional de Etnografía y Folklore, SERPAJ, Universidad Mayor de San Andrés, La Paz; **Brasil**: Escola de Comunicaçao, C.I.E.C., Universidade Federal do Rio de Janeiro; Pastorales Negras; **Colombia**: Centro de Investigación y Educación Popular (CINEP), Movimiento Nacional Cimarrón, Asociación Nacional de Usuarios y Campesinos Unidad y Reconstrucción (ANUC), Organización Nacional de Indígenas de Colombia (ONIC), Federación Nacional Sindical Unitaria Agropecuaria (FENSUAGRO), Corporación Colombiana de Teatro; **Costa Rica**: Consejo Superior Universitario Centroamericano (CSUCA), San José; **Cuba**: Escuela Internacional de Cine y Televisión, San Antonio de los Baños, Unión de Escritores y Artistas de Cuba (UNEAC), La Habana; **Chile**: Academía de Humanismo Cristiano, Centro de Estudios Políticos Latinoamericanos Simón Bolívar, Instituto de Ciencias Alejandro Lipschuetz, Sociedad de Escritores de Chile, Ad Mapu, Wissenschaftliche Akademie Alexander von Humboldt; **Ecuador**:Comité Ecuatoriano „Emancipación e Identidad de América Latina: 1492-1992“, Asociación de Historiadores Ecuatorianos, Fundación Guayasamín, Confederación Nacional de Asociaciones Indígenas del Ecuador (CONAIE), Sociedad Ecuatoriana de Escritores; **El Salvador**: Universidad Centroamericana José Simeón Cañas (UCA), San Salvador; **Estados Unidos**: North

American Congress on Latin America (NACLA), New York, Center for Cuban Studies, New York, Council on Hemispheric Affairs (COHA), Washington, D.C., Alliance for Cultural Democracy, USA; **Guatemala**: Comité de Unidad Campesina (CUC); **Honduras**: Comité Hondureño „Emancipación e Identidad de América Latina: 1492-1992", Comité de Unidad de los Pueblos Indígenas de Honduras, Organización Cultural Miskita, Comité Coordinador de Organizaciones Populares, Sindicato de Trabajadores en la Industria de la Costura, Ropa y Similares, Unión Nacional de Escritores Hondurenos, Comité Hondureño de Mujeres por la Paz „Visitación Padilla"; **México**: Centro de Estudios Latinoamericanos, Facultad de Ciencias Políticas y Sociales, Universidad Nacional Autónoma de México, Universidad Autónoma Metropolitana-Xochimilco, Casa de Chile en México, D.F.; **Nicaragua**: Coordinadora Regional de Investigaciones Económicas y Sociales (CRIES), Managua; **Panamá**: Diálogo Social, Movimiento de la Juventud Kuna, Panamá; **Perú**: Centro Bartolomé de las Casas, Comité Peruano „Emancipación e Identidad de América Latina: 1492-1992", DESCO, Instituto de Investigación, Promoción y Apoyo para el Desarrollo (IPADE), Universidad de Lima, Lima; **Puerto Rico**: Comité Puertorriqueno „Emancipación e Identidad de América Latina: 1492-1992", San Juan; **República Dominicana**: Comité Dominicano „Emancipación e Identidad de América Latina: 1492-1992", Santo Domingo; **Uruguay**: Brecha, SUM, Montevideo.

EUROPA:

Dinamárca: Mellemfolkeligt Samvirke, Kobenhavn K.; **España**: Associació per al Diàleg de les Cultures, Barcelona; Centro de Investigación para la Paz, Madrid; Comités Nacionales „Emancipación e Identidad de América Latina: 1492-1992"; Amaiurko Quetzal Agiria, Euskadi; Colectivo Gonzálo Guerrero, Galicia; Asociación Bartolomé de las Casas, Andalucía; Instituto de Estudios Políticos para América Latina y Africa (IEPALA), Madrid; El Día, Zaragoza; **Francia**: Terre des Hommes, Comité France-Colombie pour les Droits des Hommes, Paris; **Italia**: Lega internazionale per i diritti e la liberazione dei popoli, Milán; **Noruega**: Comité „Emancipación e Identidad de América Latina: 1492-1992", Skedsmokorset; **República Democrática Alemana**: Comité „Emancipación e Identidad de América Latina: 1492-1992", Leipzig; **República Federal de Alemania**: Lateinamerika-Institut, FU Berlin; Umverteilen-Stiftung für eine solidarische Welt, Berlin; Deutsche Welthungerhilfe, UNESCO Club, Bonn; terre des hommes, Osnabrück; „Pädagogik Dritte Welt", J.W. Goethe Universität, Medico International, Gesellschaft zur Förderung der Literatur aus Afrika, Asien und Lateinamerika, Frankfurt/M.; Monimbó e.V., Dietzenbach; Ökumenisch-Missionarischer Weltdienst, Evangelisches Missionswerk, Hamburg; **Suiza**: Swiss Aid, Berna; Terre des Hommes, Basilea; **Gran Bretaña**: Comité „Emancipación e Identidad de América Latina: 1492-1992", Latin American Bureau (LAB), London.

Internationale Organisationen

Facultad Latinoamericana de Ciencias Sociales (FLACSO), San José de Costa Rica; Consejo de Educación para Adultos de América Latina (CEAAL), Santiago de Chile; Asociación Latinoamericana de Educación Radiofónica (ALER), Quito; Federación Andina de Periodistas, Lima; Servicio Universitario Mundial (SUM), Ginebra; *Terceiro Mundo*, Rio de Janeiro; *Le Monde Diplomatique* en Español; Federación Latinoamericana de Periodistas (FELAP), México; Casa de las Américas, La Habana; Sociedad de Escritores Centroamericanos, Guatemala; Fundación Internacional Lelio Basso por el Derecho y la Liberación de los Pueblos, Roma.

(Stand Okt. 1989)

Generalkoordination

Apdo. Postal 80-bis
Mexico 1, D.F.
Mexico
Telefax: 6-58-11-97 (8:00-13:00, Lokalzeit Mexico Stadt)
Telefon: 6-58-11-97
Telex: 1760023

Warum wir uns an diesem Projekt beteiligen

Monimbó e.V.: Nicaragua in seinen lateinamerikanischen Kontext stellen

Der Monimbó e. V., der das Projekt in der BRD koordiniert und gemeinsam mit Medico International, Swiss Aid, Terre des hommes (Osnabrück/Basel) und der Stiftung Umverteilen unterstützt, ist seit 1981 für eine eher praxisorientierte Nicaragua-Projektarbeit bekannt. Daß er sich nun auf diesem scheinbar so abgehobenen theoretischen Feld tummelt, hat eine Reihe von Solidaritätsgruppen, die mit Nicaragua zusammenarbeiten, irritiert.

Zur Erklärung und noch mehr zur Anregung für andere Solidaritätsgruppen sollen deshalb hierzu einige Sätze gesagt werden:

Die Solidaritätsbewegung mit Nicaragua hat eine Breite und Kontinuität erreicht (Komitees, Vereine, Städtepartnerschaften, Kirchengemeinden, Schulpartnerschaften, Gewerkschaften etc.) wie man sie im Zusammenhang mit anderen Befreiungsbewegungen nicht kannte. Beigetragen hat dazu u.E. nicht zuletzt eine „Solidarität zum Anfassen“: die materielle Unterstützung von Projekten, Delegationsreisen, Arbeitsbrigaden, gegenseitige Besuche von Schülern und Auszubildenden und eine damit verbundene breite und teilweise sehr erfolgreiche Öffentlichkeitsarbeit.

Beigetragen hat dazu aber sicher auch der Contra-Krieg; dieser Kampf Goliaths gegen David — der USA gegen Nicaragua. Beides hat eine emotionale Identifikation mit Nicaragua leicht gemacht.

Außerdem fiel der Sieg der nicaraguanischen Revolution in eine Zeit, in der es in der BRD immer schwieriger wurde, für die Realisierung „konkreter Utopien" hier zu kämpfen. Das damalige Bild von der Revolution, bei der hauptsächlich der großzügige Umgang mit den Mitgliedern der Nationalgarde Somozas, die Abschaffung der Todesstrafe, Ernesto Cardenal und die „Misa Campesina", Alphabetisierung und Bauernmalerei aus Solentiname wahrgenommen wurden, machte es leicht, eigene Wünsche, Hoffnungen und Utopien auf die nicaraguanische Revolution zu projezieren.

Die veränderte Situation in Nicaragua, das teilweise Wegfallen der direkten militärischen Bedrohung, die bevorstehenden Wahlen, die strukturelle Wirtschaftskrise Lateinamerikas, die auch in Nicaragua sichtbar wird, einerseits und das verstärkte Hinterfragen des Sinns einer hauptsächlich projektorientierten Solidaritätsarbeit andererseits, haben in den letzten Monaten einen selbstkritischen Diskussionsprozeß innerhalb der Solidaritätsbewegung eingeleitet.

Diese Diskussionen waren ein wesentlicher Beitrag dazu, den geringen Entscheidungsspielraum der nicaraguanischen Revolution zu erkennen und damit „falsche" Entwicklungen besser einordnen zu können. Sie rückten einen — zumindest zeitweise formulierten — Anspruch in der Solidaritätsbewegung wieder stärker in den Vordergrund:

Nicaragua sollte Beispiel sein für die vielen, in Unterentwicklung gehaltenen Länder und die, die nicht mehr bereit sind, die IWF- und Weltbank-gewollten Wirtschaftsstrukturen hinzunehmen.

Am Beispiel Nicaragua sollte aber auch exemplarisch die Rolle, die die industrialisierten Länder — unsere Länder — bei der Ausbeutung der sogenannten 3. Welt spielen, öffentlich diskutiert werden.

Dies setzt Reflexionen über die Geschichte, die hiesigen politischen und ökonomischen Machtstrukturen und die Praktiken des Imperialismus voraus; gleichzeitig macht es eine Auseinandersetzung mit der Geschichte des lateinamerikanischen Kontinents, seiner Kultur und den bestehenden politischen und wirtschaftlichen Abhängigkeiten notwendig.

Die Konzentration aller Energien auf die Unterstützung von Projekten reicht nicht mehr aus. Wir können noch soviel Kaffeepflücken oder Kaffee zum Solidaritätspreis kaufen und wir können noch viel mehr Projekte unterstützen: Nicaragua würde dennoch nicht in die Lage versetzt, autonom über seine Entwicklung entscheiden zu können.

Wir selbst sind Teil eines Wirtschaftskrieges, der genauso wirksam ist wie die militärisch geführten Kriege, die Voraussetzung für die Aufrechterhaltung dieser Weltwirtschaftsordnung sind; einem Krieg, dem ebenso viele Menschen geopfert werden. Würden die industrialisierten Länder der sogenannten 1. Welt gerechte Preise für die Rohstoffe zahlen, auf denen ihr Wohlstand beruht, bräuchte Nicaragua keinen Pfennig sogenannter Entwicklungshilfe und auch keine Unterstützung für lebenswichtige Projekte.

Es kommt darauf an, Nicaragua in seinen Kontext als lateinamerikanisches Land zu stellen und nicht als „Revolution an sich“ zu sehen, so wie wir es oft als Linke, als Europäer, als solidarische Menschen tun.

Helfersyndrome, Paternalismus und Kulturimperialismus, die allzu oft die Solidarität begleiten, lassen sich nicht allein mit gutem Willen durchbrechen, sondern mit der Einsicht in die Bedingungen und Mechanismen, die die Herrschaft der 20% „Herren“ über die 80% „Sklaven“ in der Welt aufrechterhalten.

Das Plädoyer für eine (wieder) verstärkte politisch-theoretische Auseinandersetzung ist nicht als Absage an praktische Solidaritätsarbeit mißzuverstehen. Im Gegenteil, wir halten sie für notwendiger denn je. Und es bedeutet auch nicht, daß nicht danach gefragt werden sollte, wie diese Erkenntnisse politisch umgesetzt werden können, beispielsweise in einer Kampagne zum Erlaß aller Auslandsschulden im Jahre 1992 oder für die Rückgabe der geraubten Kulturgüter; politische Forderungen, an denen die Rhetorik und die praktische Politik der westlichen Länder zum 500. Jahrestag zu messen sind.

Die Theorie-Arbeit soll dazu beitragen, ökonomische und politische Prozesse hier wie dort zu begreifen und Kriterien für eine wirkungsvolle politische Praxis hier zu entwickeln.

In diesem Sinne geht es auch darum, unsere Emanzipation und politische Identität zu entwickeln.

Angesichts der Bedeutung, die Spanien dem 500. Jahrestag der Invasion beimißt (die sich nicht zuletzt an den riesigen Investitionen ablesen läßt) und seiner künftig bedeutenden Position im Europa des Jahres 1992 werden sich die Beziehungen Europas zu Lateinamerika verändern.

Nicht zu erwarten ist, daß diese veränderten Beziehungen für die Völker Lateinamerikas vorteilhafter als bisher gestaltet werden.

Mit der Unterstützung des lateinamerikanischen Projekts „Emanzipation und lateinamerikanische Identität: 1492-1992" sehen wir eine Möglichkeit einen Beitrag zur Reflexion über die Konsequenzen des 500-jährigen Kolonialismus, der hier wie dort Teil unseres Lebens ist, zu leisten und Anregungen für die Weiterentwicklung der praktischen Arbeit hier zu geben.

Dezember 1989 Bruni Höfer

Identität und Emanzipation in Lateinamerika: Warum das Kinderhilfswerk terre des hommes sich an dieser Debatte beteiligt

Terre des hommes BRDeutschland e.V. begann seine Arbeit 1967 mit der Aktion „weiße Wolke". Sie brachte kriegsverletzte vietnamesische Kinder zur Behandlung in die Bundesrepublik. Seither hat terre des hommes zuerst in Asien, später in Lateinamerika und zuletzt in Afrika benachteiligte, ausgebeutete, verlassene und arbeitende Kinder unterstützt. Von einem Einzelfall- und adoptionsorientierten Kinderhilfswerk führten es seine Erfahrungen in den Gesellschaften der Dritten Welt zu der Erkenntnis, daß Unterstützung der Kinder, ihrer Eltern und der Gemeinschaften, in denen sie lebten, sei es in sich auflösenden Dorf- oder in städtischen Slumgebieten, der richtigere Ansatz zur wirksameren Hilfe und Selbsthilfe ist.

Der Blick hinter Menschenrechtsverletzungen, Krieg, Bürgerkrieg, ungerechte Besitzstrukturen, unter denen Kinder, Mütter, Väter leiden, öffnete den Blick auf die Geschichte des Kontinents: eine Geschichte der besonderen Violencia, die 1492 begann und seither nicht mehr aus Lateinamerika verschwunden ist.

Terre des hommes versucht nicht, den Betroffenen dieser Gewalt eigene Lösungsmodelle anzubieten. Es unterstützt die politischen und sozialen Anliegen von Basisgruppen. Indigene Problemlösungen, die Bewahrung des indigenen kulturellen Erbes, das Leiden an sexueller Gewalt gegen Kinder fließen in die Debatten über unsere Hilfsprojekte ein. Sie stammen aus der unmittelbaren Erfahrung der Betroffenen, vielfach der Kinder.

Um die Reflektoren sichtbarer zu machen, um dem 500jährigen Kampf der Völker Lateinamerikas in ihrem praktischen, denkerischen und künstlerischen Widerstand gegen eine zum Supermarkt und zu Gewalt orientierende Weltkultur, zu deren Widerspruchsteil terre des hommes und seine Projekte gehören, herauszustellen, haben wir den Kinderliteraturpreis im Rahmen von „Emancipacíon e Identidad" gestiftet.

Dorothea Mezger, Lateinamerikareferentin

Medico International: worauf es uns ankommt

Die Menschen in den arm gehaltenen Ländern der Welt leiden nicht an „Unterentwicklung", sondern an der *„Überausbeutung"* durch die industrialisierten Länder des Nordens und an dem ihnen aufgezwungenen *„Unterkonsum"*. So bezeichnete der ermordete Präsident Chiles, Salvador Allende, den allgegenwärtigen Mangel, der in den Ländern des Südens herrscht und der sich ausdrückt im Fehlen von Nahrungsmitteln vor allem, in schlechten Wohnverhältnissen, unzureichender medizinischer Versorgung und allenfalls marginal vorhandenen Bildungsmöglichkeiten. Sie sind das Resultat eines weltweiten Zerstörungsprozesses, der es etwa möglich macht, daß nur wenige Agrarmultis frei über die meisten landwirtschaftlichen Anbauflächen disponieren und Nahrungsmittel dadurch zur internationalen Handelsware und zum Spekulationsobjekt geraten. Ein Prozeß, der langfristig die Verwüstung der industriell genutzten Böden bedeutet, die Vergiftung der Umwelt und die Vertreibung einer größer werdenden Anzahl von Menschen von ihrem Land, weil sie sich ihrer Existenzgrundlage beraubt sehen. Es ist die Krankheit solcher weltweiter Produktions- und Austauschverhältnisse, die in der Folge auch die „Unterentwicklung" von Gesundheit in den ausgebeuteten Ländern bewirkt.

Medico international möchte dem dreierlei entgegensetzen:

— In Südafrika und Chile, in Mittelamerika und dem Nahen Osten geht es darum, Menschen und Initiativen zu unterstützen, die sehr genau wissen, daß sie eine wirkliche und anhaltende Veränderung der gesundheitlichen Verhältnisse nur dann erreichen können, wenn sie entschlossen für Veränderungen eintreten. Die engagierten Schritte, die die Gewerkschafter und Gesundheitskomitees, die Flüchtlinge und Selbsthilfegruppen unternehmen, zielen auf Befreiung. Sie solidarisch zu begleiten, heißt *„Befreiungshilfe"*.

— Auf den Kapverdischen Inseln, in Nicaragua, Mexico oder Burkina Faso dient die Zusammenarbeit mit den jeweiligen Projektpartnern dem gemeinsamen Eintreten gegen die allgemeine Entmündigung etwa durch transnationale Konzerne. Nicht die weitere Integration in die Unrechtsverhältnisse des Weltmarktes ist das Ziel, sondern der Erhalt kultureller Identitäten und der Aufbau eigenständiger Lebensmöglichkeiten. An den wirklichen Bedürfnissen der Menschen zu messen sind deshalb der Aufbau der Gesundheitseinrichtungen, die Ausbildung von medizinischem Personal wie auch die Förderung standortgerechter Landwirtschaft oder angepaßter Technologien, die Abhängigkeiten verhindern helfen. Deshalb heißt dieser Teil der medico-Arbeit *„Autonomie-Hilfe"*.

— Das Wissen über die „Dritte Welt" ist in den Universitäten von Berlin oder Frankfurt wohl dokumentiert, nicht aber in Manila oder Wagadugu. Der Erkenntnisfluß ist einseitig und von den reichen Ländern kontrolliert. Es erstaunt nicht, daß die pharmazeutische Industrie entsprechend unterschiedliche Informationsstandards verwenden kann. Die Förderung des weltweiten Informationsaustauschs ist ein wichtiges Ziel unserer Arbeit. Und weil über die Verhältnisse in den ausgebeuteten Ländern nicht berichtet werden kann, ohne zugleich die Ursachen zu benennen, die für das herrschende Elend verantwortlich sind, gibt es noch ein weiteres Anliegen für unsere Arbeit: die Aufklärung der hiesigen Bevölkerung über die Wirklichkeitszusammenhänge dieser Welt. Beides zusammen heißt für uns *„Informationshilfe"*.

In der Unterstützung des Projektes *„Emanzipation und lateinamerikanische Identität 1492 – 1992"* sieht medico international eine weitere Möglichkeit, dem alles zersetzenden Schema einer weltweiten Massen- und Warenkultur entgegenzutreten, das die Menschen bis in ihre innersten Regungen zu dominieren versucht.

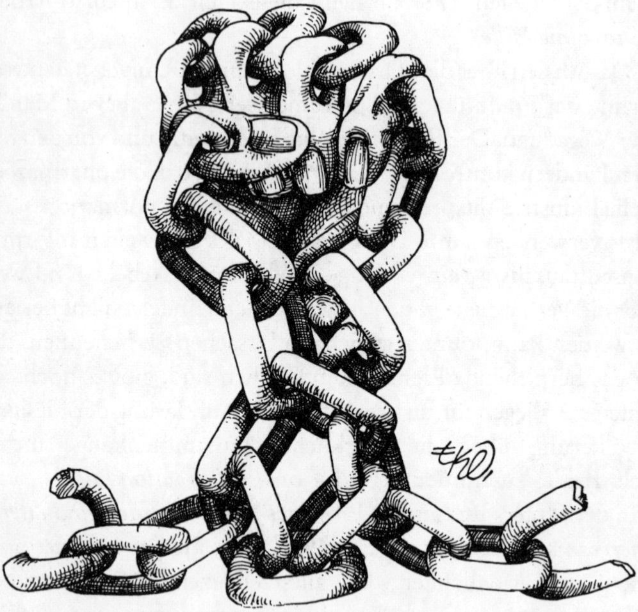

Alfred Schmidt

Der Kolonialismus in der Sozialphilosophie und politischen Ethik Jean-Paul Sartres

Meine Damen und Herren, ich bedanke mich sehr für die Einladung, in Ihrem Kreis zu sprechen. Ich habe erst ein bißchen gezögert, aber dann doch mich von Herrn Meyer darüber belehren lassen, daß ich vielleicht etwas beisteuern kann zu Ihrer Tagung.

Es wird die Rede sein von Kolonialismus in der Sozialphilosophie und politischen Ethik Jean-Paul Sartres. Ich möchte aber, ehe ich in dieses Thema selbst eintrete, auf einige hochinteressante Stellen in Hegels Rechtsphilosophie zu sprechen kommen, weil nämlich in diesem so wichtigen Werk des 19. Jahrhunderts sich die gesamte Entwicklung der bürgerlichen Gesellschaft seit der beginnenden Neuzeit in einer einmaligen Weise zusammenfaßt. Vor allem aber ist Hegel einer der ersten gewesen, die das Phänomen des Kolonialismus nicht nur in den Blick bekommen, sondern es auch verstanden haben, den Kolonialismus aus der Struktur der bürgerlichen Gesellschaft selbst zu erklären. Er ist zu Formulierungen gelangt, die sogar von prognostischem Interesse sind; in mancher Hinsicht hat er sich hinsichtlich der Entwicklungstendenzen der bürgerlichen Welt als realistischer erwiesen als Marx. Nicht zuletzt deshalb komme ich auf ihn zu sprechen. Die Hegelsche Rechtsphilosophie stammt aus den zwanziger Jahren des vorigen Jahrhunderts, und ich beziehe mich hier auf den Abschnitt „Die bürgerliche Gesellschaft", die in Hegels Rechtsphilosophie unter dem Titel „Das System der Bedürfnisse" ja, behandelt wird, und konzentriere mich dabei auf einige berühmte Paragraphen.

Paragraph 243: „Wenn die bürgerliche Gesellschaft sich in ungehinderter Wirksamkeit befindet, so ist sie innerhalb ihrer selbst *in fortschreitender Bevölkerung* und *Industrie* begriffen. — Durch die *Verallgemeinerung* des Zusammenhangs der Menschen durch ihre Bedürfnisse, und der Weisen, die Mittel für diese zu bereiten und herbeizubringen, vermehrt sich die *Anhäufung der Reichtümer*, denn aus dieser gedoppelten Allgemeinheit wird der größte Gewinn gezogen, — auf der einen Seite, wie auf der anderen Seite die *Vereinzelung* und *Beschränktheit* der besonderen Arbeit und damit die *Abhängigkeit* und *Not*, der an diese Arbeit gebundenen Klasse, womit die Unfähigkeit der Empfindung und des Genusses der weiteren Freiheit und besonders der geistigen Vorteile der bürgerlichen Gesellschaft zusammenhängt." (1) Hegel sieht also, daß die Entwicklung der liberalistischen Ordnung notwendig eine Polarisierung von Armut und Reichtum erzeugt, ja, Hegel geht sogar soweit, im darauffolgenden Paragraphen zu sagen: „Das Herabsinken einer großen Masse unter das Maß einer gewissen Subsistenzweise ... bringt die Erzeugung des *Pöbels* hervor". (2)

Dieser Begriff changiert eigentümlich zwischen dem späteren Begriff des Proletariats und dem was bei Marx das Lumpenproletariat genannt wird. Eine Erzeugung des Pöbels, die — wie Hegel fortfährt — "hinwiederum zugleich die größere Leichtigkeit, unverhältnismäßige Reichtümer in wenige Hände zu konzentrieren, mit sich führt". (3) Und dann sagt Hegel: „Die wichtige Frage, wie der Armut abzuhelfen sei, ist eine vorzüglich die modernen Gesellschaften bewegende und quälende"; es kommt "hierin zum Vorschein, daß bei dem Übermaße des Reichtums die bürgerliche Gesellschaft nicht reich genug ist, ... dem Übermaße der Armut und der Erzeugung des Pöbels zu steuern". (4)

Warum komme ich auf diese Dinge zu sprechen? Hegel entdeckt, lange vor Marx, diesen Klassenantagonismus der bürgerlichen Welt, der die metaphysische Rolle erklärt, die der Staat bei ihm spielt. Wer von Hegel gar nichts weiß, weiß zumindest, daß er den preußischen Staat vergottet habe. Diese Rolle des Staates, der das eigentlich "sittliche" Moment in das Gemeinwesen hereinbringen soll, beruht auf der Einsicht Hegels, daß die bürgerliche Gesellschaft auf ihrer rein ökonomischen Ebene außerstande ist, die Konflikte zu schlichten. Und nun sagt Hegel sehr schön: „Durch diese ihre Dialektik wird die bürgerliche Gesellschaft über sich hinausgetrieben". (5) Aber nicht, wie Adorno suggerierte, wenn er den Satz zitierte, in den Sozialismus, nein, sie wird geographisch über sich hinausgetrieben.

Darin besteht nämlich hier Hegels Einsicht, daß diese Gesellschaft genötigt wird, "außer ihr in anderen Völkern, die ihr an Mitteln, woran sie Überfluß hat, oder überhaupt an Kunst, Fleiß u.s.f. nachstehen, Konsumenten und damit die nötigen Subsistenzmittel zu suchen." (6) Mit anderen Worten, der Kolonialismus ergibt sich primär aus den inneren Problemen der bürgerlichen Gesellschaft selbst; er hat weit weniger mit Abenteuerlust, mit Entdeckerfreude und mit dem Wunsch zu tun, fremde Sitten und Länder kennenzulernen. Er entspringt, wie Hegel nüchtern feststellt, der spezifischen Produktionsweise, wie sie sich seit der Renaissance herausgebildet hat, und das ist jene Periode, die parallel läuft zum Zeitalter der Eroberung anderer Kontinente und Völker. Es gibt bei Hegel neben der „sporadischen" die „systematische Kolonisation„ (7), das will ich jetzt im einzelnen nicht diskutieren. Er sieht jedenfalls, daß die Kolonialvölker nicht davon erbaut sind, daß andere in ihrem Land zu Herren werden. Und dann beschreibt er den Gang der Geschichte: „In den neueren Zeiten hat man den Kolonien nicht solche Rechte, wie den Bewohnern des Mutterlandes zugestanden, und es sind Kriege und endlich Emanzipationen aus diesem Zustande hervorgegangen, wie die Geschichte der englischen und spanischen Kolonien zeigt." (8) Immerhin erweist sich Hegel in diesem als reaktionär verrufenen Buche noch als relativ fortschrittlich. Betont er doch, die „Befreiung der Kolonien“ sei letztlich von größtem Vorteil für den „Mutterstaat“ wie auch die „Freilassung der Sklaven ... der größte Vorteil für den Herren“. (9)

Schade nur, daß die Herren diesen ihren Vorteil nicht immer so haben einsehen wollen, wie die Hegelsche Philosophie es vorsieht. Mir lag an diesen Belegen aus Hegels Rechtsphilosophie, um Ihnen klar zu machen, daß diese expansive und aggressive, dann auch imperialistische Politik, die mit dem Phänomen des Kolonialismus in dieser oder jener Weise zusammenhängt, von Hegel, dem großen Theoretiker der bürgerlichen Gesellschaft, verhältnismäßig früh auf die innere Unschlichtbarkeit bestimmter sozialer Antagonismen zurückgeführt worden ist, d.h. er hat erstmals versucht, den Kolonialismus *objektiv* zu erklären. Er operiert nicht mit moralischen Werturteilen, sondern versucht zunächst zu zeigen, daß die bürgerliche Gesellschaft auf der eigenen Ebene ihrer Antagonismen nicht Herr zu werden vermag, was sie notwendig dazu bringt, über ihre geographischen Grenzen hinauszugehen.

Sartre gilt mit Recht als der politisch engagierteste Intellektuelle in unserem Jahrhundert. Er spricht der Schriftstellerei, geistiger Arbeit überhaupt, eine nicht nur belehrende, aufklärerische oder unterhaltende, sondern eine unmittelbar mobilisierende Rolle zu. Anders als Hegel nimmt Sartre eine moralische Grundhaltung ein. Ihm geht es nicht darum, objektive Prozesse leidenschaftslos zu registrieren, sondern er nimmt politisch-moralisch zu den Tagesereignissen Stellung. Wie Brecht will auch er kämpferisch Partei ergreifen für die Sache der Menschheit. Es ist dabei von Interesse, daß Sartre ursprünglich durchaus als akademisch gerichteter Denker auftritt. Er kommt von Husserl, Heidegger und Jaspers her und ist erst allmählich nach dem zweiten Weltkrieg durch Kojève, der eine Reihe französischer Intellektueller beeinflußt hat, an Hegel und Marx herangekommen. Nach dem zweiten Weltkrieg hat Sartre in langjährigen, komplizierten ideologischen und politischen Auseinandersetzungen mit der französischen Kommunistischen Partei, zuletzt auch noch mit dem Maoismus und, was das für mich Entscheidende ist, mit der marxistischen Theorie, sich zu einem Denker praktischer Weltveränderung, man kann sagen: zu *dem* Denker praktischer Weltveränderung in unserer Zeit entwickelt. Seine *Kritik der dialektischen Vernunft* ist eines der großen sozialphilosophischen Werke unserer Zeit.

Um nun die Intentionen jenes Sartre zu verstehen, von dem im Rahmen Ihres Seminars die Rede sein muß, ist es unerläßlich, an Sartres frühen Existentialismus wenigstens zu erinnern; denn ohne den Rückverweis auf ihn wird nicht klar, was Sartre an der kommunistischen Ideologie auszusetzen hatte, nämlich nicht weniger als dies, daß sie untauglich sei, als Philosophie einer Revolution zu dienen. Der frühe Existentialismus Sartres ist eine Philosophie der menschlichen Subjektivität. Er hat es den Kommunisten immer verargt, daß sie in ihrem wissenschaftlich sich gebärdenden Eifer annahmen, man könne den Menschen als Objekt unter Objekten, als Ding unter Dingen betrachten. Der zum Gegenstand behavioristischer Psychologie herabgesetzte Mensch, eine Art Pawlowscher Hund, ist in bezug auf jene Fragen, die Sartre interessierten, völlig irrelevant. Das frühe große Werk *Das Sein und das Nichts*, entstanden während der Zeit der deutschen Okkupation, ist wesentlich der Freiheit gewidmet. Freiheit ist für Sartre gesetzt mit dem Menschen selbst. Er ist das „Sein des Für-sich", im Gegensatz zum „An-sich" der bloßen Dingwelt. (10) Freiheit stellt sich für Sartre nicht in einem objektiven, sie allererst ermöglichenden Prozeß her. Damit es zu emanzipatorischen Entwicklungsprozessen überhaupt kommt, muß von der grundsätzlichen Freiheit des menschlichen Subjektes ausgegangen werden. Die menschliche Realität ist ein Überschreiten des Hier und Jetzt — Transzendenz. Die menschliche Realität ist, anders gesagt, nicht etwas, das zunächst gewissermaßen dinghaft vorhanden wäre, um sich dann mit diesem oder jenem Ziel zu verknüpfen, sondern sie ist ein Sein, daß wir ursprünglich als Projekt, als Entwurf hin auf die Zukunft definieren müssen. Sartre glaubt, anders ausgedrückt, nicht an eine rein objektiv verursachte Bereitschaft des Menschen mit einer Situation zu brechen, worin er sich befindet. Die Revolte, der revolutionäre Protest gegen das schlechte Vorhandene, ist nie eine bloße Widerspiegelung der objektiven Verhältnisse, so hart diese Situationen, in denen die Menschen sich befinden sein mögen, so schmerzlich die mit ihnen verbundenen Leiden. All das führt nach Sartre nicht von sich aus dazu, daß die Menschen sich ein menschenwürdigeres Dasein ausmalen. Die Vorwegnahme des Besseren ist keine bloße Widerspiegelung des vorhandenen materiellen Seins.

Dies sind die Grundlagen der Sartreschen Politik. Sie ist eine Politik der moralischen Subjektivität. Das heißt: Erst wenn ein anderer Sachverhalt, d.h. eine andere Einrichtung der menschlichen Dinge denkbar wird, sagt Sartre, fällt auch neues Licht auf unsere Mühsale und Leiden und entscheiden wir, daß diese Zustände unerträglich sind. Es gehört stets eine subjektive Stellungnahme, ein Akt der Entscheidung dazu, der mich distanziert von der Unmittelbarkeit des gegebenen Weltzustandes, und von dieser Distanzierung her erweist er sich als ein mangelhafter, ein aufzuhebender, den Menschen versklavender Zustand. Unfrei sind die Menschen, solange sie ihr faktisches Sein für naturgegeben halten. Daher auch Sartres leidenschaftliche Kritik der Vorstellung, es gäbe etwas wie eine fertige, feste menschliche Natur. Denn zur Unterdrückung sogenannter Naturvölker hat immer die Ideologie gehört, zu sagen, sie seien, wie schon Aristoteles behauptet, von Natur zur Knechtschaft ausersehen. Eine solche naturhafte Gegebenheit, an der wir nicht zu rütteln vermöchten, werde sie in den Verhältnissen oder bezüglich der Beschaffenheit des Menschen gesehen, gibt es für Sartre nicht.

Aktionsraum, Spielraum gewinnen die Menschen dadurch, daß sie eine zweifache „Nichttung" (11) ausführen. Was will Sartre damit sagen? Einerseits setzen sie einen idealen Sachverhalt, nämlich die Utopie, als reines gegenwärtiges Nichts; nichts von dem, was anders und besser wäre, ist hier und heute verwirklicht. Andererseits setzen sie die augenblickliche Situation in bezug auf jenen Sachverhalt als Nichts. Das bedeutet, im Licht der Utopie tritt die ganze Lächerlichkeit und Erbärmlichkeit des gegebenenen Zustands vor Augen. Sartre zieht nun zwei

Schlüsse aus diesen Überlegungen. Er sagt:

„1. kein faktischer Zustand, welcher Art er auch sei (politisch, wirtschaftliche Struktur der Gesellschaft, psychologischer „Zustand“ usw.) ist fähig, von sich aus einen Akt zu motivieren. Denn der Akt ist der Entwurf des Für-sich auf das hin, was es nicht ist; und das, was ist, kann in keiner Weise von sich aus das bestimmen, was nicht ist. 2. Kein faktischer Zustand kann das Bewußtsein dazu bestimmen, ihn selbst ... als Mangel zu begreifen. Mehr noch, kein faktischer Zustand kann das Bewußtsein dazu bestimmen, ihn zu definieren und zu umschreiben ... Also hat jede Tätigkeit zur ausdrücklichen Bedingung nicht nur die Entdeckung eines Sachverhaltes als eines Mangels an ... ', sondern auch — und dem vorhergehend — die Konstituierung des betreffenden Sachverhalts als System. Es *gibt* einen faktischen Zustand — befriedigend oder nicht — nur infolge der nichtenden Kraft des Für-sich.“ (12)

Die schlimmste Herrschaft kann den Subjektcharakter des Menschen nicht töten. Das ist hier der entscheidende Gedanke. Der Mensch kann nicht restlos unter die Dinge der Außenwelt subsumiert werden. Das eigentlich ist der *humanistische* Aspekt von Sartres Konzeption. So fachphilosophisch und abstrakt diese Formulierungen ihnen wohl vorkommen mögen — sie enthalten zugleich Sartres Verständnis von Politik wie von subjektiver Freiheit. Diese besteht für ihn darin, den gegebenen Weltzustand, wie er sagt, auf ein „ideales Nichts“ (13) zu beziehen, auf ein Ideal, das das jetzt nicht Vorhandene als verwirklicht anizipiert. Dadurch allein erweist sich das Bestehende als der Veränderung bedürftig. Sartre wendet sich hier gegen einen naiven Marxismus, der sich einbildet, die gebieterische Not erzeuge unmittelbar das revolutionäre Bewußtsein. Und es gibt wirklich empirische Studien, die zeigen, daß Sartre recht hat.

Hegels Lehre vom Geist als dem Negativen, als demjenigen, was die Unmittelbarkeit aufhebt, bildet ein entscheidendes Moment der Sartreschen Konzeption der Freiheit. Der revolutionäre Arbeiter, dessen Gestalt schon in Sartres Frühwerk auftritt, ist der Prototyp des unterdrückten Menschen, der sich weigert, seinen Zustand natürlich zu finden — früher hätte man gesagt: gottgegeben. Er reißt sich von sich selbst und der vorhandenen Welt los, er setzt selbstbewußt eine Distanz, und diese ist entscheidend dafür, daß ihm die Unerträglichkeit des vorhandenen Zustandes bewußt und — im Sinne von Marx — nachweisbar wird, daß diesem Zustand eine revolutionäre Sprengkraft innewohnt. Sartres großes Problem ist bis in die politischen Schriften der sechziger Jahre hinein immer das einer tragfähigen politischen Ethik gewesen. Es geht ihm um einen politischen Existentialismus, den er schließlich als Korrektiv in das Lehrgebäude von Marx eingebracht hat. Das ist auch die Absicht seines Buches *Kritik der dialektischen Vernunft*, das den Menschen als Subjekt, als Praxis begreift und nicht nur — flachmaterialistisch — als Gegenstand der Naturwissenschaft.

Sartre schwebt ein *philosophischer* Realismus vor, der ebensosehr die Realität der Welt als gegenständlichen Widerstand, wie die Realität des Bewußtseins anerkennt. Der alte, schulmäßige Idealismus hat die Dingwelt verflüchtigt und sich bloß an die Subjektivität gehalten. Der naturalistische Materialismus begeht den entgegengesetzten Fehler, indem er die Subjektivität einfach streicht im Sinne der behavioristischen Psychologie, die mit Watson sagt: „Mind is was body does". Das Subjekt hat hier keine eigene Substantialiät. Sartre sagt nun, der Realismus des Revolutionärs verlangt beides: die Wirklichkeit des Bewußtseins und die Wirklichkeit der Weltdinge, die Härte der Widerstände. Beides muß zusammenkommen in einem *philosophischen Begriff der Praxis.* Hierbei kann Sartre sich ohne große Schwierigkeiten auf die *Pariser Manuskripte* von Marx (1844) berufen, wo dieser philosophische Gehalt des Praxisbegriffs erstmals herausgearbeitet worden ist. Der Mensch ist nicht primär ein Ding, sondern ist Subjekt, Praxis, Geschichte, unabgeschlossene Geschichte. Sartres Existentialismus ist im Laufe seiner Entwicklung in verschiedenen Verkleidungen bekannt geworden: als „atheistischer Humanismus", als „Philosophie der Revolution" und schließlich als „Theorie der gesellschaftlichen Praxis", wie der Untertitel von Sartres zweitem Hauptwerk lautet. Bei allem für den späteren Sartre charakteristischen Zugang zu Marx, bei aller Bereitschaft, im Sinne der Marxschen Ökonomie auch objektive, situationsanalytische Einsichten des Marxismus anzuerkennen und aufzunehmen, bleibt Sartre doch seiner originären Freiheitslehre darin treu, daß er nicht dazu bereit ist, den Menschen einfach in einen naturalistischen Determinismus einzubeziehen. Die Selbstentfremdung des Menschen ist nicht so zu verstehen, wie die Wirkung der Gesetze der Physik. „Der Mensch", schreibt Rupert Neudeck, einer der auch politisch bedeutendsten Sartre-Kenner, „ist das, was er aus dem macht, was aus ihm gemacht worden ist. Zwar kann er nicht überspringen, was aus ihm gemacht worden ist. Manchmal wird es dem Halbnomaden in der Sahelzone, dem Fellachen in Nordafrika, dem Reisbauern in Cochinchina unendlich schwer gemacht, das Joch eines Kolonialregimes lastet unerträglich auf ihm. Doch niemals gibt es die totale Ausweglosigkeit oder Schicksalhaftigkeit, dazu hat J.P. Sartre alle Zeitgenossen und Nachgeborenen immer wieder ermuntert." (14)

Daher auch Sartres Distanz zu den analytischen Sozialwissenschaften. Hier wird der Mensch zuwenig als tätiges Subjekt seiner Geschichte verstanden, sondern er von vornherein eingegliedert in System- und Strukturzusammenhänge. Auch die Art, wie Althusser glaubte, den Marxismus wissenschaftstheoretisch korrigieren zu sollen, hat ihm nicht eingeleuchtet. „Kapital", heißt es bei Marx, „ist nicht eine Sache ..., sondern ein durch Sachen vermitteltes *gesellschaftliches* Verhältnis zwischen Personen." (15) Es ist ein historisches Produktions- und Klassenverhältnis, das sich selbst in einer Geldmünze verbirgt, die ich mit mir führe. Worauf ich hinaus will: Sartre kritisiert den Strukturalismus nicht, weil er auf verfestigte Verhältnisse hinweist. Solche gibt es tatsächlich, Sartre nennt sie „le practicoinerte", das „Praktisch-Träge". Wie nach Marx im „fertigen Rock" die „Schneiderarbeit verschwindet" (16), so erzeugen die Menschen, indem sie bewußt ihre Ziele verfolgen, *unbewußt* objektive Strukturen, die in der Gestalt, in denen sie ihnen als eine gegenständlich harte Wirklichkeit entgegentreten, nicht durch ihr gesellschaftliches Bewußtsein hindurchgegangen sind. Das würde auch Sartre akzeptieren, aber Autoren wie Althusser vorwerfen, daß sie die Not des entfremdeten Zustands zur Tugend ihrer objektivistischen Methodologie machen, die sich damit begnügt, diesen entfremdeten Zustand adäquat wiederzugeben. Man darf aber, wie schon Schelling wußte, über dem Produkt das Produzierende, nämlich die leibhaftigen Menschen, nicht vergessen. Es geht mithin bei Sartre um Kritik am ideologisierten Strukturbegriff, nicht um Kritik am Strukturbegriff überhaupt. Ersterer läßt nicht mehr erkennen, in welchem Maße die Menschen selbst die Schöpfer jener gegenständlichen Verhältnisse sind, unter denen sie leiden. — Dies als Anmerkung zu Sartres Kritik am Strukturalismus.

Ich kehre zurück zu Rupert Neudecks Satz: „Der Mensch ist das, was er aus dem macht, was man aus ihm gemacht hat." Er kann seine objektiven Daseinsbedingungen nicht überspringen, das ist richtig, aber er ist nicht zur Resignation verurteilt. Wenn es ein Wort gegeben hat, schreibt Neudeck, das Sartre vor allem gehaßt hat, dann war es das Wort „le Chef", der Chef. „Die soziale Realität", schreibt Neudeck, „war (und ist) von Chefs prädominiert. ... Die Welt der Kolonisierten, der Primitiven, der Habenichtse, der Neger, der Schmuddelkinder aus der unterentwickelten Welt, der Vietnamesen und der Algerier war von der Herrschsucht und der Arroganz der Chef-Völker beherrscht." (17) Schon bei Hegel, und deshalb habe ich mit ihm begonnen, zeichnete sich ja der Gedanke ab, daß man die Klassenantagonismen der bürgerlichen Gesellschaft mildern kann, daß man außerhalb des eigenen Landes andere Proletariate schafft, in bezug auf welche die Arbeiter des eigenen Landes fast schon bourgeois sind. Ähnliche Überlegungen stellt Neudeck an.

Kein Zufall, daß Neudeck in diesem Kontext auf Sartres berühmtes Vorwort, zu dem flammenden Manifest *Die Verdammten dieser Erde*, von Frantz Fanon zu sprechen kommt. Was, so kann man zwanzig Jahre später fragen, hat Sartre an Fanons Buch so fasziniert. Wer war Frantz Fanon? Ich nenne einige Daten für jene unter ihnen, die nicht genau informiert sind. Er war ein Bauernsohn, ist 1924 in Martinique geboren, hatte in Frankreich Philosophie und Medizin, genauer Psychiatrie, studiert und während des Krieges als Partisan gekämpft. 1953 ging er als Arzt nach Algerien, wurde Leiter der Psychiatrischen Klinik von Blida-Joinville. Drei Jahre später hat er in einem berühmt gewordenen Schreiben den französischen Generalgouverneur von Algerien um seine Entlassung gebeten und arbeitete jetzt für die Nationale Befreiungsfront, zeitweilig als Botschafter der provisorischen algerischen Regierung in Accra. Er starb im Dezember 1961 in New York an Leukämie; übrigens am selben Tag, an dem in Paris sein Hauptwerk *Die Verdammten dieser Erde* erschien. Es gibt eine kleine, gut lesbare Monographie von David Caute über Frantz Fanon, in der es heißt: „Fanon war Sozialist, Feind des Kapitalismus, des Kolonialismus und Neokolonialismus; er war Revolutionär und Gegner jeder Form des Rassismus. Er glaubte an die Wirksamkeit und den menschlichen Wert gewalttätiger Selbstbehauptung und er war ein entschiedener Gegner aller autoritären, auf dem Prinzip der Elite basierenden Regierungen. Fanon war ein Fürsprecher der Ärmsten dieser Erde, der Bauern der dritten Welt." (18)

Fanon verurteilte die Einstellung und die praktizierten Werte Europas während der Epoche des kapitalistischen Imperialismus, aber orientierte sich dabei an den Prinzipien der revolutionären Tradition Europas. Das tut auch Sartre in seinem Vorwort dieses Buches, indem er die reale Politik der europäischen Völker an ihrem vornehmen philosophischen Selbstverständnis mißt und dabei zeigt, daß der „Humanismus" als bloße Rechtfertigungsideologie dient. Sartres Vorwort ist jedoch auf dem Hintergrund zu beurteilen, daß er ursprünglich selbst seinen Existentialismus als einen Humanismus definiert hat. Es geht ihm deshalb weniger darum, den Humanismusbegriff als solchen zu diskreditieren, er will nur zeigen, daß die Rede vom Menschen, von der Humanität usw. angesichts dessen, was Europa den übrigen Weltteilen seit etlichen Jahrhunderten angetan hat, zu einer erbärmlichen Phrase wird. Daher Sartres bittere Inronie: „Zunächst müssen wir ein unerwartetes Schauspiel über uns ergehen lassen, das Striptease unseres Humanismus. Da steht er also ganz nackt da, kein schöner Anblick. Er war nur eine verlogene Ideologie, eine ausgeklügelte Rechtfertigung der Plünderung. Seine Empfindsamkeit und seine Preziosität waren ein Alibi für unsere Aggressionen. Sie sehen gut aus unsere Gewaltlosen: weder Opfer noch Helfer. Kommt mir bloß nicht damit! Wenn ihr keine Opfer seid, wenn die Regierung, für die ihr gestimmt habt, wenn die Armee, in der eure jungen Brüder gedient haben, ohne Hemmungen oder Gewissensbisse einen ‚Völkermord' unternommen haben, dann seid ihr unzweifelhaft Henker. ... Ein Mensch, das heißt bei uns: ein Komplize, weil wir alle von der kolonialen Ausbeutung profitiert haben. ... Und was tut Europa? ... Dieses Geschwätz von Freiheit, Gleichheit, Brüderlichkeit, Liebe, Ehre, Vaterland, was weiß ich. Das hinderte uns nicht daran, gleichzeitig rassistische Reden zu halten: dreckiger Neger, dreckiger Jude, dreckiger Araber ... Ob aus Irrtum oder schlechtem Gewissen: nichts ist bei uns konsequenter als rassistischer Humanismus, weil der Europäer nur dadurch sich zum Menschen hat machen können, daß er Sklaven und Monstren hervorbrachte." (19)

Als dieses leidenschaftlich, auch literarisch großartig formulierte Vorwort zu dem Manifest von Fanon von Sartre geschrieben wurde, 1960, hatte er soeben seine *Kritik der dialektischen Vernunft* herausgebracht. Er war dabei, zum Sozialtheoretiker in einem konkreteren Sinne zu werden, als er es zuvor gewesen war. Natürlich finden wir noch den alten Exitentialismus, der jetzt aber von Sartre als Enklave und Korrektiv innerhalb eines neu verstandenen Marxismus bestimmt wird. Er will eine zugleich historische und strukturelle Anthropologie entwickeln. Historisch *und* strukturell bedeutet das, das Sein der Strukturen wie ihr *historisches Gewordensein*, gleichzeitig im Auge zu behalten. Am Strukturalismus kritisiert er die Absage an die Geschichte und ihr Subjekt, den Menschen. Für Sartre gibt es eine *Wahrheit der Geschichte*, sie will er in seinem Werk enthüllen. Er hat den Ehrgeiz, die Marxsche Lehre für unsere Zeit zu reformulieren. Marx' Blick, das sieht er sehr genau, war auch ethnozentrisch begrenzt. Er war in der Welt befangen, in der er lebte: im viktorianischen England. Europa war der Mittelpunkt dieser Welt, das Europa von wenigen großen Nationen, zu denen England, Frankreich und Deutschland gehörten, während die Vereinigten Staaten sich erst anschickten, zur Großmacht zu werden. Für Marx war selbst Rußland noch ein bloßer, wenn auch bedrohlicher Schatten, und hinsichtlich der „Dritten Welt" hat er einfach gewisse Redensarten von Hegel übernommen. Sie war eine geschichtslos-träge Wirklichkeit. Es gab für ihn keine echte Geschichte im alten China oder in Indien. Er meinte, daß dort an der politischen Oberfläche bestimmte barbarische Cliquen einander bloß abgelöst hätten, während in den Fundamenten der Gesellschaft sich nichts geändert habe. Es war nicht einfach falsch, aber doch vorurteilsvoll, jenen Weltteilen von vornherein jede innere Historizität abzusprechen. Darin folgt Marx den Vorurteilen Hegels. Auch für Marx war die „Dritte Welt" nur dazu da, das westliche Industriesystem auf Touren zu bringen, allerdings bei ihm mit dem Zusatz: ehe es dann von der von ihm erwarteten Revolution ereilt wurde. Jene Revolution aber hat sich im neunzehnten Jahrhundert nicht ereignet. Sartre dagegen sieht sich im Besitz neuer Erkenntnisse und Zeugnisse. Die Zeugnisse sind enthalten in seiner Philosophie der Freiheit, die darauf abzielt, die ökonomischen Einsichten des Marxismus neu zu fassen und den neuen globalen Gegebenheiten anzupassen. Die neuen Erkenntnisse stammen daher, daß das Wissen über die Menschheit jetzt seine geographischen Grenzen erreicht hat. Die Menschheit ist sich ihrer Stellung im Ganzen, im Weltmaßstab, gewiß und sie ist sich damit auch ihrer Aufgabe bewußt. Was Sartre an Fanon fasziniert haben mag, war der besessene, glühende Absolutismus, die Unbedingtheit seiner Argumentationen. Während Marx als bürgerlicher Intellektueller die Arbeiterklasse als fremdes Objekt analysierte, war Fanon, so sah es wohl Sartre, der autodidaktische Ökonom und Soziologe; gleichzeitig Analytiker und Objekt der Analyse, da er als Farbiger die Situation des Kolonisierten durchlebte: als ein Mann von hochdramatischem Stil und explosivem Zorn. Es geht ja eine ungeheure Glut durch Fanons Schrift hindurch. Sie hat natürlich auch den Literaten Sartre beeindruckt. Kuba, China und die Schriften Fanons, so stellte es sich Sartre dar, belehrten darüber, daß die bäuerlichen, von Lenin vernachlässigten Massen ein Reservoir der revolutionären Armee bildeten, das sich nun zur revolutionären Klasse entwickeln würde. In den sechziger Jahren ist Sartre vom Kurs der europäischen und russischen Kommunisten abgerückt und ins Lager der letzten Revolutionäre übergegangen: Chinesen, Kubaner, Afrikaner und Araber, die für ihn gleichzeitig die letzten Proletarier der alten Geschichte und die heraufkommenden Menschen der neuen Geschichte waren.

Die innere Unwahrheit des westlichen Humanismus angesichts der Praxis der westlichen Völker ist bei Fanon wie in Sartres Vorwort der entscheidende Gedanke. Bei heutiger Lektüre wird man an den meisten der damals plausiblen Voraussetzungen nicht mehr festhalten können. Davon, daß das maoistische China (zu schweigen vom nach-maoistischen) die Vorhut eines weltrevolutionären Prozesses bilde, kann wohl keine Rede mehr sein. Überhaupt fällt an Fanon wie an Sartre auf, daß sie letztlich von dem geschichtsphilosophischen Konzept ausgingen, daß die Unterdrückten dieser Erde dabei wären, sich wie ein Mann gleichzeitig und überall in der Welt zu erheben. Sartre hat die Gewalt in dem Maße befürwortet, wie sie sich, als Gegengewalt, gegen eine vorhandene Gewalt richtete. Es gibt jedoch ein fundamentales Gesetz, das zur Ethik jeder Revolution gehört. Der edelste Zweck wird dann totgeschlagen, wenn blutige Mittel zu seiner Verwirklichung angewandt werden. Es gibt hier eine Relation von Mitteln und Zwecken, die durchsichtig bleiben muß. Der revolutionäre Akt ist nur insoweit von Interesse, als er wirklich die Lage unterdrückter und gepeinigter Menschen verbessert. Man wird im Einzelfall genau zu untersuchen haben, wie hier Mittel und Zwecke aufeinander bezogen werden. Die zeitgenössische Situation in der „Dritten Welt“ ist sehr unübersichtlich geworden, und mit einem Totalprogramm des Alles oder Nichts, wie es den großen Autoren vor zwanzig Jahren als plausibel erschienen sein mag, ist wohl in der Gegenwart nicht mehr durchzukommen. Darüber sollten wir vielleicht dann anschließend noch gemeinsam reden. Ich wollte Ihnen nur ein paar Anregungen und Aspekte liefern, die vielleicht für Sie von Interesse sind.

Anmerkungen:

1) Hegel, *Philosophie des Rechts*, in: *Sämtliche Werke*, herausgegeben von Hermann Glockner, Band 7, Stuttgart-Bad Cannstadt 1964, S. 318 (modernisierte Schreibweise).
2) Ibid.
3) Ibid.
4) Ibid., S. 319
5) Ibid., S. 320
6) Ibid.
7) Ibid., cf. S. 321
8) Ibid., S. 322
9) Ibid.
10) Sarte, *Das Sein und das Nichts. Versuch einer phänomenologischen Ontologie*, Hamburg 1962, cf. S. 575
11) Ibid., cf. S. 554
12) Ibid.
13) Ibid., S. 555
14) Martin Suhr, *Sartre zur Einführung.* Mit einem Beitrag von Rupert Neudeck, Hamburg 1987, S. 110
15) Marx, *Das Kapital*, Band I., Berlin 1953, S. 806
16) Cf. dazu ibid., 1. Kapitel
17) Suhr, *Sartre zur Einführung*, l.c., S. 111
18) David Caute, *Frantz Fanon*, München 1970, S. 131f
19) Sartre, in: *Die Verdammten dieser Erde*, Hamburg 1969, S. 20.;21.

Literatur:

Alfred Schmidt, *Geschichte und Struktur, Fragen einer marxistischen Historik*, München 1971.
Ders., „Die Freiheit des Individuums. Marxismus und Existentialismus", in: *Jean-Paul Sartre — ein Atheist?*, Herrenalber Texte 30, herausgegeben von Wolfgang Böhme, Karlsruhe 1981.

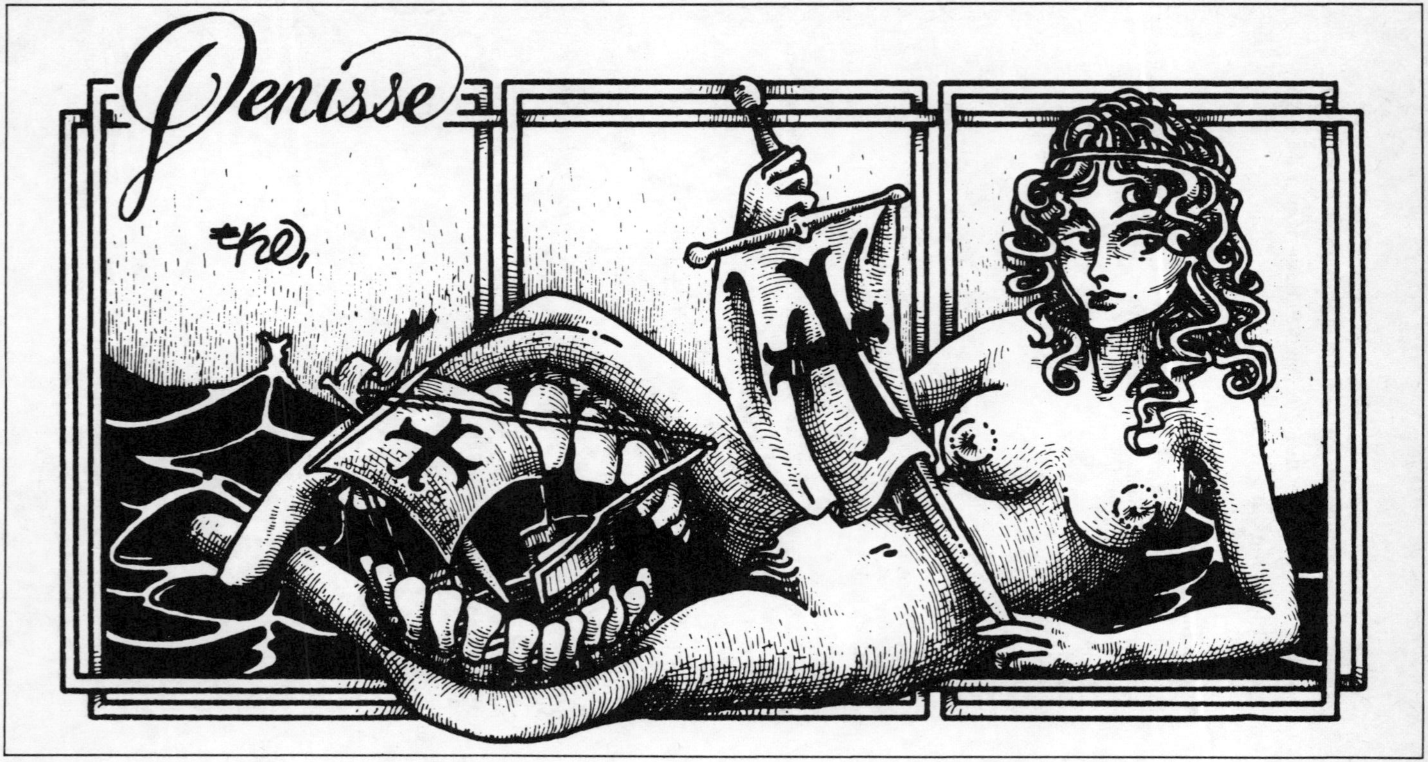
Denisse

Jan Philipp Reemtsma

Cortéz et al.

„Welche militärische Leistung bewundern Sie am meisten?" fragt das FAZ-Magazin jeden Freitag in seinem Prominenten vorgelegten Fragebogen. Sie werden mir vielleicht glauben, wenn ich Ihnen sage, daß ich mich mit dem Bewundern militärischer Leistungen schwer tue, aber wenn ich mich in einen hineindenke, der militärische Leistungen bewundern kann, und zwar ganz „an-und-für-sich", egal, wer da wen, dann würde ich wohl nicht ThemistoklesAlexanderHannibalCaesarNapoleonNelson sagen, sondern: Hernán Cortéz oder vielleicht Francisco Pizárro. Und dächte ich an den erfolgreichsten Kriegsruf aller Zeiten, so müßte ich nicht an das „Alalala" griechischer Phalangen, nicht an das „Roma!" der Legionen, das „Aux armes, citoyens!" der französischen Revolutionstruppen denken, sondern an das „Santiago und drauf!" der Soldateska des Cortéz oder der von Pizárro befehligten Strauchdiebe.

Es sind diese Eroberungen von Ländern mit Millionenbevölkerung und Heeresstärken von zehntausenden durch eine Truppe von einem halben Hundert (Cortéz) oder eine von 180 Mann und 37 Pferden historisch beispiellos. „Dieser Eroberung haftet", schreibt Todorov über die Eroberung Mexicos, „was den Ausgang des Kampfes betrifft, bis heute etwas Rätselhaftes an: Warum dieser schnelle Sieg, wo doch die Bewohner Amerikas ihren Gegnern zahlenmäßig so weit überlegen sind und auf ihrem eigenen Boden kämpfen? (...) Wie ist es zu erklären, daß es Cortéz mit ein paar hundert Mann gelingen konnte, das Reich Moctezumas an sich zu reißen, der mehrere hunderttausend Krieger zur Verfügung hatte?" (1) Sie lauten — alternativ oder in Kombination —: Religion (Identifizierung der Eindringlinge mit Göttern), Feuerwaffen, andere Waffenüberlegenheit, Pferde, Krankheiten. Keiner dieser Faktoren darf unterschätzt, aber jedem kann ein „aber" angehängt werden.

„Die weißen Götter" — gewiß trug in Mexico wie in Peru dies viel zu einem Überraschungsvorteil der Spanier bei. Man ließ sie ins Land, man kam ihnen scheu entgegen, man schrieb ihnen, das vor allem, mehr Macht und Stärke zu als sie tatsächlich hatten. Aber: nach einiger Zeit hatte sich herumgesprochen, daß die Fremden durchaus menschlich und durchaus sterblich seien. Und zwar zu einer Zeit, in der beide Länder militärisch nicht geschlagen waren.

Feuerwaffen — die Rolle der Feuerwaffen wird in der Geschichte in der Regel überschätzt. Zum Beispiel haben nicht sie das Ende der sogenannten Ritterzeit bedeutet, sondern viel eher die Bogenschützen von Agincourt ff. Bevor die Gewehre ziel-und durchschlagsstark genug waren, um einem gepanzerten Heer wirklich gefährlich zu werden, ging man bereits in reduziertem Harnisch. Aber auch gegen wenig gepanzerte Indianersoldaten hätten 180 Mann gegen 10.000 und mehr mit Maschinengewehren ausgerüstet sein müssen, um einen wirklichen Ansturm aufhalten zu wollen, jedenfalls nicht mit Vorderladern mit einer Feuergeschwindigkeit von wenigen Schuß in der Stunde. — Aber war es nicht viel mehr die psychologische Wirkung der Feuerwaffen? Gewiß. Aber nur so lange als man nicht trotz ihrer den Kampf wagte. Daß es mehrere Schlachten zwischen Azteken und Spaniern, zwischen Inkas und Spaniern gegeben hat, deren Zustandekommen ja der deutliche Beleg der Überwindung der Furcht vor den Donner und Blitz spuckenden Geräten ist, spricht deutlich gegen eine entscheidende Rolle der Feuerwaffen.

Auch die anderen Waffen der Spanier, Helm, Brustharnisch, Schwert und Pike waren zwar den meisten Steinwaffen der Indianer überlegen, die zudem keine vergleichbaren Rüstungen trugen, aber auch das wäre etwas, das nur eine Überlegenheit im Kampfe Mann-gegen-Mann erklärte. Im übrigen überschätze man nicht die Schärfe von Schwertern, die einen langen Kriegszug mitmachen, und unterschätze nicht die von geschliffenem Obsidian.

Pferde kannten die Bewohner Amerikas nicht, und überliefert ist, daß sie die spanischen Kavalleristen für Kentauren hielten: „Der Häuptling Tecum köpfte, den Nachkommen der Mayas voranschreitend, mit seiner Lanze das Pferd von Pedro de Alvarado und war fest davon überzeugt, daß dieses zum Körper des Konquistadors gehörte. Alvarado erhob sich und tötete ihn." (2) Andere werden den Fehler so nicht wiederholt haben, und die Anekdote zeigt, daß Tecum Kentauren für sterblich hielt, nur nicht wußte, wo sie es wirklich waren. Von abergläubischem Schrecken, um diesen Einwand gleich vorwegzunehmen, zeugt sein Verhalten nicht, und wenn das Weiterleben des Alvarado-Teils des Kentauren Entsetzen hervorgerufen hat, so wird auch das geringer geworden sein mit wachsender Erfahrung, nicht größer geblieben sein als das vor den Feuerwaffen.

Krankheiten — „Der brasilianische Anthropologe Darcy Ribeiro schätzt, daß mehr als die Hälfte der eingeborenen Bevölkerung Amerikas, Australiens und der ozeanischen Inseln aufgrund von Ansteckungen nach dem ersten Kontakt mit den Weißen zugrunde ging", schreibt Eduardo Galeano (3). Vielleicht muß man, da es Indizien gibt, daß die Blattern Peru vor Pizárro erreichten, diesen Faktor besonders ernst nehmen. Gewiß muß man die Epidemien zu hohen Graden für den Zerfall nach der Eroberung verantwortlich machen (was übrigens die Verbrechen der Spanier in keiner Weise beschönigt), selbst wenn man nicht so weit geht, anzunehmen, daß sich die Bevölkerung Perus in nicht einmal 50 Jahren auf ein Zehntel reduziert habe und das vor allem auf Blattern, Masern und Typhus zurückzuführen sei. Aber auch bereits grassierende Krankheiten erklären nicht die Niederlage von zahlenmäßig überlegenen Heeren, die ja aus Gesunden rekrutiert gewesen sein dürften.

„Der abgrundtiefe Unterschied in der Entwicklung beider Welten erklärt die relative Leichtigkeit, mit der die Eingeborenenzivilisationen unterworfen wurden“ (4), schreibt Galeano, aber er zählt nur Äußerlichkeiten her, die das militärische Debakel nicht erklären können. Es wirkt seine Gegenüberstellung der europäischen Zivilisation den amerikanischen Zivilisationen wie die Beschwörung einer in keiner materiellen Eigenschaft dingfest zu machenden Überlegenheit: „Alles war unter den Eingeborenen Amerikas anzutreffen: Astronomen und Kannibalen, Ingenieure und Wilde im Stadium der Steinzeit. Aber den Eingeborenenkulturen war weder das Eisen noch der Pflug, das Glas oder das Schießpulver bekannt, noch verwendeten sie das Rad, es sei denn in ihren rituellen Opferwägelchen. Die Zivilisation, die sich auf diese Länder von der anderen Seite des Meeres aus stürzte, machte gerade den schöpferischen Ausbruch der Renaissance durch. Amerika wirkte wie eine weitere Erfindung, die sich zusammen mit dem Schießpulver, der Druckerpresse und dem Kompaß der sprudelnden Geburt der Neuzeit eingliederte.“ (5) Es waren Stärkere über das Meer gekommen, man kann das wohl nicht leugnen, auch wenn sie selbst es ebenso sahen, Stärkere, die sich, so zeigen uns die Überlieferungen, sehr schnell das zutrauten, was ihnen die Einwohner Amerikas auch zutrauten, zutrauten trotz ihrer Unterlegenheit an Zahl und Gerät. Sie kamen, zeigten sich, und hatten gesiegt. Die Überlegenheit Europas war keine Ideologie, sondern blutige Tatsache. Worin bestand sie?

Um das zu verstehen, müssen wir uns von der Vorstellung freimachen, die Spanier seien wie ein Haufen irrsinniger Wüteriche über die Indianer hergefallen, obwohl sie natürlich wie ein Haufen irrrsinniger Wüteriche über die Indianer hergefallen sind. Anders gesagt: wir sollten nach der Rationalität hinter dem Akt, wie ein Haufen irrsinniger Wüteriche über ein Land herzufallen, fragen. Aufschluß über diese Rationalität gibt uns ein Buch, 1513, also fünf Jahre vor der Landung Cortéz' in Mexico, beendet, „Il Principe“ von Machiavelli. Machiavelli hat —

und er ist hierin vielleicht nur noch einem zu vergleichen: William Shakespeare — die Strategien von Machtausübung und Herrschaftssicherung illusionslos aufgeschrieben, das Buch ist, wie die sogenannten „Königsdramen“ Shakespeares, eines der wichtigsten Bücher, wenn man solche Strategien verstehen will. „Wenn Gebiete erworben werden“, heißt es im dritten Kapitel, „in einem Land von fremder Sprache, Sitte und Verfassung, da beginnen die Schwierigkeiten, und da gehört viel Glück und Geschick dazu, sie zu behaupten“. (6) Das sicherste Mittel sei, wenn der Fürst seinen Herrschaftssitz dortselbst einnehme. Ist das nicht möglich, so sei das nächstbeste Mittel „Militärkolonien nach ein oder zwei Orten zu senden, die gleichsam Blöcke sind, woran das Land geschmiedet wird“. (7) Es verursache das wenig Kosten und sei ausreichend. Allerdings nur dann ausreichend, wenn man sich mit den Schwächeren in dem Lande verbünde und „die Mächtigen im Lande auf alle Weise zu schwächen“ (8) suche. Ein wesentliches Element vor allem von Cortéz' Eroberungspolitik war, sich mit dem Stärksten der Schwächeren, mit Tlaxcala, gegen Tenochtitlan zu verbünden. Ohne dieses Bündnis wäre zumindest die schließliche Eroberung und vollständige Zerstörung Tenochtitlans nie gelungen. Auch Pizarro hat die politische Situation des Inkareiches auszunützen verstanden.

Machiavelli plädiert ferner für das, was man in der euphemieträchtigen Sprache heutiger Politik „konsequentes und durchgreifendes Handeln“ nennen würde: die Militärkolonien kämen nicht umhin, einen Teil der Bevölkerung auszuplündern, und außerdem sei es unumgänglich, die früheren Herren des Landes zu schädigen: „Die Kolonien verursachen wenig Ausgaben, mit keinerlei oder geringen eigenen Kosten kann der Fürst sie begründen und erhalten, und er schädigt nur die, denen er Haus und Hof nimmt, um sie den neuen Bewohnern zu geben, also nur einen geringen Bruchteil der Bevölkerung. Zudem können diejenigen, die er schädigt, vertrieben und arm wie sie sind, ihm nie gefährlich werden. Alle anderen aber bleiben einerseits ungeschädigt und werden sich schon deshalb ruhig verhalten, andrerseits scheuen sie vor Verfehlungen zurück aus Angst, es könne ihnen ebenso ergehen wie denen, die Haus und Hof verloren haben. Diese Kolonien kosten also nichts, sind treuer und schädigen die Bevölkerung weniger, und die Geschädigten können nicht gefährlich werden, da sie, wie gesagt, arm und vertrieben sind. Hierzu ist zu bemerken, daß man die Menschen entweder für sich einnehmen oder vernichten muß. Denn für leichte Kränkungen nehmen sie Rache, für schwere können sie es nicht. Wer also jemand schädigt, muß es so gründlich tun, daß er keine Rache zu fürchten hat". (9) Das sind, in gewissem Sinne, goldene Worte, und man kann sagen, daß die Konquistadoren überall dort, wo sie konnten, sie beherzigt haben ohne daß sie sie jemals gelesen hätten.

Aber: ist hier nicht die Rede von der „Schädigung" einer kleinen Machtelite, von einer weniger geschädigten Bevölkerung, und wie paßt das zum — man kann, man muß das Wort verwenden: Völkermord an den Indianern, ganz unabhängig von ihrem Status vor der Eroberung? Lesen wir weiter: „Wie die Städte oder Fürstentümer zu beherrschen sind, die vor der Eroberung nach eignen Gesetzen lebten — Wenn ein eroberter Staat gewohnt war, nach eigenen Gesetzen zu leben, so gibt es nur drei Möglichkeiten", (10) schreibt Machiavelli, und die eine Möglichkeit ist wiederum die, das eroberte Terrain zum Machtzentrum selbst zu machen und die zweite ist, ein Quisling-Regime zu errichten. Zwar hat Karl V. seinen Wohnsitz weder in Tenochtitlan, noch in Cuzco oder Cajamarca errichtet, wohl aber haben sich zunächst seine Konquistadoren recht königlich dort etabliert, und gleichzeitig eine Anzahl indianischer Kollaborateure gefunden, die ihnen zur Machtsicherung dienlich waren. Aber die letztere Methode ist unsicher. Machiavelli vergleicht: „Die Spartaner beherrschten Athen und Theben, indem sie dort wenigen die Macht übertrugen. Trotzdem gingen ihnen die Städte wieder verloren. Die Römer zerstörten Capua, Karthago und Numantia, um sie zu behaupten, und sie verloren sie nicht. Griechenland wollten sie ungefähr auf dieselbe Weise wie die Spartaner behaupten, indem sie ihm die Freiheit und die eigenen Gesetze ließen; aber es gelang ihnen nicht, so daß sie sich genötigt sahen, viele Städte dieser Provinz zu vernichten, um sie zu behaupten. Es gibt in diesem Falle tatsächlich kein anderes Mittel gegen den Verlust als die Zerstörung, und wer Herr einer bisher freien Stadt wird und sie nicht vernichtet, mag darauf gefaßt sein, von ihr vernichtet zu werden. (...) Was für Maßregeln und Vorkehrungen auch der Eroberer trifft: wenn er die Einwohner nicht auseinanderreißt und verstreut, vergessen sie ihre Freiheit und Verfassung nie und suchen sie bei jeder Gelegenheit wiederzuerlangen (...) daher ist es für den Eroberer am sichersten sie zu vernichten." (11)

Es sind dies in der Tat die konstitutiven Bestandteile der Machtergreifung und Herrschaftssicherung in Amerika — im Süden wie im Norden: Sich-Verbünden mit den einen gegen die anderen, militärische Stützpunkte bilden, Korruption und Verleitung zur Selbstunterwerfung durch Quisling-Regime, anschließende Vernichtung der Menschen und ihrer Kultur. Es gibt einen Zeugen der Rationalität dieses Handelns, und er ist umso unverdächtiger als er, Mittäter zunächst, die einzig mögliche moralische Konsequenz aus dieser Erkenntnis gezogen hat. Es handelt sich um Bartolomé de Las Casas, den großen unermüdlichen Kläger gegen den Völkermord der Konquistadoren. Ohne Las Casas wären wir heute kaum in der Lage, so deutlich die Realität der amerikanischen Massenmorde unter spanischem Regiment erkennen zu können. Dennoch war Las Casas zunächst eine seltsame Mischung von patriarchalem Entwicklungshelfer und mittelalterlichem Reaktionär. Die Kolonisierung als solche zog er erst einmal nicht in Zweifel, er wollte sie nicht einmal „humaner" sehen in einem wirklichen Sinne des Wortes, hatte er doch gegen den Einsatz von Negersklaven an Stelle von indianischen nichts einzuwenden, sondern vor allem verdroß ihn, daß man Indianer wie Neger behandelte. „Las Casas will die Vereinnahmung der Indianer nicht unterbinden, er will nur, daß sie eher von Mönchen als von Soldaten bewerkstelligt wird. Das läßt sich seinem Brief an den Indienrat vom 20. Januar 1531 entnehmen: Die Konquistadoren müssen diese Länder ‚verlassen und gottesfürchtige, rechtschaffene Leute von großer Besonnenheit' sollen an ihre Stelle treten. Las

Casas' Traum ist ein theokratischer Staat, in dem die geistliche Macht über der weltlichen steht"; er schreibt 1541: „Man muß diese Religion ‚der Gewalt hartherziger Väter entreißen und ihr einen Gatten geben, der sie behandelt, wie es sich gehört und wie sie es verdient'." Das Herrschaftsverhältnis ist in diesem Vergleich nicht in Frage gestellt. — Las Casas hat versucht, seine Theorien in die Praxis umzusetzen; er versucht, wie Todorov schreibt, „die friedliche Kolonialisierung in der Gegend von Cumaná (im heutigen Venezuela): An die Stelle der Soldaten sollen Dominikaner- und Franziskanermönche sowie aus Spanien hergebrachte bäuerliche Siedler treten; es handelt sich dabei zwar sowohl auf geistiger als auch auf materieller Ebene ebenfalls um eine Kolonisierung, aber sie soll ganz friedlich verlaufen. Die Expedition wird ein Fehlschlag: Las Casas sieht sich gezwungen, seinen spanischen Begleitern mehr und mehr Zugeständnisse zu machen, und auf der anderen Seite zeigen sich Indianer nicht so fügsam, wie er gehofft hat, die Sache endet in einem Blutbad." (12) Ein weiteres Unternehmen endet wenig glücklicher. Die Konsequenz des Las Casas — und dieser Konsequenz wegen gehört er zu den Menschen, derem Gedenken man kaum zu viel Achtung zollen kann — ist, für das Ende der Kolonisierung zu plädieren, mehr: er spricht sich dafür aus, einen Vertreibungskrieg von Seiten Spaniens gegen die Konquistadoren zu beginnen: „Die Maßnahme, die die geringsten Nachteile mit sich bringt und all den Übeln wahrhaft abhilft, und die — das glaube ich, wie ich an Gott glaube — die Könige von Kastilien kraft göttlichen Gebots durchsetzen müssen, auch durch Krieg und mit Waffengewalt, wenn sie es nicht mit friedlichen Mitteln könnten, und selbst auf die Gefahr hin, all ihre weltlichen Güter in den indischen Ländern zu verlieren, besteht darin, die Indianer der Macht des Teufels zu entreißen und ihnen ihre ursprüngliche Freiheit wiederzugeben und ihren natürlichen Königen und Herren ihren alten Rang zurückzugeben." (13) Das ist der politische Geist der Renaissance: Las Casas und Cortéz/Pizárro treffen sich auf dem Erkenntnisniveau Macchiavellis: wollt ihr in großem Stil erobern, müßt ihr vernichten, also erobert und vernichtet — oder erobert nicht.

Ein weiteres politisches Mittel, das wie aus dem „Principe" herausgelesen wirkt, ist die Verlogenheit der Spanier. „Ich will nichts mehr von diesem Mann sehen und hören", so sind die Worte Moctezumas über Cortéz überliefert, „Ich glaube nicht mehr an seine falschen Worte und Versprechungen. Alles, was er sagt, ist Lüge!" (14) Von einem Indianer, der zum Christentum bekehrt wird, ist überliefert, er habe gesagt, daß er nun bald ein Christ sei, er könne schon lügen. Bekannt ist der Verrat Pizárros, der Atahualpa hinrichten ließ, nachdem dieser das Lösegeld, einen Raum bis zur Decke mit Gold gefüllt, hatte herbeischaffen lassen; Hernando Pizárro, der Bruder, gibt so die Worte Atahualpas wieder: „Was ist das für ein Verrat, den du angestiftet hast, wo ich dich doch meinem Versprechen getreu als Bruder und großer Fürst, der du bist, behandelt habe, indem ich deinen Worten glaubte?" (15) — Es sei nicht nötig, so Machiavelli, daß ein Fürst die Tugenden der Rechtschaffenheit besitze, „wohl aber, daß er sie zu besitzen scheint. Ja, ich wage zu behaupten, daß sie schädlich sind, wenn man sie besitzt und stets ausübt, und nützlich, wenn man sie zur Schau trägt. So muß der Fürst Milde, Treue, Menschlichkeit, Redlichkeit und Frömmigkeit zur Schau tragen und besitzen; aber wenn es nötig ist, imstande sein, sie in ihr Gegenteil zu verkehren. (...) Ein Fürst braucht nur zu siegen und seine Herrschaft zu behaupten, so werden die Mittel dazu stets für ehrenvoll gelten und von jedem gepriesen werden. (...) Ein Fürst unserer Zeit, den ich lieber nicht nennen will, predigt stets Friedfertigkeit und führt nichts als Treue im Munde und ist dabei ein geschworener Feind beider Tugenden und beide hätten ihm oft genug sein Ansehen oder sein Reich gekostet, wenn er sie befolgt hätte." (16) Der benannte „Fürst" ist übrigens niemand anderes als Ferdinand von Spanien.

Wenn Sie jetzt einwenden, das alles klinge ja als wären die Konquistadoren eine Gruppe konsequenzbesessener Renaissance-Politologen gewesen, und nicht eine Horde irrsinniger Wüteriche, so möchte ich dafür plädieren, hier keinen zu großen Unterschied zu machen. Hier einen zu großen Unterschied sehen zu wollen, führte in eine Aporie ähnlich der, in nationalsozialistischen Okkupationspolitikern *entweder* kalte Sozialtechnokraten *oder* fanatische Antisemiten sehen zu wollen — sie waren beides, und beide Aspekte ihrer Persönlichkeit harmonierten, wie es scheint, auf's Beste. Ich schlage deshalb vor, die Sache so zu sehen: die besten Exekutoren eines mit Machiavelli'scher Kühle beschreibbaren Exekutionsprogramms sind irrsinnige Wüteriche.

Aber woher nimmt man sie, wenn man sie braucht? Das Zusammenkommen der Konquistadorentruppen erfolgte ja „naturwüchsig" und nicht nach vorausgegangener Eignungsprüfung. Es muß also das, was dort getan wurde, den Spaniern „gemäß" gewesen, es muß ihrer Mentalität entgegengekommen sein. Und diese Mentalität, diese spezifische Eigenart im Denken, Fühlen und Handeln ist es gewesen, die den Spaniern den Krieg gewann. Denn so sehr der nachhaltige Erfolg der Kolonisierung mit Macchiavelli zu beschreiben wäre, die Geschwindigkeit der Eroberung, besonders der des wesentlich primitiver als Cortéz agierenden Pizárro, hängt, so meine ich, mit dem besonderen Entsetzen zusammen, das die Konquistadoren um sich zu verbreiten wußten. Und dieses Entsetzen ist nicht eines, das ein besonders brutal geführter Kriegszug auslöst. Derlei war den Indianern wahrlich nicht unbekannt. Schließlich hat es sich bei den indianischen Staatenbildungen, besonders bei den Azteken und auch bei den Inkas, nicht um sonderlich friedliche gar humane Zivilisationen gehandelt. Im Gegenteil; einige Erfolge Cortéz' wenigstens sind zweifellos darauf zurückzuführen, daß von den Azteken Beherrschte Grund zur der Annahme hatten, unter den Spaniern werde sich ihre Situation nicht verschlechtern. Und nicht jedem Aspekt des Feldzuges wider Tenochtitlan mag man immer gram sein, denn es handelte sich im Falle Mexicos nicht nur um eine skrupellose Ausbeuterkultur, die erbarmungslos Kriege führte, Sklaven machte, Steuern eintrieb ohne Rücksicht auf die Existenzbedingungen der Unterworfenen, Aufstände blutig niederdrückte, sondern bekanntlich auch um eine, die ihre Gefangenen zu Tausenden, zuweilen wohl Zehntausenden zu religiösen Zwecken schlachtete und zu Ernährungszwecken verzehrte —

und so weiter. Und so weiter — und doch, dies geschah in dem kubanischen Dorf Canonao: „An dem Tage als die Spanier bei diesem Dorf ankamen, machten sie des Morgens in einem ausgetrockneten Fluß halt, um dort ihr Mittagsmahl einzunehmen; im Flußbett gab es noch ein paar Wasserpfützen und es war voller Schleifsteine, und so kamen sie auf den Gedanken, ihre Schwerter daran zu schärfen", zitiert Todorov las Casas. „Als sie nach dem Frühstück im Grünen im Dorf angelangt sind, verfallen die Spanier auf einen neuen Gedanken: sie wollen ausprobieren, ob ihre Schwerter auch tatsächlich so scharf sind, wie es den Anschein hat. Plötzlich zieht einer der Spanier, der offenbar vom Teufel besessen war" — auch las Casas mag nicht schreiben: in einem Anfall von Frömmigkeit — „sein Schwert, und die Hundert anderen tun es ihm sogleich nach und machen sich daran, jene Schafe und Lämmer, Frauen und Männer, Kinder und Alte, die ahnungslos da saßen und starr vor Staunen die Pferde und die Spanier betrachteten, niederzustechen, ihnen die Bäuche aufzuschlitzen und sie umzubringen, so daß im Handumdrehen von allen, die sich dort befanden, keiner mehr am Leben ist. (...) Die Wunden der Toten und derer, die ihr Leben noch nicht ausgehaucht hatten, boten einen grausigen, entsetzlichen Anblick, denn da der Teufel, der die Spanier leitete, ihnen am Morgen desselben Tages im Flußbett, wo sie Rast machten, jene Schleifsteine bescherte, an denen sie ihre Schwerter schärften, schnitten sie, wo immer sie jene völlig nackten, zarten Körper trafen, einen ganzen Menschen mit einem einzigen Hieb entzwei." (17)

Wenn es an Wasser fehle, um die spanischen Ländereien zu bewässern, solle man sie mit Indianerblut bewässern, soll ein spanischer Richter ex officio verkündet haben — ein treffliches Bild, doch wird er es wörtlich gemeint haben. „Welches sind die unmittelbaren Beweggründe, die die Spanier zu diesem Verhalten veranlassen?" fragt Todorov, und diese Frage bleibt auch dann berechtigt, wenn man die mittelbaren aus dem Konzept der Machtergreifung und Herrschaftssicherung à la Macchiavelli ableitet. „Einer davon ist zweifellos der Wunsch, schnell zu großem Reichtum zu kommen, und er impliziert, daß einem das Wohlergehen oder sogar das Leben eines anderen nichts bedeutet: Man foltert, um dem Geheimnis versteckter Schätze auf die Spur zu kommen; man beutet aus, um hohe Gewinne zu erzielen. Die Autoren der Zeit nannten bereits diesen Grund als hauptsächliche Erklärung für das, was vorgefallen war. (...) In jedem Falle aber kann der Wunsch nach Bereicherung bei weitem nicht alles erklären; und wenn dieser Wunsch selbst auch zeitlos ist, so sind doch die Formen und die Ausmaße, die die Vernichtung der Indianer annimmt, etwas bisher noch nie Dagewesenes und zum Teil sogar etwas Einmaliges; die ökonomische Erklärung greift hier zu kurz. Man kann das Massaker von Caonao ebensowenig mit bloßer Habgier rechtfertigen (18) wie das Aufhängen der Mütter an den Bäumen und der Kinder an den Füßen der Mütter; auch nicht die Foltern, bei denen man den Opfern mit Zangen Stück um Stück das Fleisch aus dem Körper reißt; und die Sklaven arbeiten nicht besser, wenn ihr Herr über ihrem Kopf mit ihrer Frau schläft. All diese Dinge spielen sich ab, als hätten die Spanier ein spezifisches Vergnügen an der Grausamkeit, an der bloßen Ausübung ihrer Macht über andere, an der Demonstration ihrer Fähigkeit, anderen den Tod zu geben." (19)

Sie haben vielleicht einmal das Lied Georg Kreislers gehört, in dem er fragt, warum Unternehmer und Politiker, wenn sie denn erreicht hätten, was sie wollten, noch immer so mies seien, und die Antwort gibt: „Sie *sind* so mies." Das klingt wie eine Reduktion auf das, was ein Individuum zufällig ist, und wenn wir fragten, warum das Individuum Pizárro, das Individuum Cortéz so oder so geworden sind, Träger einer so oder so beschaffenen Mentalität, so wäre in der Tat nur der Schlußpunkt hinter das erklärende Bemühen gesetzt: ab hier nicht weiter. Anders, wenn man von der Mentalität eines bestimmten Menschentypus spricht. Gewiß ist „die Mentalität des Konquistadors" ein Konstrukt (aber psychologische Aussagen über einen individuellen Charakter sind das nicht minder). Aber wenn man solche Konstrukte mit dem Verweis auf institutionelle Äquivalente versieht (und auch diese nicht einfach per analigiam), verliert das Konstrukt das „bloß Konstruierte", den Verdacht, es sei nicht gefunden. (20) — „Die Frage, warum sich Verhalten und Affektlage der Menschen ändern, ist im Grunde die gleiche", schreibt Norbert Elias, „wie die, weshalb sich die Lebensformen der Menschen ändern. In der mittelalterlichen Gesellschaft waren bestimmte Lebensformen vorgebildet, und der Einzelne war gebunden, in diesen Formen zu leben" (21) — anders gesagt: derjenige hat eine seinen Lebensformen adäquate Mentalität, der möglichst viele Lebenssituationen routiniert bewältigen kann, d.h. ohne in zu vielen Situationen ein hohes Maß an Reflexion aufwenden zu müssen. Man kann sagen, daß die Konquistadoren ihre Aufgabe erstaunlich routiniert bewältigt haben. Sie haben gleichsam instinktiv die richtigen Methoden gewählt, die zu einer schnellstmöglichen Unterwerfung der amerikanischen Bevölkerung führten. In welchen Lebensformen ist diese Mentalität erworben worden? Nun, nicht in Amerika. Es liegen 31 Jahre zwischen der ersten Ankunft Kolumbus' auf einer Antilleninsel und der vollständigen Zerstörung von Tenochtitlan. Zwar waren die Antilleninseln, etwa das vollständig entvölkerte Haiti, hervorragende Trainingscamps, aber doch letztlich nur dazu da, einer bereits vorhandenen Mentalität, wenn man so will: den letzten Schliff zu geben.

Todorov (dessen Studie ich hier nicht nur immer wieder zitieren, sondern ausdrücklich empfehlen möchte, wenn ich auch, wie man gleich sehen wird, in einem entscheidenden Punkt dissentiere) beschreibt die Konquistadoren als Repräsentanten eines Europa, das „das Fremde" bzw. „den Anderen" nicht akzeptieren kann, genauer: alternativ zwei in letzter Konsequenz gleichermaßen verderblichen Konzepten unterwirft. Entweder sind „die Fremden" inferior und sie zu beherrschen gewissermaßen eine Naturpflicht — so spricht sich der Kritiker des Las Casas, Sepúlveda, aus: „An Klugheit und Scharfsinn, Tugendhaftigkeit und Menschlichkeit sind die Spanier diesen Barbaren so weitaus überlegen wie die Erwachsenen den Kindern und die Männer den Frauen; zwischen ihnen besteht ein ebenso großer Unterschied wie zwischen wilden und grausamen Menschen und solchen von großer Sanftmut, zwischen vollkommen maßlosen und solchen, die maßvoll und enthaltsam sind, und fast möchte ich sagen, wie zwischen Affen und Menschen." (22) — Oder „die Fremden" sind „eigentlich" gar nicht fremd, sondern „eigentlich" wie wir, und man muß sie assimilieren. Beide Konzepte leugnen die wirkliche Gleichwertigkeit des anderen, die sich darin ausdrücken müßte, daß der Andere anders sein kann — ohne daß ich ihn deshalb für minderwertig halten muß. Ihn also weder umbringe, weil er anders=inferior ist, noch, um ihn nicht umzubringen, seine Gleichwertigkeit mit der behaupteten Identität mit mir begründe (d.h. an seiner Assimilierbarkeit messe).

Der immanente Fehler dieser Darstellung ist die Unterstellung, es habe sich bei der Konquista um eine außenpolitische Operation gehandelt. Anders gesagt: als seien die Konzepte des „Fremden" und des „Anderen" solche, die sich bei der Konfrontation zweier Kulturen etwa herausbildeten. In Wahrheit war die Konquista eine innenpolitische Angelegenheit ohne Rücksich auf die geographischen Gegebenheiten, und die Konzepte des „Fremden" und des „Anderen" sind solche, die man zuhause erwirbt — nebst einer „Mentalität", soll heißen: den routinierten Formen des Umgangs mit diesen Konzepten.

1492 ist ein Doppeldatum. Kolumbus landet in Amerika und die Alhambra wird erobert. Politisch gesprochen: die Kolonisierung eines neues Erdteils beginnt im selben Jahr wie der Abschluß der Eroberungen der christlichen Fürstentümer auf der iberischen Halbinsel, die zur Konstituierung Spaniens durch den heiratgestifteten Zusammenschluß von Kastilien und Aragon führt. Die Reconquista ist abgeschlossen, die Conquista beginnt. — Begonnen hatte die Reconquista als Kreuzzug (23), und damit als genuin europäisches Unternehmen. Es ist ja der Gedanke „Europa", spätkolonialistisch dann „the white man's burden", ein christlicher Gedanke, entstanden aus dem Universalitätsanspruch der römischen Kirche, der 1054 sich im Bruch mit der griechischen deutlich zeigt und im Namen „katholisch" (24) manifestiert. Von diesem Datum an beginnt der Versuch, ein völkerübergreifendes Regime zu errichten, einen romzentrierten europäischen Staat; die kaiserlich-päpstlichen Auseinandersetzungen kennen Sie aus dem Geschichtsunterricht, schließlich auch die Auseinandersetzungen des Papsttums mit Frankreich, die zu dem führen, was der dtv-Geschichtsatlas das „Ende der päpstlichen Weltherrschaft" nennt. Besagtes Ende beginnt mit der Bulle „Unam sanctam", in der die Herrschaftsansprüche der römischen Kirche aufgeschrieben werden. Es folgt die Gefangennahme des Papstes, seine Umsiedlung nach Avignon und der Prozeß gegen die päpstliche Elitetruppe der Tempelritter (die außerdem den ersten Versuch gemacht haben, so etwas wie ein europäisches Finanzzentrum zu gründen). Zwar ist damit der römische Versuch, eine europäische Theokratie zu begründen, gescheitert (und wir werden nur noch den Versuch der Renaissance-Päpste erleben können, ein italienisches Erbkönigtum zu errichten), aber die christliche Ideologie — und vor allem, daß sie eine einheitliche sei — ist unabdingbarer Bestandteil aller anderen profanen Machtzentren geworden.

Der Grund hierfür dürfte in den politisch-militärischen Unternehmungen gelegen haben, die im Interesse der theokratischen wie der profanen Machtbestrebungen lagen, vor allem den Kreuzzügen. Sie sind das erste pan-europäische Unternehmen (und werden bis heute als solches ideologisch herausgeputzt). Sie kommen unterschiedlichen Interessen einzelner europäischer Machtzentren entgegen und sie finden statt als gesamteuropäische christlich-expansionistische Unternehmung. Sie umspannen 200 Jahre und sind von äußerster Brutalität — man lese nach. So sehr sie real expansionistisch sind, so sehr sind sie ideologisch eine Heim-ins-Reich-Bewegung. Die Idee eines Europa, das nicht nur Ansprüche auf überseeische Territorien hat, sondern dessen wesentliche Bestimmung darin liegt, sich solcher Territorien zu bemächtigen, ist eine Folge des Kreuzzugsgedankens. Den „eigentlichen" Kreuzzügen folgen weitere Expansionen oder Expansionsversuche. Bernhard von Clairvaux, einer der widerwärtigsten Kanzeltäter (und heute St. Bernhard und Schutzpatron der Bernhardiner) ruft zu einem Kreuzzug gegen die Wenden auf (ein spätes Echo können Sie in Fouqués „Zauberring" vernehmen), später ist der 1190 vor Akkon als Sanitätstruppe gestiftete und 1198 zur Gefechtseinheit promovierte Deutsche Ritterorden buchstäblicher Vorreiter deutscher Expansion nach Osten. Johanniter und Templer verstärken nach vorheriger Anbindung der Lokalkirchen an Rom die Kontingente christgläubiger iberischer Randfürstentümer, die bereits vor Beginn der „eigentlichen“ ihren Keuzzug beginnen und 700 Jahre lang Krieg gegen den arabisch beherrschten Teil der iberischen Halbinsel führen.

Kath'olen-ten-gen und „unam sanctam“ — die Kreuzzüge waren nicht nur ihrem Selbstverständnis nach keine nach „außen“, sondern Unternehmungen, die dem christlichen Europa erst seine eigentliche Gestalt geben sollten, sondern sie gingen auch in geographischem Sinne „nach innen“. Zu Beginn des dreizehnten Jahrhunderts werden in Südfrankreich die Katharer hingemetzelt, ein Unterfangen, das auch ganz offiziell „Kreuzzug“ heißt. Die gegen Palästina gerichteten Kreuzzüge transformieren auch den für das Christentum konstitutiven Antijudaismus zum systematischen Massenmord und Vertreibung. Man lese nach.

Als letztes Resultat der Kreuzzüge wäre eine länderübergreifende bzw. europaweite innenpolitische Einrichtung zu nennen: die Inquisition. Als dezentrale (bischöfliche) 1215 eingerichtet, folgt schnell ihre Zentralisierung (päpstliche Inquisition 1231). Die Todesstrafe für Häretiker wird in Frankreich und Deutschland eingeführt; 1252 in der päpstlichen Bulle „Ad extirpandam“ die Folter, mit der seit über einhundert Jahren bereits experimentiert worden war. Der Scheiterhaufen und die Folter sind die Symbole der Inquisition; ihr Prozeßverfahren wird Muster auch des profanen Strafprozesses bis nach dem Dreißigjährigen Krieg. Ihr Ideologem der verborgenen Gedanken wird noch für antikatholische christliche Religionen (lutherische, calvinistische) konstitutiv. Ihr Denunzianten-und Spitzelwesen, ihre europaweite Aktenführung ist das erste Großsystem sozialer Kontrolle, das wir kennen, und dessen Vorbildcharakter für andere kaum bestreitbar sein dürfte. Die Inquisition ist die erste historische Institution, die den Anspruch verkörpert, Kontrolle über menschliches Denken auszuüben. Sie ist zugleich eine Institution, die durch die ihr zur Verfügung stehenden Zwangsmittel beliebige Denkresultate, d.h. Bekenntnisse produzieren kann. Die Inquisition ist somit die Institution, die das Doppelgesicht der Renaissance-Kulturen erklären kann: fanatische Bekenner-Religiosität einerseits und moralische Beliebigkeit andererseits. Hochdifferenzierte Machtmittel einerseits, zunehmend groteske Konsensbildungen über das vertretene Wahnsystem andererseits. Es transformiert sich die Ketzerverfolgung in Hexenverfolgung, der Antijudaismus wird Rassenideologie. — Spanien ist am Beginn der Conquista Kumulationspunkt dieser Momente.

1492 endet die Reconquista für den, der sie für ein iberisches Unterfangen hält. Kein zeitgenössischer Iberer hat sie dafür gehalten. 1471 setzen die Portugiesen nach Tanger über und bereiten die afrikanische Kolonisation vor; 1482 landen sie an der Kongo-Mündung, 1487 umsegeln Portugiesen das Kap der Guten Hoffnung, 1498 findet Vasco da Gama den Seeweg nach Indien. Die Einrichtung der berühmten ersten Seefahrtsschule der Welt durch Heinrich von Portugal („der Seefahrer") diente zur Fortsetzung der Reconquista vor den Toren und einem Plan zur Reconquista Jerusalems durch ein Bündnis mit den koptischen Christen in Abessinien. — 1497 besetzt das 1479 durch Vereinigung von Kastilien und Aragon im Kampf gegen das arabische Granada gegründete Spanien Melilla in Nordafrika, 1509 Oran. 1502 hat Amerigo Vespucci bereits herausgefunden, daß man nicht Indien, sondern ein in Spanien bisher unbekanntes Land erreicht hat. 1521 erreicht die Expedition des Portugiesen in spanischen Diensten, Magalhaes, wieder den Heimathafen, sie haben als erste den Erdball umsegelt. Im selben Jahr ist Tenochtitlan dem Erdboden gleichgemacht mit Häusern und „Moscheen", wie die Spanier die aztekischen Tempel nennen.

1496 heiraten die Isabella von Kastilien und Ferdinand von Aragon, sie heißen fortan „los reyes católicos", das katholische Königspaar, und Ferdinand heißt auch bald nur noch „der Katholische"; 1479 werden Aragon und Kastilien vereinigt und heißen hinfort „Spanien", 1481 wird die bisher nur unzureichend vorhandene Inquisition neu eingesetzt, für ihren Beginn steht der Name des Massenschinders Torquemada. 1492 ziehen die reyes católicos in Granada ein, am 2. August sticht Columbus in See, er hat einen Dolmetscher für Arabisch und einen für Hebräisch an Bord. Am 31. März haben die reyes católicos das Edikt unterzeichnet, das alle Juden aus Spanien vertreibt; sie müssen bis zum 31. Juli aufgebrochen sein. (25) Ein dem der Juden vergleichbares Schicksal wird den Spaniern arabischer Herkunft bzw. moslemischen Glaubens zu Teil, Pogrome, Verteibung, rassische Diskriminierung. — Spanien vertreibt seine Juden und kämpft in Lateinamerika gegen Leute, die Cortéz „moros" — Araber — nennt. (26)

Die Konquistadoren waren die Erben einer Bevölkerung, die seit 700 Jahren eine Reconquista betrieben hatten, einen mörderischen Eroberungskrieg, der ihnen als ein Wiedereintritt in frühere territoriale Rechte sowohl als auch eine rechtmäßige (Wieder)Einsetzung alleinrechtmäßiger Religion galt, einer Bevölkerung zudem, deren religiöse Elite über den Rest eine zunehmend brutale innenpolitische und gleichzeitig gedankenpolizeiliche Kontrolle ausübte. Der Anpruch „kath'olen ten gen" verwandelt die Probleme der Welt in innenpolitische, und man sieht die Konquistadoren ihre überseeische Reconquista mit absurden, nichtsdestoweniger äußerst funktionalen Ritualen versehen. Cortéz zum Beispiel ließ weibliche Kriegsgefangene (oder geschenkte Sklavinnen) nicht nur taufen, bevor er mit ihnen schlief, er ließ auch vor einem Angriff notariell beglaubigen, daß das Land, über das er herzufallen gedachte, spanischer Boden sei (= Karl V. untertan) und daß er den Aufrührern dreimal vergeblich Friedensangebote gemacht habe: „Da er Wert darauf legte, daß all sein Tun gerechtfertigt sei, ließ er die Eingeborenen wieder vor den königlichen Notar Diego de Godoy rufen und forderte durch Aguilars Mund, sie sollten uns landen, Wasser einnehmen und mit ihnen über Dinge sprechen lassen, die Gott und seine Majestät betrafen; würden sie jedoch gegen uns Krieg führen und wir ihnen in Notwehr Verluste an Menschenleben zufügen müssen, so sei das ihre Schuld und Verantwortung." Als es, im beschriebenen Falle, doch zum Kampfe kommt, nutzt Cortéz eine Pause: „Er zog seinen Degen und schlug ihn dreimal in den Stamm eines Wollbaumes, um anzuzeigen, daß er das Land im Namen Seiner Majestät in Besitz nehme. Dann schaute er sich um und rief, er sei bereit, sein Tun gegen jede Herausforderung mit Schwert und Schild zu verteidigen. Seine Soldaten erklärten sich bereit, ihm darin beizustehen, und der Notar setzte die Urkunde auf." (27)

Zuweilen gründeten sie Städte auf ihrem Vormarsch; da bauten sie dann eine Kirche und ein Kapitelhaus und ein Gefängnis. Dann zogen sie weiter.

Die Bereitschaft, den fremden Boden für eigenen zu halten und die damit wesentlich verbundene Bereitschaft, Massenmorde zu begehen, haben die Indianer erst verstanden, als es zu spät war. Berühmt ist die Szene, in der Moctezuma Cortéz Geschenke überreichen läßt und die Bitte sagen, er möge wieder gehen. Außenpolitisch (indianisch oder spanisch) gibt es zwei ehrenvolle Möglichkeiten; die erste: man nimmt und geht, die zweite: man schlägt aus und zieht weiter. Cortéz nimmt und zieht weiter. Übertriebe man, könnte man sagen, es habe sich weniger um eine Eroberung als um eine Razzia gehandelt.

Die Indianer scheinen Vernichtungskriege nicht gekannt zu haben. Wohl solche zur Eroberung und Versklavung; wohl solche, um Kriegsgefangene zu machen, die man später auch durchaus tötet und verspeist. Aber keine, in denen einfach Leichen gemacht werden. Cortéz macht die Bevölkerung von zwei Dörfern nieder und sendet Boten zum dritten mit der Nachricht, er komme in Frieden. — Dann sind ihm Indianer als Späher verdächtig. Er foltert sie bis sie gestehen, dann, so de Madariaga, „erinnerte er sie an seine Ermahnung, ihm nichts vorzulügen, und schickte sie alle ohne Hände, mit blutenden Armstümpfen zu Xicotencatl zurück" (28). — Schließlich läßt er einen Indianer unter der Folter befragen, warum die Indianer so große Angst hätten vor den Spaniern. Schon 1519 gab es einen Bischof in Lateinamerika, der alle Rechte und Pflichten der Inquisition hatte und den Auftrag, „Notare, Polizeioffiziere, Untersuchungsrichter und andere Beamte zu ernennen, wie sie für die Organisation des ‚heiligen Tribunals' erforderlich seien"

(29); 1537 holte der Papst die Voraussetzung nach: die Indianer wurden zu Menschen erklärt, d.h. es wurde ihnen eine Seele zugesprochen, die zu retten und auszuforschen rechtens und geboten sei, aber schon 1522 ist ein Indianer wegen Glaubensabfalls vor dem Inquisitionstribunal angeklagt worden. (30)

Lassen Sie mich zusammenfassen: es sind die Erben eines 700jährigen Krieges, die da übers Meer kamen, die ihre Fahrt ins Ferne als ein Umgehungsmanöver in Richtung Jerusalem auffaßten und rechtfertigten; sie kommen aus einem Land, in dem die beiden Europa-konstituierenden Ideologien, Anti-Judaismus und Anti-Islamismus, einen mörderischen Höhepunkt erreicht haben, die sie verklammernde Religion, das Christentum, konstituiert einen innenpolitischen Terror, der für Jahrhunderte das Gleichnis für Grausamkeit schlechthin ist; sie führen ihren Krieg nach dem Muster der Kreuzzüge in Iberien und Palästina: es geht um die Niederschlagung unbotmäßiger Untertanen (Europas bzw. der Kirche, was genetisch dasselbe) und sie führen diesen Krieg nicht der Landnahme — die steht symbolisch am Anfang des Kriegszuges — sondern der Befriedung der Aufständischen wegen; sie führen also nicht einen Vertreibungs- sondern einen Vernichtungskrieg — den kennen die Indianer nicht. Die Indianer kennen den Krieg als Mittel, Gefangene zu machen. Die werden zwar getötet, aber das „sinnlose" Töten von Menschen ist ihnen unbekannt. Da sie bis zur endgültigen Niederlage sich an diese Art des Krieges nicht gewöhnen können, bleiben sie militärisch im Nachteil: sie bemühen sich, den Überwältigten vom Schlachtfeld zu schleppen und heil nach Hause zu bringen.

Es gibt ein anderes Eroberungsunternehmen, das ebenfalls von der Unterstellung ausging, die Welt sei von nun an eine innenpolitische Angelegenheit: das mongolische Imperium. Jedem Angriff ging die Frage voraus, ob man um die Tatsache wisse und bereit sei für sie zu zahlen, daß man Untertan des Großchan sei. Aber: der Unterworfene — sofern er diesen Status nicht in Frage stellte — war kein Objekt der Kontrolle, Ausspähung, Maßregel welcher Art auch immer. Das mongolische Reich war ein bis heute kaum erreichtes Muster an ideologi scher Toleranz. Die spanischen Grausamkeiten über die militärische Unterwerfung hinaus, die sofort einsetzende Errichtung der symbolischen Gebäude des christlichen Terrorismus, Kirche und Kerker, folgen dem Vernichtungskrieg in der Spur. Exekutoren dieser „Re"-Conquista sind brutalisierte Landsknechte und Strauchdiebe, fanatische Christen, kühle Machtstrategen. Die europäische Renaissance ist das Umfeld, das diesen besonderen Menschenschlag hervorbringt. Brutalisiert durch die eigene wie traditionelle Gewöhnung an Massaker, fanatisiert durch eine totalitäre Ideologie, die seit einigen hundert Jahren Züge einer kollektiven Paranoia zeigt, die sich aber mit dem Programm der Aufstandsunterdrückung bestens verträgt: überall gibt es Feinde, im Zweifelsfall vom Teufel besessene. Diese Paranoia interpretiere ich nicht so sehr als Ursache denn als Resultat der mörderischsten christlichen Einrichtung, der Inquisition. Sie hat das Recht (und die Pflicht) zu universellem Verdacht; sie hat die Pflicht (und das Recht) auch die Gedanken zu erkunden; sie darf sich dazu aller Mittel bedienen, sie darf ihre Opfer zu Tode quälen, sie darf gegen ihre eigenen Ideale verstoßen, sie ist extrem erfolgsorientiert. Für die Inquisition (wiewohl sie nicht regellos verfährt) heiligt der Zweck die Mittel. Lüge, Täuschung, Heuchelei wird in ihren Handbüchern empfohlen sowie die Unempfindlichkeit gegen die Schmerzen anderer. Die Inquisition will die geheimsten Gedanken erkennen und produziert zugleich beliebige Bekenntnisse. Ich verstehe sie als Produzentin des Doppelgesichtes der Renaissance: hie fanatische Religiosität, dort moralische Beliebigkeit und instrumentelle politische Vernunft; Einsicht in die selbstinszenierten Veranstaltungen und kaum je wieder erreichte Illusionslosigkeit sich selbst gegenüber nebst grotesken Wahnsystemen. Die Renaissance — als Folge der Inquisition — erkennt den Menschen als Maß seiner eigenen Angelegenheiten und transformiert gleichzeitig die Ketzerverfolgung in Hexenwahn und Rassismus.

Las Casas berichtet von einem mittelamerikanischen Indianervolk, das eine zeitlang — nämlich so lange ihr Häuptling lebte — den Eindringlingen widerstand. Der Häuptling, Urraca sein Name, hatte eine, wohl die einzige, erfolgreiche Maxime ausgegeben: jeden Weißen sofort zu töten, wenn man seiner ansichtig würde; er hatte einen Lebensabend — „Sie ließen ihn schließlich in seinem Land und machten keinen weiteren Versuch, sich seiner zu bemächtigen, denn sie wußten, daß sie nie mit ihm Krieg geführt hatten, ohne daß viele von ihnen getötet oder schwer verwundet wurden, und so starb er in seinem Land, in seinem Haus und bei seinen Leuten."

1 Tzvetan Todorov, *Die Eroberung Amerikas*, Frankfurt/M. 1985, S. 69
2 Eduardo Galeano, *Die offenen Adern Lateinamerikas*, Wuppertal 1985, S. 27
3 a.a.O., S. 28
4 Eduardo Galeano, a.a.O., S. 26
5 a.a.O., S. 25 f.
6 Niccolo Macchiavelli, *Der Fürst* (Übersetzung Ernst Merian-Genast), Stuttgart 1961, S. 39
7 ebda.
8 a.a.O., S. 41
9 a.a.O., S. 40
10 a.a.O., S. 50
11 a.a.O., S. 51 f.
12 Todorov, a.a.O., S. 103 f.
13 Todorov, a.a.O., S. 230
14 zitiert aus: Laurette Séjourné, *Altamerikanische Kulturen*, Frankfurt 1971, S. 59 f.
15 a.a.O., S. 63
16 Macchiavelli, a.a.O., S. 105 f.
17 Tzvetan Todorov, a.a.O., S. 170 f.
18 Vielleicht Übersetzungsfehler; gemeint: erklären, rationalisieren. Dennoch ist der Lapsus interessant, ob er nun aus der Übersetzung rührt oder im Original steht: die Angabe eines rationalen Beweggrunds für ein Verbrechen wird oft als eine Rechtfertigung angesehen.
19 Todorov, a.a.O., S. 172 f.
20 Wenn mir die laxe Redeweise erlaubt ist. Sicher, auf einer anderen theoretischen Ebene wird nicht ge-, was nicht zuvor erfunden ist, und kein Makel ist dabei.
21 Norbert Elias, *Über den Prozeß der Zivilisation*, Bern 1969, Bd. 1, S. 283
22 Todorov, a.a.O., S. 185
23 Sie ist der erste Kreuzzug gewesen, der kirchenoffiziell so hieß, also vor Beginn der Palästina-Feldzüge.
24 Griechisch: kath'olen ten gen: über die ganze Erde
25 Léon Poliakov, *Geschichte des Antisemitismus*, Bd. 4, Worms 1981, S. 57
26 Städte werden „Groß-Kairro" oder „Neu-Granada" genannt.
27 Salvador de Madariaga, *Cortéz*, S. 106 f.
28 a.a.O., S. 164
29 Grigulevic, a.a.O., S. 334
30 a.a.O., S. 337

Heinz Dieterich

Ironien der Weltgeschichte: Strukturparallelen zwischen Nazi-Lebensraum und Erster/Dritter Welt heute

Einleitung

Das folgende Essay entstand während der gleichzeitigen Arbeit an zwei großen Forschungsprojekten: *Emanzipation und lateinamerikanische Identität: 1492-1992* sowie *Die Geburt der Freien Welt aus dem Geist des Kapitals*. Die sich nach mehrjähriger Forschungstätigkeit kristallisierenden Ergebnisse beider Projekte legten eine eherne geschichtliche Logik dar, die subjektiv deprimierend und wissenschaftspolitisch-konkret überraschend war — selbst dann wenn man die Erkenntnis der Marxschen Theorie, daß Geschichte eine Geschichte von Klassenkämpfen sei, als richtig akzeptiert hatte.

Dieser „Erkenntnisschock", der häufig beim Übergang von der abstrakten zur konkreten Wahrheit auftritt, beruhte auf zwei wesentlichen Erkenntnis-Momenten. *Erstens*, daß das 1492 vom Westen installierte internationale Herrschafts- und Ausbeutungssystem fast alle Emanzipationsversuche der von ihm ausgeplünderten Völker erfolgreich hat abwehren können. Das heißt, die 500-jährigen mühsamen und opferreichen Befreiungskämpfe, beispielsweise der lateinamerikanischen Völker, haben für rund 95% der lateinamerikanischen Massen weder zu einer wesentlichen Verbesserung ihrer realen Lebensbedingungen noch auch zum Recht faktisch-autonomer Selbstentwicklung geführt. Dieses deprimierende Resultat gattungsgeschichtlicher Befreiungsversuche — so sehr im Widerspruch zum Optimismus der Aufklärung und der konkreten Utopie klassenloser Gesellschaft — wird dramatisch gegenständlich in den kontemporären Prozessen Ungarns und Polens, in denen die Restauration des Kapitalismus und der bürgerlichen Überbauformen den Sozialismus zum Paradies der Coca Cola, McDonald und Axel Springer-Konzerne verkommen läßt.

Das *zweite* Erkenntnismoment resultiert aus der Koinzidenz nationalsozialistischer Expansions- und Herrschaftslogik sowie Erster/Dritter-Welt-Struktur heute. Die Verbindung lag nahe und Horkheimer hatte sie, in anderem Erkenntnisinteresse und -kontext, dahingehend formuliert, daß, wer vom Faschismus rede, vom Kapitalismus nicht schweigen könne (was natürlich auch vice versa gilt). Genau dies ist jedoch zum vorherrschenden Brauch geworden. Das herrschaftsfunktionale Schweigen über das gesellschaftlich-politische Verhältnis Kapitalismus-Faschismus-Kapitalismus verschleiert die Organizität und Kontinuität dieses Verhältnisses in doppelter Hinsicht:
a) historisch, insofern als die systematische und weltweite Restauration faschistischer und kriegsverbrecherischer großkapitalistischer Eliten sowie die systematische und weltweite Anwendung bürgerlichen Staatsterrors und antidemokratischer Repressionsmethoden in der (Re)Konstruktion der Metropolen nach 1945 für das kontemporäre politische Bewußtsein (und die Welt-Anschauung insgesamt) keinerlei konstitutive Bedeutung mehr hat;
b) zeitgenössisch, dahingehend daß einerseits der lebendige Zusammenhang zwischen der spezifisch-nationalsozialistischen *Form* kapitalistischer Barbarei und ihrer allgemeinen drittwelt-alltäglichen Präsenz (Folter, desapariciones, politischer Mord usw.) verlorengeht, und andererseits die Fortexistenz der wesentlichen ökonomischen kapitalistisch-faschistischen Inhalte als Grundlage der heutigen Lebenssituation und des Reich-

tums in den Metropolen aus dem herrschenden Bewußtsein verdrängt ist.

Ein ganzes System ideologischer Apparate und Indoktrinationsformen dient dazu, diese Strukturbeziehungen nach Orwellscher Manier aus dem Bereich des „Denkbaren" auszuschließen. Dazu gehört auch ein Teil der Solidaritätsbewegung, nämlich derjenige, der diese Strukturbeziehungen systematisch negiert und Solidaritätsarbeit als Exotisches betreibt. Exotische Solidaritätsarbeit ist, u.a., jene, deren Veranstaltungen allgemein und essentiell darin bestehen, einen Exoten (des revolutionären, basischristlichen, Menschenrechts- usf. Typs) vorzuführen, der Leben, Kampf und Sterben in den Schattenregionen der Ersten Welt darstellt, wodurch den Zuhörenden über Empathie und Katharsis neue Motivation zur Fortsetzung ihrer Arbeit vermittelt wird. (Je heroischer — und je geschlagener auch — der Vorführende, um so besser für diesen Prozeß.) In der Tat sind Liturgie und Ästhetik des Tragischen, so wie sie sich im klassischen griechischen Drama konkretisiert haben, exzellente Paradigmen zum Verständnis großer, karitativ oder reformistisch bewegter, Teile der Solidaritätsbewegung in den Metropolen Europas und Amerikas, d.h. dieses ideologischen Subsystems des *Fünfhundertjährigen Reiches*. (1)

Demgegenüber besteht die wesentliche Aufgabe der Reflexion und intellektuellen Arbeit zum „500. Jahrestag der Entdeckung Amerikas" darin, den narzistischen Spiegel der Erstwelt-Erkenntnis und bestimmter Solidaritätsaktivtäten mittels der Realitäten des ***Fünfhundertjährigen Reiches*** zu entzerren. Diese Entzerrung ist schmerzhaft und schwierig, wie jede antinarzistische Korrektur des Selbst: denn wer lebte schon gern und ruhig mit dem Bewußtsein ökonomischer Wohl-täter des „Vierten Reichs" zu sein. Wenig verbreitet ist in der Wohlstandsgesellschaft der achtziger Jahre die intellektuelle Ehrlichkeit und Bereitschaft des Sartreschen Denkens, die subjektiv-privilegierte Situation dessen, was er „Chef-Völker" nannte, zu transzendieren und die Nemesis befreiender Gewalt der „Randvölker" radikal zu rechtfertigen. Und schwierig ist der Brechtsche Schritt vom klassischen zum epischen Theater, vom mitfühlenden Zuschauer der Tragödie zur radikal-determinierten Parteinahme. Doch da kein deus ex machina die Tragödie des *Fünfhundertjährigen Reiches* beenden wird, muß kritische Wissenschaft und Solidarität angesichts des 12. Oktober 1992 „das Negative sein, das das Unmittelbare aufhebt" (Hegel), d.h. dazubeitragen, im besten Sinne der Aufklärung die existierenden Herrschaftsmythen und -Systeme des Imperiums zu zersetzen.

Die Geburt der „Freien Welt" aus der kapitalistischen Depression der dreißiger Jahre

Die „Freie Welt", so wie wir sie heute kennen, ist essentiell das Resultat der Krisenlösungsstrategien der dominierenden kapitalistischen Metropolen der enddreißiger Jahre, d.h. Japans, Deutschlands und der US-geführten angelsächsischen Welt. Alle drei Mächte hatten ihr Heil aus der Großen Depression im staatskapitalistischen Interventionismus gesucht: die USA im zivilen Keynesianismus des Rooseveltschen New Deal, Japaner und Nazis im militärischen Keynesianismus. Politische Spielräume waren von den entsprechenden Bourgeoisien überall eingeengt worden, am extensivsten in Deutschland mit der Entwicklung einer neuen, totalitären bürgerlichen Staats*form*, dem Faschismus. Im Versuch der militärischen Durchsetzung ihrer imperialen Lösungsversuche scheiterten die Japaner und die Nationalsozialisten, so daß die Konstruktion der Weltnachkriegsordnung zum Privileg der Vereinigten Staaten wurde: der „republikanische Imperialismus" siegte über den kolonialen Imperialismus, die dem 21. Jahrhundert angemessene Form globaler, marktmäßiger Ausbeutung des Planeten über die anachronistische Form militärisch-kontrollierter Ausplünderung des Erdballs.

Während die bürgerlichen politischen Totalitarismen aufgrund ihres militärischen Zusammenbruchs 1945/46 zunächst wieder in der Mottenkiste bourgeoiser Überbaustrukturen verschwanden, setzten sich die ökonomischen Inhalte der imperialen Krisenlösungsversuche ungebrochen durch. In der *Le-*

bensraumkonzeption des Nationalsozialismus, dem *Grand Area*-Konzept der US-Machtelite und der sogenannten *Greater East Asia Co-Prosperity Sphere* der Japaner, sind diese strategischen, systemstrukturellen Lösungen der politisch-ökonomischen Krise der dreißiger Jahre der damals führenden (und gegenwärtig wieder hegemonischen) kapitalistischen Machteliten erhalten. Ihre Essenz hat sich in dem verwirklicht, was heute als Erste und Dritte Welt bekannt ist und im Propagandadiskurs des internationalen Kapitals die Selbstbezeichnung „Freie Welt" erhalten hat. Die erwähnte historische Kontinuität, und die aus ihr sich ergebende verzweifelte Situation der „Verdammten dieser Erde" (F. Fanon), machen es jedoch politisch notwendig wie wissenschaftlich berechtigt, an Stelle der „Freien Welt" vom „Vierten Reich" zu sprechen. Eine kurze Darstellung der expansionsionistischen Krisenlösungstrategien des japanischen, deutschen und US-Großkapitals mit z.T. komparativen Hinweisen auf die zeitgenössische Erste/Dritte-Welt Struktur mögen als dokumentierte Argumentation dem Leser erlauben, sich tiefer in das Problem einzuarbeiten. Wir verweilen dabei länger in der Diskussion der Nazi und US-Strategien, weil a) der Diskurs ersterer die brutale Ausbeutungs-Logik des „Vierten Reiches" deutlicher formuliert als der liberale Diskurs und b) das US-Krisenlösungsmodell sich schließlich auf Weltmaßstab durchsetzte.

Die systematische Untersuchung und Vertiefung der Kenntnisse der Strukturbeziehungen zwischen „Freier Welt" und „Viertem Reich" als historische Etappen des Fünfhundertjährigen Reiches der atlantischen Herrenvölker, sowie die damit untrennbar verbundene Entwicklung eines neuen, herrschaftsbefreiendes Diskurses, bedarf der kollektiven Anstrengung kritischer Intellektueller in den Metropolen und der Peripherie. Das hier vorgelegte Essay ist als Diskussionsbeitrag zu diesem Prozeß aufzufassen.

Die Krisenstrategie des japanischen Kapitals: Die „Größere Ost-Asiatische Co-Prosperitätssphäre“

Ähnlich wie die Nazi-Lebensraumkonzeption stellte die japanische „Greater East Asia Co-Prosperity Sphere“ keinen im Detail ausgefeilten Expansionsplan dar, sondern bezeichnete eine strategische Zielvorstellung, deren konkrete Inhalte im Verlauf der Expansion selbst elaboriert wurden. Traditionell war die japanische Machtelite einer nordwestlichen Expansionsroute mit dem Kernland Manchukuo (Mandschurei) gefolgt. Doch diese Tendenz veränderte sich Mitte der dreißiger Jahre und verlor seit Anfang der vierziger gegenüber der Aggression in den südostasiatischen Raum an Bedeutung.

Die erste offizielle Erwähnung der „Größeren Ost-Asiatischen Co-Prosperitätssphäre“ erfolgte auf der als „National Policy Standards“ bekannten Ministerkonferenz vom 7. August 1936, in der die Verantwortlichen des Kriegs, Marine, Finanz- und Außenministeriums unter Leitung des Premierministers, Südostasien zu einem Gebiet nationalen Interesses und nationaler Entwicklung deklarierten. Eine am gleichen Tag stattfindende zweite Ministerkonferenz (Imperial Diplomatic Policy) kam zu der Schlußfolgerung, daß die Südsee-Region „an area important in world commerce, and indispensable to the industrial development and defense of the empire“ darstellte. (2)

Dem auf Staatsebene nunmehr als Imperativ industrieller Entwicklung und Verteidigung des Reiches formuliertem Anspruch auf die expansive Vereinnahmung Südostasiens und bestimmter Pazifikregionen entsprachen die Manifestationen des öffentlichen Zeitgeistes. In Takanobu Murobuses 1936 veröffentlichtem Werk *Nanshinron* („A Thesis on Southward Advance“) heißt es, die „Hegemonie Europas sei vorüber“ und die zukünftige Weltherrschaft werde zwischen „Amerika, Rußland und, im Osten, Japan“ entschieden. Das Zeitalter des Liberalismus sei an seinem Endpunkt angelangt und die Konflikte würden nunmehr zwischen Nationen, Blöcken und Kontinenten ausgetragen. In dieser Epoche bestünde die „nationale

Bestimmung“ Japans, „sein Pakt mit der Geschichte“ in der Expansion nach Süden. (3)

Im August 1939 schrieb Professor Kamikawa Hikomatsu in seinem Essay „The American and Japanese Monroe Doctrines“, daß die Beziehung zwischen Japan und dem asiatischen Festland denen der Vereinigten Staaten mit dem amerikanischen Kontinent ähnelte und die japanische Politik gegenüber Manschukuo häufig als Japanische „Monroe Doktrin“ bezeichnet werde. Beide Doktrinen seien sich wesentlich gleich, wenn auch in ihren Entwicklungsprozessen und Operationsfeldern unterschiedlich.

Durch die „Konzeptualisierung der Idee des Regionalismus in der Internationalen Politik“, so Hikomatsu, „waren die Vereinigten Staaten zum Führer unter den Nationen der Welt geworden“. Japan sei diesem Beispiel gefolgt und könne von den USA erwarten, daß diese, „a senior in regionalism ... for her best interests should lead and inspire her junior, Japan“.

Politisch-militärisch bedeutete die japanische Monroe-Doktrin, daß „if Western powers intervene and extend their political influence over this region, such action must be construed as disturbing the peace and order of East Asia which Japan, as the guardian of peace in this region, must vigorously oppose“. The principles of „non-colonization, non-intervention and non-territorial acquisition (von Seiten der westlichen Mächte – H.D.) are the minimum claim of Japan under her ‚Monroe Doctrine'“. (4)

In der ökonomischen Sphäre zielte die japanische Monroe Doktrin auf einen „Ostasiatischen Kontinentalismus“ ab. Unter geographischen und historischen Gesichtspunkten bildeten die Länder Ostasiens bereits eine einheitliche Gemeinschaft und befänden sich nun im Entwicklungsprozeß zu einer ökonomischen Gemeinschaft. „Japan is at present undergoing a rapid industrial development while the other countries of the region are still in the stage of agrarian economy. But, because of this they complement one another, maintaining the relationship of mutual aid. Thus Japan's requirements arising from her capitalistic system and the needs of her neighbours arising from their agrarian economy are mutually harmonious and accommodating. It is utterly erroneous, therefore, to regard Japan's ‚Monroe Doctrine' as a doctrine of imperialism." (5)

Die hier implizierte hierarchische politisch-wirtschaftliche Ausbeutungsordnung, in deren Benefiz-Zentrum Japan steht, wird auch im folgenden Artikel des führenden Ökonomisten Takahashi Kamekichi deutlich. Die geplante Co-Prosperitätssphäre, schreibt er im November 1942 in „The Japan Times and Adviser", erfordert die Überwindung vieler aus der Kolonialvergangenheit herrührender Probleme der südlichen Länder. Die erste Aufgabe besteht darin, neue politische und ökonomische Systeme in diesen Ländern zu organisieren, welche „die Entwicklung eines regionalen Bewußtseins fördern". Danach gilt festzulegen, „welche Nation die Führung in der Region übernehmen soll". In dieser Hinsicht solle man darin übereinstimmen, daß die höchstentwickelte und mächtigste Nation mit der Autorität zu versehen sei, „to guide and advise the construction of the common prosperity fabric". Schließlich sei notwendig, eine angemessene Basis zu erarbeiten „to accord each nation its just and proper place in terms of its intrinsic capability, economic potentiality, defence capacity and importance toward the maintenance and security of regional life."

Diese regionale Großmacht-Konzeption müsse natürlich im Einklang mit der sich entwickelnden Neuen Weltordnung stehen. Unabhängig von den gegenwärtigen kriegerischen Auseinandersetzungen ließe sich vorhersehen, daß am Ende „regionale Harmonie in verschiedenen Teilen des Universums vorherrsche". Die „Weiße Welt" werde wahrscheinlich eine „gemeinsame Prosperitätssphäre in Europa und eine andere in der Westlichen Hemisphäre haben". Die Größere Ostasiatische Co-Prosperitätssphäre werde sich ebenfalls durchsetzen und „the combination of these different Co-Prosperity Spheres will lead to the emergence of a new international order". (6) Eine in der Tat erstaunliche strategische Voraussicht Kamekichis.

Die weitere Entwicklung der „Greater East Asia Co-Prosperity Sphere" wurde wesentlich durch drei Faktoren beschleunigt: die militärischen Erfolge der Nazis, die Stagnation des japanischen Expansionskrieges auf dem chinesischen Festland und die immer deutlicher werdende Politik der USA, die japanische Junior-Partnerschaft als regionale Hegemionalmacht im Pazifik nicht zu akzeptieren. Am 1.8.1940 wurde der Terminus zum erstenmal öffentlich und offiziell auf einer Pressekonferenz des japanischen Außenministers gebraucht und am 6. September auf einer Ministerkonferenz definiert als ein „imperialer Block (Lebensraum) für die Konstruktion einer Neuen Ordnung im Großraum Ostasien ... mit Japan, Manchukuo und China als seinem Kern sowie den früher deutschregierten Inseln, Französisch-Indochina und französischen Inselbesitzungen im Pazifik, Thailand, Britisch Malaya, Britisch Borneo, Niederländisch Ostindien, Burma, Australien, Neu Seeland, Indien und anderen Gebieten". (7) Die Philippinen waren zunächst ausgeschlossen, um einen Konflikt mit den USA zu vermeiden, wurden jedoch Ende 1941 in die Sphäre miteinbezogen.

In dem am 27. September 1940 in Berlin abgeschlossenen Dreimächtepakt (am 11. Dez. 1941 zum Militärbündnis erweitert) sicherten Japan und Nazi-Deutschland ihre krisenüberwindenden hegemonialen Weltpläne vertraglich ab. Sich gegenseitig Hilfe und Kooperation für die Etablierung und Aufrechterhaltung einer „Neuen Ordnung" in „Greater East Asia" und Europa versprechend, stipulierten die Vertragspartner im Artikel 1 des Vertrages, daß „Japan recognizes and respects the leadership of Germany and Italy in the establishment of a new order in Europe", während Deutschland und Italien sich im 2. Artikel verpflichteten, „(to) recognize and respect the leadership of Japan in the establishment of a new order in Greater East Asia". (8)

Mit dem Angriff auf Pearl Harbour (siehe dazu weiter unten) am 7.12.1941 erlitt die traditionelle japanische Expansionspolitik, die auf die Konstruktion einer Neuen Ordnung in Ostasien, unter Betonung des Antikommunismus und der ökonomischen Kooperation mit Manschukuo und China gezielt hatte (9), eine qualitative Veränderung, insofern als die „Greater East Asia Co-Prosperity Sphere" nunmehr in ihre Realisierungsphase als strategisches Kriegs- und Entwicklungsziel eintrat.

Bereits im November 1941 waren die „Prinzipien der Wirtschaftspolitik gegenüber dem Süden“ formuliert worden. Darin hieß es: „With emphasis on satisfying the demand for essential resources and thereby contributing to the immediate war effort, we also plan to establish a system of self-sufficiency for the Greater East Asian co-prosperity sphere, in order to rapidly complete the strengthening of the economic power of the empire.“ (Policy Guideline I, No. 1) Gemäß ihrer Bedeutung für die Rohstoff-Versorgung des japanischen Reiches wurden die südlichen Regionen in zwei Gruppen aufgeteilt. (Policy Guideline I, No. 2) Die Gruppe „A“ schloß Niederländisch Ostindien, Britisch Malaya und Borneo und die Philippinen ein. Gruppe „B“ umfasste Französisch-Indochina und Thailand. (Policy Guideline I, No. 3)

Von besonderer Bedeutung war die Kontrolle der strategischen Rohstoffe wie Gummi, Zinn und insbesondere der Öl-Ressourcen, die, ebenso wie später die Kohlengruben, unter direkte militärische Verwaltung gestellt wurden. Um inflationäre Tendenzen in den Besatzungsgebieten — und letztendlich antijapanische Ressentiments und Unruhen — zu vermeiden, wurde eine restriktive Geldpolitik betrieben. Das sollte eine Wiederholung der auf dem chinesischen Festland mit dem exzessiven Gebrauch von „military payment certificates“ gemachten Erfahrung vermeiden. Die Löhne wurden so niedrig wie möglich angesetzt, um die Preise stabil zu halten und damit eine optimale Ausbeutung der lokalen Arbeitskraft zu ermöglichen. Die aus der Ausbeutung vitaler Rohstoffe und der Akquisition der für die japanischen Truppen notwendigen Lebensmittel resultierenden „economic hardships imposed upon native livelihood ... must be endured“. Außenhandel und Außenwährungsbeziehungen wurden kontrolliert. Die wesentliche Aufgabe der südostasiatischen „Peripherie“ innerhalb des japanischen „Lebensraums“ sollte darin bestehen, die Kernzone — Japan, Manchukuo, Korea und Nordchina — mit notwendigen Rohstoffen und, während der Kriegsphase, die japanischen Armeen mit Basisgütern (z.B. Lebensmitteln) zu versehen. Eine generelle Industrialisierung war für sie nicht vorgesehen. Die nationalen Bevölkerungen sollten so geführt werden „as to induce a sense of trust in the Imperial forces, and premature encouragement of native independence movements shall be avoided ... The ultimate status of the occupied areas and their future disposition shall be separately determined by the Central Authorities of the Japanese Empire." (10)

The „Grand Area": Die imperiale Krisenstrategie der USA

Bevor wir den als „Grand Area" bekannten strategischen Krisenlösungsversuch der US-Machtelite und seine Beziehung zur Konstruktion der Weltnachkriegsordnung diskutieren, ist ein Exkurs über den westlichen *Newspeak* (Propagandadiskurs) angebracht, der mehr als vierzig Jahre nach der großen historischen Konfrontation zwischen den nationalen imperialistischen Bourgeoisien immer noch den Zugang zu den realen Ereignissen der Nachkriegsperiode erschwert.

In den Vereinigten Staaten, wie in allen modernen bürgerlichen Gesellschaften, verläuft die Vermittlung der herrschenden Gedanken über unterschiedliche Sprach-Codes oder Diskurse, welche klassen- und/oder gruppenspezifisch strukturiert sind, um ihre Aufnahme durch die entsprechenden Empfängergruppen zu garantieren. (11) Unter herrschaftskommunikativen Gesichtspunkten — und für die Bedürfnisse unseres Essays — lassen sich drei prinzipielle Diskurse oder Kommunikations-/Indoktrinationsebenen, die nach Inhalt (Verhältnis von Information und Propaganda), Mechanismen der Manipulation, Struktur und Funktion etc. verschieden sind, unterscheiden.

Das elementarste oder rudimentärste Vermittlungsniveau der herrschenden Ideologie ist jenes, welches den Bedürfnissen der Massenindoktrination dient und von Medien wie der Bildzeitung, Reader's Digest, Washington Times, den „Regenbogen-Illustrierten" sowie der überwiegenden Mehrheit der Radio- und Fernsehprogramme realisiert wird.

Der zweite oder intermediäre Diskurs dient nicht primär der Manipulation der Massen, sondern der Selbstverständigung der verschiedenen Fraktionen der herrschenden Klasse. Auf diesem mittlerem Niveau ist die Diskussion politischer Alternativen — innerhalb des etablierten Kanons — nicht nur möglich (weil taktische Diskussion), sondern erwünscht, da sie die Homogenisierung der Eliten hinter den wesentlichen politischen Handlungsmöglichkeiten vorantreibt, und sie zugleich zu Transmissions-Elementen eines kohärenten Herrschaftsdiskurses gegenüber den Massen macht. Die Medien dieses intermediären Diskurses repräsentieren zudem ein wichtiges Korrektiv gegenüber möglichem Machtmißbrauch (z.B. Korruption) bestimmter Elite-Fraktionen in Staat und Gesellschaft. New York Times, Washington Post, Frankfurter Allgemeine Zeitung, Frankfurter Rundschau, Spiegel, Neue Zürcher Zeitung usw. erfüllen diese, für die Hegemonieausübung der herrschenden Klasse unabdingbare Funktion.

Der dritte Herrschafts-Diskurs ist der der strategischen Planer, welche hinter verschlossenen Türen in Vorstandsetagen, Ministerialbüros und „Denk-Fabriken“ (Think Tanks) in kruden Macht- und Interessenkalkülen denken — unbeschwert von propagandistischen oder öffentlich-kommunikativen Vermittlungszwängen. Dieses dritte Niveau der Herrschaftskommunikation ist normalerweise geheim, da in ihm die Essenz der dominierenden ökonomischen und politischen Interessen und die Brutalität ihrer Durchsetzungsstrategien unverhüllt sich darstellt. (12) Manchmal gelangen die Dokumente dieser Strategie-Sitzungen jedoch (im allgemeinen post festum) an die Öffentlichkeit und erlauben, einen intimen Blick in die Macht-Laboratorien der Realpolitik zu werfen. Dies ist der Fall der geheimen US-Kriegszielplanung des Zweiten Weltkrieges, in welcher die politischen Charaktermasken des US-Kapitals diesem die für sein optimales Funktionieren weltweiten Rahmenbedingungen konzipierten. Die Konstruktion der „Freien Welt“ nach 1945 ist das Resultat dieser imperialen Planung, welche ein historisch-aktuelles Lehrbeispiel für die strategische Dimension weltkapitalistischen Handelns der US-Politik darstellt. Sehen wir im folgenden, wie die Kriegszielinteressen der USA auf den ersten beiden Vermittlungsniveaus dargestellt wurden, um uns dann dem wesentlichen Erkenntnisinteresse dieses Kapitels zuzuwenden, der Darstellung der geheimen US-Planung zur Konstruktion der Weltnachkriegsordnung.

Die Gründe für die Rüstungsanstrengungen, Kriegsvorbereitungen und den möglichen Kriegseintritt der Vereinigten Staaten wurden von US-Präsident Franklin D. Roosevelt am 6. Januar 1941 vor dem amerikanischen Kongreß folgendermaßen formuliert: „In the future days, which we seek to make secure, we look forward to a world founded upon four essential freedoms. The first is freedom of speech and expression — everywhere in the world. The second is freedom of every person to worship God in his way — everywhere in the world. The third is freedom from want (materielle Sicherheit — H.D.) ... The fourth is freedom from fear (Abrüstung/Friede — H.D.) (13)

Seit dieser historischen Deklaration Roosevelts bildet der vermeintliche Kampf um die weltweite Verteidigung der „Vier Freiheiten" das Leitmotiv der alliierten und US-Propaganda. (14) Ziel dieser Propaganda, die mit den wirklichen Kriegsinteressen der Vereinigten Staaten nichts gemein hatte, war es, zwei wesentliche Funktionen zu erfüllen. Sie sollte, erstens, die in den Vereinigten Staaten nicht vorhandene Kriegsbegeisterung hervorrufen und die Bevölkerung hinter den Kriegszielprogrammen der Elite chauvinistisch zusammenschließen. Zweitens ging es darum, jene Nationen, welche nicht unmittelbar in den Konflikt einbezogen waren, als Bündnispartner gegen die faschistische Achse und Japan zu gewinnen. Das aggressive Einsetzen des nationalen Kultur- und Propagandapotentials zur Entfachung der gewünschten Kriegseuphorie ging Hand in Hand mit der Durchführung globaler Propagandakampagnen zur Gewinnung der öffentlichen Weltmeinung. (15) In dieser „vierten Dimension" der Außenpolitik war es notwendig, die Propaganda nicht auf enge angloamerikanische Interessen zu beschränken. In der Sprache der strategischen Planer jener Jahre: „If war aims are stated, which seem to be concerned solely with Anglo American imperialism, they will offer little to people in the rest of the world, and will be vulnerable to Nazi counter-promises ... The interests of other peoples should be stressed, not only those of Europe, but also of Asia, Africa and Latin America. This would have a better propaganda effect." (16)

Ein klassisches Beispiel für das intermediäre Niveau des amerikanischen Kriegs-Diskurses, dessen Funktion darin bestand, die US-Machtelite über die internen Kriegszielplanungen zu unterrichten und ihre Zustimmung dafür zu gewinnen, findet sich in Henry Luces berühmtem Artikel, „The American Century". Luce, Herausgeber des einflußreichen Magazins *Life*, formuliert im Februar 1941 die raison d'être und die Kriegszielinteressen der kriegswilligen Fraktion der Machtelite des Landes in folgenden Termini. Der Krieg sei für die Vereinigten Staaten nicht primär eine Frage der „Notwendigkeit und des Überlebens", sondern „a question of choice and calculation ... Sollen die USA am Krieg teilnehmen und wenn ja, warum?"

Luces Antwort ist bejahend. Die USA, die im 20. Jahrhundert zur „stärksten und vitalsten Nation der Welt" geworden sind, haben es versäumt, ihre Rolle als Weltmacht zu spielen — mit katastrophalen Konsequenzen für sie selbst und für die Menschheit. Das Heilmittel dagegen besteht darin, „mit ganzem Herzen" diese Weltführungsrolle zu übernehmen und die US-Macht voll zur Einflußnahme auf die übrigen Nationen zu benutzen, „for such purposes as we see fit and by such means as we see fit". An die Stelle der Pax britanica würde nunmehr die Pax americana treten, sofern die Vereinigten Staaten die historische Chance ausnutzten und nicht, wie Präsident Wilson 1919, erneut die „goldene Gelegenheit der Weltführungsrolle" („golden opportunity ... to assume the leadership of the world") verstreichen ließen. Historische Aufgabe der USA sei es, „to create the first great American century". (17)

Was das in der Praxis bedeuten sollte, erscheint in brutal-zweckrationaler Formulierung in den strategischen Dokumenten der zwei wichtigsten Kriegszielplanungsgruppen der Machtelite: dem „War-Peace Studies Project" des Council on Foreign Relations (CFR) und den „Policy Planning Staff"-Dokumenten des State Departments (Außenministerium).

Das realpolitische Kriegsziel der USA: The Grand Area

Militärische Konflikte werden ausgetragen, um zu determinieren, *wer* unter *welchen* Bedingungen die folgende Friedensordnung strukturiert. (18) Darin liegt der Existenzgrund des Krieges. Entsprechend kristallisieren sich in den Kriegszielprogrammen der kriegführenden Mächte die Interessen der hegemonischen Fraktion(en) ihrer herrschenden Klasse — definiert, im allgemeinen, als „nationales Interesse".

Während des Zweiten Weltkrieges, wie auch schon im ersten (19), hatte jede der Machteliten, welche die drei prinzipiellen imperialistischen Machtblöcke führten (Deutschland, USA, Japan), ein klares politisches Verständnis davon, was sie durch den Kriegseintritt zu gewinnen hoffte. Allgemein gesagt handelte es sich um das, was die Nazis als „Lebensraum", die Japaner als „Greater East Asia Co-Prosperity Sphere" und die US-Amerikaner als „Grand Area" bezeichneten. Die gemeinsame Essenz dieser faschistischen, militaristischen und liberalkapitalistischen Varianten imperialistischer Eroberungs- und Ausbeutungsprogrammatik lag in der Idee der „economic self-sufficiency" (wirtschaftliche Autarkie), das heißt, der Notwendigkeit, die Kontrolle über bestimmte Rohstoff- und Absatzmärkte zu erlangen oder zu konsolidieren als conditio sine qua non interner ökonomischer Wohlfahrt und politischer Stabilität. Gegenstand der respektiven Kriegs-Friedensplanungen wurde somit, erstens, die Bestimmung der zur Erlangung wirtschaftlicher Autarkie notwendigen Rohstoff- und Absatzareale der Erde und, zweitens, die Programmierung der entscheidenden politischen und militärischen Rahmenbedingungen, welche die Verwirklichung dieser conditio sine qua non erlauben würden.

Die Kriegszielplanung der Vereinigten Staaten begann zwei Wochen nach Kriegsbeginn im Rahmen des sogenannten „War Peace Studies Project", einer umfangreichen Studiengruppe, welche unter der Ägide des Council on Foreign Relations führende Wissenschaftler, Mitglieder des Großkapitals und hohe Funktionäre des State Department zur gemeinsamen strategischen Planifikation zusammenführte. Den Ausgangspunkt aller Beratungen bildete die Frage, ob die Vereinigten Staaten wirtschaftlich autark und überlebensfähig sein würden, ohne die Märkte und Rohstoffe des Britischen Empire, der westlichen Hemisphäre (Amerika) und Asiens. Der Untersuchungsausschuß kam zu dem Ergebnis, daß dies nicht möglich sei und die USA deshalb in den Krieg eintreten müßten, um die Gestaltung der zu erwartenden Welt-Neuordnung in ihrem Sinn zu definieren oder, wenigstens, entscheidend mitzubeeinflussen. Das dafür notwendige imperiale Konzept weltweiter US-Hegemonie entwickelte der Ausschuß in den folgenden sechs Jahren unter dem Begriff der „Grand Area".

Hitles Blitzkrieg im Westen und die überraschende militärische Niederlage Frankreichs im Mai/Juni 1940 gaben den Planungsbemühungen der US-Strategen eine dramatische Dringlichkeit. Der absehbare militärische Zusammenbruch Großbritanniens und die daraus resultierende Übernahme der britischen Flotte hätten das nationalsozialistische Deutsche Reich als Hegemonialmacht Kontinental-Europas und des (vormaligen) Britischen Empires an die erste Stelle des imperialistischen Welt-Machtgefüges und damit in die Lage versetzt — in möglicher Allianz mit Japan — die Vereinigten Staaten von ihren autarkienotwendigen Rohstoff- und Absatzmärkten abzutrennen. Für die US-Machtelite wurde damit zum kategorischen Imperativ, konkret das Minimum jener Territorien zu ermitteln, welches für das Überleben der imperialen Ökonomie notwendig war.

Die Welt wurde in verschiedene Areale unterteilt und für jedes Areal der Produktionsort sowie das Produktions- und Handelsvolumen aller wichtigen Waren und Industriegüter analysiert. Etwa 95% des gesamten Welthandels in jeder Waren- und Produktgruppe wurden auf diese Weise erfaßt. Mittels Netto Export-Import Statistiken wurde der Grad ökonomischer Autarkie („economic self-suffiency") der wichtigsten Regionen determiniert, d.h. der westlichen Hemisphäre (amerikanischer Kontinent), des Britischen Empires, Kontinental-Europas sowie des Pazifikgebiets. Die Resultate zeigten, daß die „self-sufficiency“ des vom Deutschen Reich dominierten Kontinentaleuropas weitaus höher war als diejenige der westlichen Hemisphäre. Um den Vereinigten Staaten einen vergleichbaren Grad ökonomischer Sicherheit und Unabhängigkeit zu geben wie dem nazi-dominierten kontinentaleuropäischen „Lebensraum“, mußte die westliche Hemisphäre mit einem anderen Block integriert werden. Erneut durchgeführte komplizierte wirtschaftsstatistische Analysen der komplementären und kompetativen Industrie- und Handelsstrukturen der verschiedenen potentiellen Integrationsareale machten deutlich, daß das „nationale Interesse“ der USA als Minimum freien Zugang zu den Märkten und Rohmaterialien des Britischen Empires, des Fernen Ostens und der gesamten westlichen Hemisphäre erforderte. Dieses Gebiet subsumierte man später unter dem Begriff der „Grand Area“.

Im Oktober 1940 wurde die imperiale Herrschaftskonzeption für das, was Henry Luce „the American century“ genannt hatte, Präsident Roosevelt und dem State Department zugänglich gemacht, zusammen mit der Aufforderung, „to set forth the political, military, territorial and economic requirements of the United States in its potential leadership of the non-German world area including the United Kingdom itself as well as the Western Hemisphere and Far East.“ (20)

Das wichtigste Erfordernis (requirement) zur Durchsetzung dieser Konzeption „in a world in which (the US) proposes to hold unquestioned power, is the rapid fulfillment of a program of complete re-armament“. Weitere Erfordernisse einer „integrierten Politik zur Erlangung militärischer und wirtschaftlicher Überlegenheit für die Vereinigten Staaten innerhalb der nicht-deutschen Welt“ bestanden darin, „to secure the limitation of any exercise of sovereignty by foreign nations that constitutes a threat to the minimum world area essential for the security and economic prosperity of the United States and the Western Hemisphere.“ (21)

Die Konzeptualisierung der Nachkriegswelt als „American Century“ und der „Grand Area“ als ihrem essentiellen Bestandteil, führte zu zwei Implikationen welthistorischer Bedeutung. Die erste bestand darin, daß die britische Weltherrschaft des 19. Jahrhunderts endgültig und unwiderruflich gebrochen war. „The British Empire", konstatierte Norman Davis, Präsident des Council on Foreign Relations, im Mai 1942, „as it existed in the past will never reappear and ... the United States may have to take its place". (22)

Die zweite bedeutete, daß die Vereinigten Staaten eine Niederlage Großbritanniens oder einen Vorstoß Japans in den pazifisch-südostasiatischen Raum nicht zulassen konnten, da damit für die „Grand Area" reservierte Areale in die Hände Deutschlands oder Japans gefallen wären. Jeder dieser Aspekte implizierte folglich einen casus belli für die Vereinigten Staaten — ausgenommen natürlich unter der irrealen Voraussetzung, daß die US-Machtelite erneut auf ihre „golden opportunity" weltweiter Expansion verzichten würde. Die Frage nach dem Kriegseintritt der USA reduzierte sich damit von einem strategischen zu einem *taktischen* Problem, d.h. auf die Frage, ob und wann sich eines der genannten Ereignisse realisieren würde.

Die unausweichliche Konsequenz dieser Situationslogik bestand also darin, zwischen gleichen imperialistischen Rechten die Gewalt entscheiden zu lassen. Dabei befand sich die US-Machtelite gegenüber ihren Rivalen in einem entscheidenden Aspekt im Nachteil. Da sie, im Gegensatz zum faschistisch-totalitären deutschen und dem militaristisch-totalitären japanischen Regime unter den Rahmenbedingungen eines formal-demokratischen bürgerlichen Regimes agierte und große Teile der Bevölkerung (22a) wie des Kongresses gegen den Kriegseintritt der USA waren, konnte sie keinen Agressionskrieg zur Verwirklichung ihres Lebensraumes initiieren. Sie mußte daher durch eine gezielte Propagandakampagne im Innern einen Meinungsumschwung für den Kriegseintritt hervorrufen — wobei eine umfangreiche geheime „psychologische Kriegführungskampagne" der „British Security Coordination" (BSC), durchgeführt mit Hilfe wichtiger US-Massenmedien, instrumentell war (22b) —, sowie außenpolitisch einen Angriff oder eine Kriegserklärung ihrer imperialistischen Rivalen produzieren, welche den Charakter des US-Kriegseintritts als defensiven Akt gegen eine nicht-provozierte Aggression glaubhaft machen würde.

Im atlantisch-europäischen Raum löste Roosevelt dieses politisch-propagandistische Problem mittels der sogenannten „short of war-policy", i.e., der Unterstützung der britischen Kriegsanstrengungen mittels des sogenannten „Lend-Lease program" vom 11. März 1941 (Überlassen amerikanischer Zerstörer an die Royal Navy als Gegenleistung für den Gebrauch britischer Militärbasen in der westlichen Hemisphäre), der Beschlagnahme deutscher Handelsschiffe in US-Häfen, Konfiszierung deutscher Guthaben und Schließung der deutschen Konsulate in den USA seit Juni 1941, der „präventiven" Militär-Besetzung Islands im Juli 1941, dem Konvoy-Geleitschutz gegen deutsche Angriffe im Nordatlantik (August 1941), dem nicht-erklärten de facto-Seekrieg gegen Hitlers Kriegsmarine ab September 1941 (Schießbefehl an die US-Flotte vom 11. September 1941) usf. Einige dieser Maßnahmen überschritten die exekutive Kompetenz des Präsidenten und setzten ihn de jure der Gefahr des „impeachments" aus, d.h. eines politisch-juristischen Prozesses aufgrund des Deliktes des Verfassungsbruchs. Doch Roosevelt und die ihn stützende Machtelite sahen dies als wenig wahrscheinlich und, in jedem Fall, als geringeres Übel gegenüber den Implikationen der US-Neutralitätsposition der „Isolationisten" an.

Im pazifischen Konflikt benutzte die US-Regierung die japanische Invasion Südost-Asiens sowie den Fortbestand der nationalchinesischen Regierung (Tchiang Kai Cheks) als Katalysatoren anti-japanischer Aggressionspolitik. Auf die Intervention Indochinas antwortete die US-Regierung, in Übereinstimmung mit Großbritannien und den Niederlanden, mit einem totalen Handelsembargo, welches statistisch kalkulierbar machte, wann die japanische Kriegsmaschinerie aus Mangel an strategischen Rohstoffen (insbesondere Öl) zusammenbrechen würde. Für die Japaner blieb damit nur die Möglichkeit offen, die seit der Washingtoner Konferenz von 1921/22 gegenüber Großbritannien und den Vereinigten Staaten akzeptierte Rolle eines imperialistischen Junior-Partners zu verlängern oder sie militärisch zu durchbrechen. (23) Die USA polarisierten diese Alternative weiter, indem sie die für die Japaner unannehmbare Bedingung aufstellten, die Unantastbarkeit der Regierung Tschiang Kai Chek zu garantieren. Der Krieg Japans gegen die USA — in deklarierter, oder, wie es dann geschah, nicht-deklarierter Form des Angriffs auf Pearl Harbor — war die unausweichliche und erwünschte Konsequenz dieser Politik.

Dies wird nicht nur aus den geheimen Kriegszieldokumenten der USA deutlich, sondern auch ohne Umschweife von führenden Politikern der amerikanischen Machtelite zugegeben. John Forster Dulles, US-Außenminister von 1953 bis 1959, schreibt beispielsweise in seinem Werk *War and Peace*, daß die Vereinigten Staaten in ständig steigendem Ausmaß auf das Überleben eines „freien und freundlichen Chinas" drängten und in den Verhandlungen mit den Japanern eher bereit waren, „einen Krieg in Kauf zu nehmen, als der Ersetzung der nationalchinesischen Regierung durch ein japanisches Satelliten-Regime" zuzustimmen: „On November 26, 1941, in one of the final prewar documents, our Government asked Japan to agree that ‚The Government of the United States and the Government of Japan will not support militarily, politically, economically — any government or regime in China other than the National Government of the Republic of China with capital temporarily at Chungking.' *War was the reply, and indeed, the reply which our government anticipated.*" (24)

Als im Verlauf des Weltkonfliktes klar wurde, daß Deutschland und Japan den Krieg verlieren und die Vereinigten Staaten als stärkste Weltmacht aus ihm hervorgehen würde, expandierte die Grand Area weiter. Bestand die ursprüngliche Kriegszielplanung darin, „militärische und ökonomische Überlegenheit für die Vereinigten Staaten innerhalb der nicht-deutschen Welt zu erlangen" („to achieve military and economic supremacy for the United States within the non-German world"), sowie die japanische Expansion zu stoppen — „through peacable means if possible, or through force" —, so bedeutete „Grand Area" nunmehr die gesamte „Freie Welt", organisiert unter US-amerikanischer Vorherrschaft und versehen mit den ökonomischen (Weltbank, Internationaler Währungsfonds, etc.) und politischen Institutionen (Vereinte Nationen usw.), welche die Interessen der USA garantierten.

Bereits seit 1941 hatte die Studiengruppe des „War Peace Studies Project“ daraufhingewiesen, daß ökonomische Mittel und Strukturen eine wichtige Rolle für die Integration und Stabilität der „Grand Area“ spielen würden. Empfehlung P-B23 vom Juli 1941 insistierte, daß weltweite Finanzinstitutionen notwendig seien, um „Währungsstabilität und Anreize für Kapitalinvestitionen ... in zurückgebliebenen und unterentwickelten Regionen“ zu gewährleisten. (25)

Anfang Februar 1942 waren die Überlegungen soweit gereift, daß zwei unterschiedliche finanzielle Institutionen mit weltweiten Funktionen für die Nachkriegszeit geplant wurden: „one an international exchange stabilization board and one an international bank to handle short-term transactions not directly concerned with stabilization“. (26) Unschwer läßt sich hier in status nascendi erkennen, was zwei Jahre später in Bretton Woods, New Hampshire, als „International Monetary Fund“ und „International Bank for Reconstruction and Development“ kreiert wurde.

Die Vereinten Nationen entstehen im gleichen Umkreis der Grand Area-Nachkriegsplanungen wie der IMF und die Weltbank (World Bank), mit denen sie die Funktion teilen, die US-Hegemonie in der „Freien Welt“ (juristisch-politisch) abzusichern. Angesichts des sich in den letzten Kriegsjahren in vielen Länder der „Dritten Welt“ entwickelnden Nationalismus und Anti-Kolonialismus war es für die neue Welthegemonialmacht nicht opportun, ihre Grand Area-Pläne mit den klassischen Mitteln des europäischen Kolonialismus durchsetzen zu wollen. In den Worten eines führenden Mitglieds des außenpolitischen Establishments der Vereinigten Staaten, handelte es sich für die USA darum, die zur Garantie ihrer Sicherheitsinteressen notwendige Macht anzuwenden, dabei aber „konventionelle Formen des Imperialismus zu vermeiden“ („avoid conventional forms of imperialism“, Isaiah Bowman,

1942). (27) Die Lösung bestehe darin, der Ausübung dieser Macht internationalen Charakter via einer United Nations-Körperschaft zu verleihen. Wenig später, im Januar 1943, wurde ein geheimes Planungskomitee zur Entwicklung der entsprechenden institutionellen UN-Struktur eingesetzt, dessen wesentliche Konzeptionen — trotz gewisser Zugeständnisse, die die USA in den entscheidenden internationalen Verhandlungen von Dumberton Oaks und San Francisco (1944/45) anderen Großmächten machen mußte — in substantieller Form in der endgültigen UN-Charter erhalten blieben.

Lebensraum: die imperiale Krisenlösungsstrategie der Nazis

Hitler hatte das Problem der durch die Weltwirtschaftskrise ausgelösten ökonomisch-politischen Strukturkrise des Kapitals auf einer Geheimrede vor dem „Militärischen Führernachwuchs" am 30.5.1942 auf seinen Begriff gebracht. Auf die rhetorische Frage, ob die bisher betriebene Wirtschaftspolitik der Aufrüstung richtig gewesen sei, antwortet er : „Wenn wir im Jahre 1933 den Weg unserer neuen Wirtschaftspolitik nicht beschritten hätten, wären wir von der *bolschewistischen Revolution der erwerbslosen Massen* hinweggefegt worden. Es blieb uns gar kein anderer Weg. Wir hatten bereits *7 Millionen Erwerbslose*! Wenn der Hunger aber dann allmählich 10 oder 20 Millionen erfaßt, beginnt sich die Vernunft zu verirren. Dann regiert nicht mehr der Verstand, sondern die Leidenschaft. Dann ziehen die Massen auf die Straßen, zerschlagen den Staat, und das Deutsche Reich wäre zugrunde gegangen.

Es mußte also ein letzter *Ausweg* versucht werden, aus unserer wirtschaftlichen Not herauszukommen. Und das war nur die nationalsozialistische Wirtschaftspolitik: *Aufrichtung eines binneneuropäischen Systems des Austausches der Arbeitsleistung*. Das war der einzige, letzte Weg." (28)

Das Problem lag in der Aufrechterhaltung der kapitalistischen Produktionsverhältnisse; die Lösung in der exploitativen

Kontrolle eines wirtschaftlichen Großraums fern von den Abhängigkeiten des Goldstandards, des Sterlingblocks und der Macht des Dollars (*binnen*europäisches System des Austausches der *Arbeitsleistung)*. Hitler verschwieg, daß der Austausch der jeweiligen Quota von Arbeitsleistung ungleich sein sollte; daß ein Präferenzsystem für deutsche Arbeitsleistung gegenüber Arbeitsleistung der Randvölker geplant war, welches eine beschleunigte Wertakkumulation der deutschen Metropole gewährleistete.

Geopolitisch gab es bei der Eroberung des geplanten Groß- oder Lebensraumes zwei grundsätzliche Möglichkeiten. Nach Maßgabe des Britischen Empire oder des Französischen Kolonialreiches Kolonien in Übersee zu erlangen oder der sogenannten „inneren Kolonisation" zu folgen, d.h. der jahrhundertealten germanischen Expansion nach Osteuropa. Angesichts der dominierenden Seemacht Englands und der USA, welche den Schutz traditioneller Kolonien vor unlösbare Fragen stellte, sowie dem Vorhandensein der wichtigsten gewünschten Rohstoffe (Erdöl und Lebensmittel) und ausreichenden Siedlungsraumes in Osteuropa, entschied der Nationalsozialismus, daß Deutschlands „Indien" im „Osten" liege. (29)

Die Analogie zwischen Britischem Empire und Deutschem Kolonialreich führte Hitler im September 1941 im sogenannten Führerhauptquartier folgendermaßen aus. „Die Geburtsstätte des englischen Selbstbewußtseins ist Indien. Vor 400 Jahren hatten die Engländer nichts davon. Die Riesenräume Indiens haben sie gezwungen, mit wenigen Menschen Millionen zu regieren. Mitbestimmend war dabei die Versorgung größerer europäischer Einheiten mit Lebensmitteln und Gebrauchsgegenständen ...

Bei unserer Besiedlung des russischen Raumes soll der ‚Reichsbauer' in hervorragend schönen Siedlungen hausen. Die deutschen Stellen und Behörden sollen wunderbare Gebäulichkeiten haben, die Gouverneure Paläste. Um die Dienststellen herum baut sich an, was der Aufrechterhaltung des Lebens dient. Und um die Stadt wird auf 30 bis 40 Kilometer ein Ring gelegt von schönen Dörfern, durch die besten Straßen verbunden.

Was dann kommt ist die andere Welt, in der wir die Russen leben lassen wollen, wie sie es wünschen. Nur, daß wir sie beherrschen. Im Falle einer Revolution brauchen wir dann nur ein paar Bomben zu werfen auf deren Städte, und die Sache ist erledigt. Einmal im Jahr wird dann ein Trupp Kirgisen durch die Reichshauptstadt geführt, um ihre Vorstellung mit der Gewalt und Größe ihrer steinernen Denkmale zu erfüllen.

Was für England Indien war, wird für uns der Ostraum sein. Wenn ich dem deutschen Volk nur eingeben könnte, was dieser Raum für die Zukunft bedeutet." (30)

Neben den schönen Siedlungen und Palästen die „andere Welt", die Welt „der Russen", die wir beherrschen. „Im Falle einer Revolution brauchen wir dann nur ein paar Bomben zu werfen ... und die Sache ist erledigt." Unangenehme Bilder drängen sich auf von Soweto, „Townships" und Bantustans von 20 Millionen Afrikanern, die die weißen Wohlstandsinseln Südafrikas umgeben. Unangenehm doch erträglich; denn wer wäre nicht gegen das barbarische System der Apartheid und der Ghettoisierung der Massen nach Hautfarbe. Unangenehm und unerträglich wird es, wenn Hitlers Diktum über die dichotomische Weltordnung von Palästen und Hütten, Herrschern und Beherrschten, als Menetekel der zivilisierten Barbarei der Ersten und Dritten Welt erscheint. Obgleich die Misere der „anderen Welt", das Rundführen der „Kirgisen" und das Werfen von Bomben auf die Revolutionen der Dritten Welt fast täglich über die Bildschirme flimmern, würde jeder Hinweis auf das angenehme Leben im Gehäuse der Hitlerschen ökonomischen Weltkonzeption nur Stürme von Entrüstung hervorrufen und bei den sensibleren oder ehrlicheren Kreisen — vielleicht — betretenes Schweigen.

Die Maxime des Nationalsozialismus für die Konstruktion des deutschen „Indiens" war die des großen britischen Vorbilds und, in letzter Instanz, jeder Kolonialmacht: ökonomische Ausplünderung mittels des Einsatzes von Gewalt. (31) Voraussetzung dafür war die Zerschlagung der bestehenden politischen Struktur der Sowjetunion. Es bestand Einigkeit unter den wesentlichen Fraktionen von Wehrmacht, politischer und ökonomischer Elite, das Sowjetregime und den Bolschewismus zu stürzen (31a) sowie „Rußland“ als Nachkriegspotenz substantiell zu schwächen, durch Balkanisierung, Annexion von Teilen der SU (Baltikum), Entvölkerung, Entindustrialisierung, etc. „Jede staatliche Organisation (war) zu vermeiden und die Angehörigen dieser Völkerschaften auf einem möglichst entsprechenden Kulturniveau zu halten. Man müsse davon ausgehen, daß diese Völker uns gegenüber in erster Linie die Aufgabe haben, uns wirtschaftlich zu dienen.“ (31b)

Die Implikation dieses Programms, welches anachronistisch die Koloniallogik des *19. Jahrhunderts* im 20. Jahrhundert zu verwirklichen suchte, war die Anwendung des Staatsterrors. „Mit demokratischen Einrichtungen kann man nicht halten, was man mit Gewalt einst genommen hat“, führte Hitler aus; und Gewalt war unabdingbar für die Erreichung der langfristigen Ziele deutscher Politik im Osten, so wie er sie in der ersten nach Beginn der Invasion in die UdSSR abgehaltenen Konferenz formulierte. Man solle sich zwar nicht „vorzeitig und unnötig“ das Volk zum Feinde machen, aber der deutschen Führung selbst müsse „dabei klar sein, daß wir aus diesen Gebieten nie wieder herausgehen“. Man brauche die deutsche „Zielsetzung nicht vor der ganzen Welt bekanntzugeben“, doch „alle notwendigen Maßnahmen — Erschießen, Aussiedeln usw. — tun wir trotzdem und können wir trotzdem tun“. Die Losung des Tages sei:

1. beherrschen,
2. verwalten und
3. ausbeuten. (32)

Auch Göring wies in seiner Direktive vom 8. November 1941 darauf hin, daß in Hinsicht auf die langfristige Wirtschaftspolitik die „neu besetzten Ostgebiete nach kolonialen Gesichtspunkten und mit kolonialen Methoden ausgebeutet werden“. (33)

Diese krude Maxime vernachlässigte zwar das Kalkül politischer Kriegführung, d.h. der Zerbrechung politischer Loyalität der „befreiten“ Nationalitäten in der UdSSR zwecks Einsatzes gegen das sowjetische System, doch waren politische Kriegführungsmaßnahmen von Anfang an bei der Planung des „Unternehmens Barbarossa“ unbedeutend gewesen, da eine völlige Unterschätzung des sowjetischen Gegners und die Hybris der Blitzkriegserfolge einen mittel-bis langfristigen Krieg von vornherein als unwahrscheinlich erscheinen ließen. Daher setzte sich die krude und erbarmungslose „koloniale“ Ausplünderungspolitik im wesentlichen ungebrochen durch. Erst nach dem endgültigen Scheitern der Blitzkriegskonzeption (nach der Schlacht von Kursk im Sommer 1943) fanden Befürworter einer *politischen* Kriegführung — und im Rahmen dieser, einer „reziprokeren“ Wirtschaftspolitik „im Osten“ — stärkeres Gehör, ohne jedoch ihre Konzeption zur dominierenden machen zu können.

Die Ausbeutung des ökonomischen Potentials des „Ostraumes“ sollte im wesentlichen drei Funktionen erfüllen: 1. post festum das enorme Schuldendefizit des Nazi-Militärkeynesianismus decken; 2. die Notwendigkeiten der deutschen Kriegsmaschinerie bis zum Endsieg erfüllen und 3. eine langfristige imperialistische Ausbeutungsbeziehung garantieren, um den wirtschaftlichen Reichtum und die politische Stabilität der Metropole zu sichern.

Nach Roth beliefen sich die gesamten Rüstungskosten für die Nazi-Militärmaschinerie bis Kriegsausbruch auf rund 60 Mrd. Reichsmark, d.h. mehr als 60 Prozent der Reichsausgaben überhaupt. Davon waren 20 Milliarden durch Steuern gedeckt, weitere 20 Mrd. durch Kredite und der „Rest durch geheime Staatsanleihen, Mefo-Wechsel, Steuergutscheine, Lieferschatzanweisungen usw.“ (34) Rund vierzig Milliarden DM der Kriegsvorbereitungen waren also durch „deficit-spending“ finanziert worden, dessen inflationäre Rückwirkungen, wie bei jedem keynesianischen Konjunkturprogramm, mittelfristig durch erhöhte Produktion, Schenkung oder Raub realer Werte aufgefangen werden mußten.

Wie zu erwarten, sollte diese Last den „Ostgebieten“ aufgebürdet werden: die Opfer des Agressionskrieges sollten die Kosten der Aggression auch noch selbst bezahlen. Seit Wiedereinführung der Wehrpflicht, so Hitler am 25.3.1942, „hat unsere

Rüstung ungeheure, bisher völlig ungedeckte Beträge verschlungen. Es gibt nun lediglich zwei Wege: entweder wird diese Steuerschuld doch im Laufe der Zeit auf die deutschen Volksgenossen im Reich abgewälzt, oder aber sie wird aus den möglichen Gewinne der besetzten Ostgebiete bezahlt." Das letztere müßte selbstverständlich sein und der „Führer (war) daher auch der Auffassung, (daß) Preise wie Löhne in den besetzten Ostgebieten unbedingt festgehalten werden, selbstverständlich damit auch der Lebensstandard der Bevölkerung in den besetzten Ostgebieten. Die Gewinne aus den Preisunterschieden zwischen Ostgebieten und Reichsgebieten müßten ausschließlich dem Reich zufließen". (35)

In einem geheimen Planungsdokument des Arbeitswissenschaftlichen Instituts der Deutschen Arbeitsfront über die „Nutzung der eroberten Gebiete durch das deutsche Volk", vom Dezember 1941, wird die gleiche Logik zum Ausdruck gebracht. „Wenn eine Macht feindliches Gebiet erobert, stehen ihr zwischen der Wahl, entweder diese Gebiete mit ihrer Bevölkerung als gleichberechtigte neue Provinzen in den bisherigen Staatsverband einzugliedern, oder aber sie als Nutzungsobjekte zwar staatsrechtlich zu beherrschen, im übrigen aber getrennt zu verwalten, eine Vielzahl von Zwischenlösungen offen ... Je mehr fremdvölkischen Einschlag die Gebiete besitzen, um so weniger eignen sie sich für die gleichberechtigte Eingliederung in das ursprüngliche Gebiet; sie müssen als gesonderte Beute verwaltet werden. Selbstverständlich soll diese Beute für das Staatsvolk einen Nutzen abwerfen. Dieser Nutzen kann einerseits ein politischer sein; in diesem Falle wird der Sieger sich entschließen, die eroberten Gebiete zu einem mehr oder weniger selbständigen Staat zusammenzufügen und sich damit begnügen, diesen Staat in einer gewissen Abhängigkeit zu halten (vgl. Slowakei, Kroatien usw.). Das andere Extrem besteht in der ausschließlich wirtschaftlichen Nutzung mit gleichzeitiger Verhinderung jeder eigenständigen Staatsbildung in den eroberten Gebieten. Dieser Fall wird aus zwingenden politischen Gründen in dem größten Teil der jetzt gewonnenen Ostgebiete eintreten ..."

„Für die reguläre Volkswirtschaft gilt der Grundsatz, daß die Summe der Produktion gleich sei der Summe des Verbrauchs, d.h.: jede Volkswirtschaft verbraucht in ihrer Gesamtheit so viel, wie sie produziert. Auf dieser Gleichung beruht jede arbeitsteilige Wirtschaft ... Wenn nun die beherrschten Gebiete einen Teil ihres Arbeitsüberschusses zu Gunsten des Staatsvolkes (der Deutschen — H.D.) abgeben sollen, so muß für diese Gebiete die soeben erwähnte Grundformel des wirtschaftlichen Zusammenhangs durchbrochen werden. Die Bewohner der beherrschten Gebiete sollen nur einen Teil ihrer Produktion selbst verbrauchen können. Der andere Teil soll dem Staatsvolk als Gegenwert für seine politische Führung vorbehalten bleiben. Es soll also im Verhältnis vom Staatsvolk zum beherrschten Volk ein Zustand Platz greifen, den die volkswirtschaftliche Theorie als *Mehrwert* bezeichnete, wenn er im Verhältnis von Unternehmer zu Arbeiter auftritt." (35a)

In Hinsicht auf die kriegswirtschaftlichen Notwendigkeiten der Ausbeutung des „Ostraums" lag das Alpha und Omega der deutschen Besatzungspolitik in der Aneignung ausreichender Mengen von Lebensmitteln, Öl und anderen Rohstoffen. Die für die Verwendung der fremdstaatlichen Rohstoffe verantwortlichen Nazi-„brain trusts" hatten bereits Monate vor der Invasion der UdSSR kalkuliert, daß das Territorium westlich der sogenannten „AA" (Archangelsk-Astrachan) Linie ausreichen würde, um die wichtigsten Engpässe der Kriegswirtschaft für die Dauer des Krieges zu überbrücken. „Das Nahziel ... für die neu besetzten Ostgebiete ist mit unbedingtem Vorrang das Gewinnen des gegenwärtigen Krieges," hieß es in den vom Reichsministerium für die besetzten Ostgebiete erlassenen *Richtlinien für die Wirtschaftsführung*. Die besetzten Gebiete mußten dazu extensiv beitragen, indem sie „die Nahrungsmittel- und Rohstofffreiheit für Europa gewährleisteten". „Dieses Nahziel hat auch dann Vorrang, wenn eine kriegsnotwendige Maßnahme einmal in Widerspruch zu der für die Zukunft beabsichtigten Gestaltung des Ostraumes treten sollte." (36)

Die langfristig geplante strukturelle Ausbeutungsbeziehung zwischen Lebensraumzentrum und Peripherie entspricht fast idealtypisch den aus der Dependenztheorie bekannten Analysen und Modellen. „Auf lange Sicht (sei) die primitive Ausbeutungswirtschaft durch eine planmäßige Anpassung der Wirtschaftsstruktur an die Bedürfnisse des deutschen Volkes zu ersetzen. Erst dann ist ein wirklicher ‚Gewinn' des deutschen Volkes gesichert." (36a)

Nach dem Krieg, so die Konzeption der Nazi-Machtelite, würde die europäische Industrie nicht länger Außenmärkte benötigen, da die sowjetische Bevölkerung „auf einem so niedrigen Standard lebt, daß alle industriellen Produkte, angefangen vom einfachsten Wasserglas, dort vermarktet werden können" (Hitler). Die deutsche Industrie würde Rohstoffe und Halbfertigprodukte aus dem Osten importieren, veredeln und über Reexporte und Konsum- und Produktionsgüterausfuhren diese Einfuhren bezahlen (Göring). Dort wo kompetative Industrien bestanden, sollten die Ökonomien über De-Industrialisierung oder „Naturalisierung" auf den erforderlich-komplementären, nicht-kompetativen Primitivitätsgrad reduziert werden. In den bereits zitierten *Richtlinien* des Ostministeriums werden die wirtschaftlichen und politischen Vorteile einer Entindustrialisierung der Sowjetunion folgendermaßen zusammengefaßt: 1. Die politisch unerwünschte Zusammenballung der einheimischen Bevölkerung in Industriezentren wird vermieden; 2) die Herstellung und Verwertung arbeitsintensiver Erzeugnisse bleibt dem Reich und den alten Industrieländern Europas vorbehalten und sichert ihnen einen befriedigenden Lebensstandard. (37)

Im Juni 1940 präzisierte Reichswirtschaftsminister und Reichsbankpräsident Walther Funk die vom deutschen Großkapital via Nationalsozialismus geplante „Wirtschaftliche Neuordnung Europas". Als Leitwährung innerhalb des binneneuropäischen Wirtschaftsgroßraumes würde fürderhin die, zu diesem Zweck, von Goldstandard und Sterling/Dollarreserven abgekoppelte Reichsmark dienen, deren Stabilität durch deutsches Wirtschafts- und Machtpotential garantiert werde. Ein festes Wechselkursverhältnis der nationalen Währungen zur Reichsmark, dessen Paritäten auf jeden Fall unter 40 Prozent der tatsächlichen Kaufkraftparität von 1940 liegen sollten, werde den Aufbau eines zentralen Handelsverrechnungssystems ermöglichen, der sogenannten Deutschen Verrechnungskasse in Berlin. Stabile Wechselkurse, das zentrale monetäre Clearingsystem in Berlin sowie elaborierte Kreditmechanismen würden einen weitgehend ungehemmten Handels- und Kapitalfluß ermöglichen, der wirtschaftliche Konjunktur nach sich ziehe. Ebenso wie Berlin das Zentrum des Kapital-und Kreditverkehrs wäre, würde eine zentrale Investitionsplanung und Restrukturierung des Systems europäischer Arbeitsteilung vorgenommen werden. Die in den Wirtschaftsgroßraum eingegliederten Territorien Europas würden, je nach Produktionsstruktur, Entwicklungsgrad und deutschen Interessen bemessen, ihre Funktion dahingehend erfüllen, dem „deutschen Reich ein Maximum an wirtschaftlicher Sicherheit und dem deutschen Volke ein Maximum an Güterverbrauch zur Erhöhung der Volkswohlfahrt" zu gewährleisten. (38)

In diesem Ausbeutungssystem würden: a) *Westeuropa*, insbesondere Frankreich und Belgien als zusätzliche Investitionszentren des deutschen Kapitals dienen: b) *Skandinavien* und das „Protektorat Böhmen und Mähren" schwerpunktmäßig in der Energie-, Aluminium- und Kfz-Produktion tätig sein; c) für *Südosteuropa* waren intensive Landwirtschaft, Rohstofferzeugung und begrenzte industrielle Produktion von Gütern des billigen Massenbedarfs vorgesehen; d) das „Generalgouvernement" Polen und die Sowjetunion sollten wesentlich als agrarisch-unterentwickelte Länder existent bleiben, welche die Ware Arbeitskraft und bestimmte Rohstoffe zur Verfügung stellen würden. (39)

Auch das Verkehrs- und Kommunikationssystem sollte dem uns aus der 1/3-Weltstruktur bekannten Paradigma entsprechen. Im Zentrum dieses Netzes stände Berlin, von dem aus ein Netz von Autobahnen (40), Eisenbahnen und Kommunikationsmedien die Kernzonen des Lebensraumes sowie die wichtigsten Produktions- und Ausbeutungszentren der Lebensraumperipherie miteinander verbinden würde. Umfangreiche Patent-, Lizenz- und Kartellmaßnahmen sollten die Hegemonialstellung der Metropole weiter stärken.

Die für die deutsche Metropole vorgesehene Rolle im europäischen Großwirtschaftsraum — oder, anders gesagt, der Zusammenhang zwischen imperialistischer Aggression und struktureller, dauerhafter Ausbeutung von „Randvölkern" auf der einen sowie interner ökonomischer Prosperität und politischer Stabilität der Metropole auf der anderen Seite — wird exemplarisch deutlich in einem Vortrag des Präsidenten der Reichswirtschaftskammer und Hauptabteilungsleiter im Reichswirtschaftsministerium Hans Kehrl, vom September 1940. In Zukunft werde man dem deutschen Arbeiter „an Lebensbedingungen und Lohn das Beste ... bieten und an Auswertung seiner Arbeitskraft, was technisch gegenwärtig überhaupt möglich" sei. Eine derartige Revolution der Arbeitsintensität und des Einkommens könne sich aber nur im „europäischen Großraum" vollziehen: „Im Großraum können deutsche Arbeiter in Zukunft nur für hochwertige und bestbezahlte Arbeit, die den höchsten Lebensstandard ermöglicht, angesetzt werden; Produkte, die diese Voraussetzungen nicht erfüllen, werden wir in immer zunehmendem Maße den Randvölkern zur Produktion überlassen und überlassen müssen. Wir werden uns für den deutschen Arbeiter bei der industriellen Produktion Europas die Rosinen herauspicken." (41)

Innerhalb dieser großräumigen Ausbeutungsstruktur lag die Aufgabe der Peripherie darin, ein möglichst großes Mehrprodukt zu erzielen, das von der Metropole angeeignet werden konnte. Abhängige Entwicklung war möglich, solange sie dieses Mehrprodukt erhöhte. In einer Ausarbeitung der „Forschungsstelle für Wehrwirtschaft beim Amt des Beauftragten für den Vierjahresplan", vom 15. Januar 1941, heißt es in Hinsicht auf Südosteuropa, daß gegen eine allgemeine volkswirtschaftliche Entwicklung dieser Region im Rahmen der für sie vorgesehenen Produktionsbereiche nichts einzuwenden sei — solange sie die Appropriationsmöglichkeiten der Metropole nicht einschränke. „... wir haben ein großes Interesse an wirtschaftlich leistungsfähigen Nachbarn. Darüber hinaus müssen wir allerdings auf eine möglichst große Überschußproduktion jener Länder bedacht sein, *weshalb wir in keinem Fall an einer*

Entwicklung mithelfen können, die das dortige Lebensniveau auf Kosten der für uns verfügbaren Überschußproduktion erhöht. Wir hätten dann genau das Gegenteil dessen erreicht, was aus wirtschaftspolitischen und wehrwirtschaftlichen Gründen angestrebt werden muß."

„Wenn wir ganz allgemein auf eine Entwicklung der südosteuropäischen Wirtschaft hinarbeiten, könnte sich diese Gefahr sehr leicht verwirklichen. Wir würden dann Investitionen vornehmen, die uns zwar zu sofortigen Leistungen nötigen, im übrigen aber zunächst nur die Konsumkraft jener Länder heben. Die augenblickliche Folge wären Passivsalden im Außenhandel jener Länder mit uns. Die spätere Ertragssteigerung, die sich nach vollendetem Ausbau einstellt, würde gewiß das Leistungsniveau des Südostens im ganzen heben, ohne aber für den Austausch mit Deutschland bestenfalls mehr Produkte zur Verfügung zu stellen, als für die Verzinsung unserer Vorleistungen erforderlich sind ..."

„Jede Einkommensvermehrung, zu der wir dem Südosten durch Kredite und dergleichen verhelfen, wird sich also weniger in erhöhten Sparquoten als vielmehr in erhöhtem Konsum niederschlagen. Dies bedeutet, daß ein zunehmender Teil der Produktion in den eigenen Verbrauch überführt werden würde. Es könnte sein, daß mit deutscher Hilfe die Produktion zwar ansteigt, die absolute Menge der Ausfuhr aber kaum zunimmt oder gar sinkt. *Würde der Verbrauchsstandard der südosteuropäischen Völker auf unseren eigenen Verbrauchsstandard ansteigen, dann würden nicht nur die bisherigen Exportüberschüsse Südosteuropas an Nahrungs- und Futtermitteln fallen, sondern es würde darüber hinaus in der gesamteuropäischen Ernährungs-und Rohstoffversorgung ein Defizit auftreten, das überhaupt nicht mehr überbrückt werden könnte.*"

Folglich empfiehlt es sich, „daß wir uns weniger für die Inangriffnahme sozialer Maßnahmen und großer Wirtschaftsprojekte mit langer Reifezeit einsetzen; denn Kredite und Wirtschaftsgüter, die wir hierfür zur Verfügung stellen, gäben zwar jenen Ländern bessere Arbeitseinkommen und Konsummöglichkeiten, würden aber, da solche Vorhaben erst spät Erträge bringen, die Summe der abdisponierbaren Produktionsleistungen zunächst nicht erhöhen. Unsere materielle Hilfeleistung muß sich vielmehr auf Verbesserungen der Produktionstechnik richten, die schnelle Erträge erwarten lassen, und auf die Einrichtung solcher neuen Produktionen, die eine kurze Anlaufzeit haben und Ergänzungsprodukte für uns zur Verfügung stellen."

Der Aufbau des Südostens „muß demzufolge in weniger breiten Bahnen erfolgen, als oft gefordert wird. Der Gedanke, der Bevölkerung des Südostens eine rasche Besserung ihres Lebensstandards zu bringen, kann keinesfalls in erster Linie stehen. Auch wird nicht als vordringlich angestrebt werden können, die in der drückenden agrarischen Übervölkerung zum Ausdruck kommende ‚verdeckte Arbeitslosigkeit' durch arbeitsbeschaffungsähnliche Maßnahmen im Südosten zum Verschwinden zu bringen. Besser können diese überschüssigen Arbeitskräfte bei uns selbst eingesetzt werden."

„In der Tat sind die überschüssigen Arbeitskräfte des Südostens das wertvollste Exportgut, das uns jene Länder schon jetzt und in der Nachkriegszeit liefern können.

Es ist darum zu erwägen, ob es nicht zweckmäßig ist, der Übernahme größerer Menschenmengen als Wanderarbeiter eine wichtigere Rolle im deutsch-südosteuropäischen Wirtschaftsverkehr zuzuweisen ...

Eine derartige Politik würde uns vor der oben gekennzeichneten Gefahr bewahren, eines Tages sehen zu müssen, daß der Konsum der Südostvölker schneller wächst als ihre Erzeugung und für den Import an uns nur kleinere und teurere Überschußmengen übrigbleiben ...

Wesentlich ist allein zu erkennen, daß nicht ein forcierter Kapitalexport mit der Absicht einer schnellen Entfaltung der südosteuropäischen Kaufkraft unseren Interessen entspricht, sondern daß die Nutzbarmachung der südosteuropäischen überschüssigen Arbeitskräfte für uns — und auf längere Sicht auch für die Südostländer selbst — organisch das richtigere ist." (42)

Dieses außerordentliche Dokument, das exemplarisch die Logik strategisch-kapitalistischen Denkens widerspiegelt, verdiente ein eigenes interpretatives Essay, welches seine Strukturelemente herausarbeiten würde. Im Rahmen unserer Abhandlung reicht es aber, auf den zentralen Punkt des Diskurses aufmerksam zu machen, der auf die Essenz des atlantischen Herrschaftssystems hinweist und sowohl für die „Lebensraum-" als auch „Grand Area-" und „Greater East Asia Co-Prosperity Sphere-Konzeption" konstitutiv ist, nämlich die Tatsache, daß die Erhöhung des Lebensstandards der Randvölker ohne Verringerung des Lebensstandards der Herrenvölker unmöglich ist. Die Universalisierung des Lebensstandards der „entwickelten Industrieländer", sei es durch Produktionsausweitung oder Umverteilung des weltweit zur Verfügung stehenden gesellschaftlichen Mehrprodukts und der disponiblen natürlichen Reichtümer — die nunmehr in völlig unproportioniertem Maße von den Metropolen verbraucht werden — zugunsten der Randvölker, ist faktisch unmöglich. Da der Kuchen nicht für alle reicht, dürfen die Randvölker zwar *im Prinzip* mehr erhalten, *de facto* aber nur dann, wenn sich der Anteil der Metropolen nicht verringert.

Um diesen wichtigen Punkt noch einmal anders zu formulieren: das weltweit zur Verfügung stehende gesellschaftliche Mehrprodukt und die nur in begrenztem Volumen disponiblen natürlichen Reichtümer würden es der menschlichen Gattung wahrscheinlich möglich machen, auf einem niederen Verbrauchsniveau frei vom Symptombild der „Dritten Welt" (Hunger, endemische Krankheiten, massenhafte Arbeitslosigkeit usf.) zu existieren, *wäre sie in einer demokratischen und Nicht-Klassengesellschaft organisiert*. Da die Gattung aber in einem System nationaler und weltweiter Klassengesellschaft existiert, d.h. einem System national/weltweiter Ausbeutungs-und Herrschaftszusammenhänge, konzentrieren die Machtzentren dieses internationalen Systems das weltweit erzeugte Surplusprodukt und die disponiblen Naturstoffe so weit wie möglich in ihren Händen. Dies ist nicht Bösartigkeit, mangelnder Philanthropie oder fehlender Aufklärung/Information/Sensibilität der die Zentren beherrschenden Eliten geschuldet — weshalb die Veränderung dieses Zustands auch keine Frage der Information, Erziehung oder besserer Menschen ist. Ihr Handeln ist kein subjektives Problem, sondern ein objektives. In ihm manifestieren sich zwei entscheidende, wesensmäßige Bedingungen ihres Seins: als ökonomisch herrschende Klassen definieren sie sich mittels ihrer Verfügungsgewalt über das Mehrprodukt und politisch bestimmt sich die raison d'être ihres Tuns über die Erhaltung ihrer Macht als dominierender. Da die politische Stabilität *jeder* Klassengesellschaft — und damit die Existenz ihrer Machtelite — mittelfristig und primär vom Versorgungsgrad der Bevölkerung abhängt, versucht jede herrschende Klasse für sich „die Rosinen aus dem Weltkuchen herauszupicken". Da jedoch nicht genügend für alle da sind, muß 80 Prozent der Gattung von den Resten leben, die die 20 Prozent Herrenvölker übriglassen. Und so schließt sich der Kreis.

Die von den nationalsozialistischen Technokraten und Politikern dergestalt formulierten Maximen kapitalistisch-ökonomischer Rationalität sind nicht Ausdruck ihrer besonderen Niederträchtigkeit — gegenüber dem Diskurs, etwa, der heutigen liberalen Demokratien. Sie dokumentieren lediglich, ohne die Manipulationsklauseln und rhetorischen Auffangnetze des liberalen westlichen Herrschaftsdiskurses, die Unmenschlichkeit des *Vierten Reiches* gegenüber den Randvölkern, d.h. der *Dritten Welt*. Sie sind unverhüllter und daher brutaler. Und sie zeigen, daß die Planer in den Herrschaftsetagen des Kapitals sehr wohl wissen, daß ihre neokolonialistischen Entwicklungsversprechen gegenüber der Dritten Welt — und nun auch bestimmten sozialistischen Ländern, wie Ungarn und Polen — zwar im internationalen Klassenkampf eine hervorragende ideologische Waffe darstellen, der Dritten Welt, d.h., rund drei Vierteln der Gattung, jedoch keine reale Entwicklungsperspektive bieten.

Wollte die deutsche Machtelite die arbeitende Bevölkerung mit der Strategie der „Arbeiteraristokratie" wirtschaftlich und sozial über die Ausbeutungsmechanismen der „Randvölker" befrieden, so sollte die geplante „Neuordnung" der imperialistischen Welt dem deutschen Großkapital die lang ersehnte Hegemonie über den kontinentaleuropäischen Wirtschaftsgroßraum und, wenn möglich, ebenfalls des Weltmarktes erzwingen. Dominierende Sektoren des Großkapitals (IG Farben, Deutsche Bank etc.) koinzidierten mit den essentiellen Elementen und der Stoßrichtung einer „unter dem Gesichtspunkt der Eigenversorgung geordnete(n) Großraumwirtschaft" und waren ein unabdingbares *strategisches* und *operatives* Element ihrer Realisierung. Anfang Juni 1940, noch vor der Kapitulation Frankreichs, präparierte die IG Farben ein Planungsdokument für die besetzten Länder, in dem es hieß: „Es muß daran erinnert werden, daß wir mit der Ausarbeitung der Neuordnung den Grundsätzen der sogenannten Großraumpolitik folgten, die von der Regierung festgelegt worden waren. Wir erwarteten die überwältigende Niederlage Frankreichs und die mögliche Kapitulation Englands, als wir diesen Schriftsatz ausarbeiteten."

Im August legten die IG Farben dem Wirtschaftsministerium Pläne vor, die sich auf die Interessen der deutschen Chemie bei der Neuordnung Frankreichs, der Niederlande, Belgiens, Luxemburgs, Norwegens, Dänemarks, Englands und des Britischen Empire bezogen. Ausführungen über „Polen und das Protektorat sind wegen der zu erwartenden grundsätzlichen Entscheidungen ebenfalls in Vorbereitung ... Vorarbeiten für die eigentliche Gestaltung des europäischen Großraumes als solchen unter Einbezug des nordischen und südosteuropäischen Raumes sowie der Schweiz sind eingeleitet." Ungebrochen wird der deutsche Führungsanspruch für den neuzuordnenden „Lebensraum" postuliert: „Um so berechtigter mag es erscheinen, bei der Planung einer europäischen Großraumwirtschaft der deutschen Chemie wieder eine führende und eine Stellung zuzudenken, die ihrem technischen, wirtschaftlichen und wissenschaftlichen Rang entspricht." Und auch die Perspektive gegen den letzten ernsthaften Weltmarktrivalen, USA, war eindeutig: „Man muß sich daran erinnern", erklärte das IG Farben Vorstandsmitglied Georg von Schnitzler im Oktober 1945, „daß wir die Ziele und die politische Vorgehensweise der Regierung gut kannten; wir wußten, daß es in der Absicht der Regierung lag, ihre Position gegenüber den außereuropäischen Ländern zu stärken. Das hieß natürlich gegenüber den Vereinigten Staaten, weil sie außerhalb Europas das einzige starke Land waren, mit dem Deutschland zu rechnen hatte." (43)

Die Palette von Maßnahmen zur ökonomischen Großraum-und Weltmarkteroberung und Konsolidierung war vielfältig. Dem deutschen Großkapital sollte durch enges Zusammenwirken von Hochfinanz, Großindustrie und staatskapitalistischer Interventionspolitik der benötigte imperiale Status gesichert werden. Dazu gehörten, u.a., die: „a) Kapitaldurchdringung der konkurrierenden Konzerne innerhalb des Reichsmarkblocks mit Bildung deutscher Aktienmehrheiten, deutschen Schlüsselpositionen in den Führungsgremien usw.; b) Sicherung des Patentmonopols, von besonderen Steuervergünstigungen und Standortvorteilen für die deutsche Großindustrie; c) Monopolstellung über alle zentralen Rohstoffquellen; d) Sicherung der Monopolstellung in den Kontingent- und Preiskartellen des ‚Großraums', um von da aus den Kampf um die Führungsposition in den internationalen Kartellen aufnehmen zu können." (44)

Wie im allgemeinen bei imperialen oder imperialistischen Projekten nötig, mußte auch die Krisenüberwindungs- und Hegemonialstrategie des „Lebensraums" staatsterroristisch und herrschaftstechnisch abgesichert werden. Eines der dafür geplanten und eingesetzten Mittel war die Geopolitik des Hungers. Um den „Siedlungsraum im Osten" für die Eroberer freizumachen, sollte die dort ansässige Bevölkerung — wie in der Kolonisierung Amerikas — entweder liquidiert (Juden, Sinti, Roma etc.), in marginale Gegenden abgedrängt oder in Heloten verwandelt werden. Gemäß den Plänen des Reichssicherheitshauptamtes sollten nach dem Sieg über die Sowjetunion von den rund 45 Millionen Osteuropäern, die 1941/42 noch diesseits der geplanten Ostgrenze des deutschen Siedlungsraumes lebten, 31 Millionen nach Sibirien deportiert und der Rest innerhalb von 30 Jahren „eingedeutscht" werden. (45)

Das ihnen dort zugedachte Dritt Welt-Schicksal wird deutlich in den Planungsdokumenten der mit dem „Ostraum" befassten ökonomisch-politischen Führungsstäbe. Diese gingen von der „Tatsache“ aus, daß der Nahrungsverbrauch im Osten reduziert werden müsse, damit Deutschland genug zu essen habe. „Diese Tatsache ist der Schlüsselpunkt, auf dem unsere Maßnahmen und unsere Wirtschaftspolitik aufzubauen haben.“ (46)

Folgerichtig wurde der Osten in „Waldzonen“ und „Schwarzerdegebiete“ geteilt, d.h. in Zuschuß- und Überflußzonen. Die Imperative der nationalsozialistischen Lebensraumpolitik bedeuteten, wie die Planer richtig erkannten, „zwangsläufig die Zerreißung des jetzigen wirtschaftlichen Gleichgewichts innerhalb der UdSSR ... Die Behandlung der einzelnen Landstriche wird ... durchaus verschiedenartig sein müssen. Nur diejenigen Gebiete werden wirtschaftlich gefördert und vordringlich in Ordnung gehalten werden müssen, in denen bedeutende Ernährungs- und Mineralölreserven für uns erschlossen werden können“. Die fruchtbaren Überschußgebiete des Südens (z.B. die Ukraine), sollten in Zukunft nicht mehr für die übrige Sowjetunion zur Verfügung stehen, sondern „ihr Gesicht nach Europa wenden“. Das bedeutete für den Norden folgendes: „Ein deutsches Interesse an der Erhaltung der Erzeugungskraft dieser Gebiete ist, außer hinsichtlich der Versorgung der dort stehenden Truppen, nicht vorhanden.“ Daher müsse auch jeder „Lebensmitteltransport aus dem fruchtbaren Süden in den Norden unterbunden werden ... Die Bevölkerung dieser (nördlichen) Gebiete, insbesondere die Bevölkerung der Städte, wird größter Hungersnot entgegensehen. Es wird darauf ankommen, die Bevölkerung in die sibirischen Räume abzulenken.“ Versuche, die Bevölkerung in diesen ernährungspolitisch ausgegrenzten Zonen „vor dem Hungertode dadurch zu retten, daß man aus der Schwarzerdezone Überschüsse (für die Nordgebiete) heranzieht, können nur auf Kosten der Versorgung Europas gehen. Sie unterbinden die Durchhaltemöglichkeit Deutschlands im Kriege, sie unterbinden die Blockadefestigkeit Deutschlands und Europas. Darüber muß absolute Klarheit herrschen ... Daraus folgt zwangsläufig ein Absterben sowohl der Industrie wie eines großen Teiles der Menschen in den bisherigen Zuschußgebieten (Rußlands)“. (47)

Man braucht nur die einschlägigen UNESCO-Statistiken über Kindersterblichkeit, Sterbewahrscheinlichkeiten, häufigste Todesursachen usf. in der Dritten Welt zu konsultieren — oder auch (um aus diesem abstrakt-quantitativen Medium herauszukommen) mit den Bildern zu kombinieren, die periodisch über afrikanische Hungersnöte über die Bildschirme flimmern — , um zu verstehen, daß riesige Teile der Dritten Welt „Zuschußgebiete" sind, in denen „zwangsläufig ein Absterben der Menschen" erfolgt. Natürlich wird der Hungertod in den Dritt Welt-„Zuschußgebieten" nicht administrativ-direkt geplant wie bei den Nazi-Technokraten. Wer würde es wagen, diesen Vorwurf gegen die Wirtschaftsführer des Westens zu erheben? Die Geopolitik des Hungers realisiert sich im liberalen Kapitalismus über den „Markt", d.h. über die Politik der multinationalen Konzerne, die dem Wertgesetz und der Profitmaximierung folgen sowie ihrer ideellen Gesamtkapitalisten IWF und Weltbank. Doch ist die Differenz beider Situationen eine der Vermittlung, nicht des Inhalts. Denn mit den gleichen Statistiken der UNESCO, die das Elend der Dritten Welt beschreiben, läßt sich statistisch exakt prognostizieren, wieviele Menschen in den „Zuschußgebieten zwangsläufig absterben", wenn die Banker in New York und Tokio, London und Frankfurt, beschließen, die internationalen Zinsraten um einen Prozentpunkt anzuheben.

Die gegenwärtige Situation ist abstoßender noch als die historisch geschilderte. Die Nazis könnten gegenüber einer eventuellen Anklage (demagogisch) die Apologie der Kriegsnotwendigkeiten anführen. Die gegenwärtigen Weltwirtschaftszentren befinden sich weder im Krieg, noch leiden sie unter Mangel an Nahrungsmitteln. Im Gegenteil, riesige Summen werden verschwendet in der Vernichtung von Ernährungsüberschüssen sowie in Maßnahmen zur Senkung der Lebensmittelproduktion. (48) Das liberale Kapital, im Gegensatz zum administrativen Vernichtungsmoloch des Nationalsozialismus, tötet vorwiegend über den Markt. Doch da die ideologischen Apparate der Freien Welt ihre Indoktrinationsfunktion bis zur Perfektion erfüllen, ist das „zwangsläufige Absterben" der Menschen in der

Dritten Welt kein Skandal, sondern eben nur eine der trivialeren Zwangsläufigkeiten, die diese Welt heimsuchen.

Die Beschränkung der Bildungsmöglichkeiten, Hygiene und medizinischen Versorgung der Völker des „Ostraums" waren weitere wichtige Herrschaftsmittel. „Für die Beherrschung der von uns im Osten des Reichs unterworfenen Völker", deklarierte Hitler, „müsse es ... oberster Grundsatz sein, den Wünschen nach individueller Freiheit weitgehendst zu entsprechen, jede staatliche Organisation zu vermeiden und die Angehörigen dieser Völkerschaften dadurch auf einem möglichst niedrigen Kulturniveau zu halten." (49)

In einer Abhandlung „Über die Behandlung der Fremdvölkischen im Osten" ging Himmler Ende Juni 1940 auf die Schulfrage als „eine grundsätzliche Frage bei der Lösung aller dieser Probleme" ein. Die Schulfrage war für ihn die Frage der „Sichtung und Siebung der Jugend. Für die nichtdeutsche Bevölkerung des Ostens darf es keine höhere Schule geben als die vierklassige Volksschule. Das Ziel dieser Volksschule hat lediglich zu sein: Einfaches Rechnen bis höchstens 500, Schreiben des Namens ... Lesen halte ich nicht für erforderlich. Außer dieser Schule darf es im Osten überhaupt keine Schulen geben." (50)

Hitlers Vorstellungen entsprachen denen des Reichsführers SS. „Wir dürfen vor allem die deutschen Schulmeister nicht loslassen auf die Ostgebiete. Wir verlieren sonst die Eltern und die Kinder. Wir verlieren das ganze Volk, weil ihm das Eingetrichterte nichts nützt. Am besten wäre es, man lehrte sie nur eine Zeichensprache verstehen. Durch den Rundfunk wird der Gemeinde vorgesetzt, was ihr zuträglich ist: Musik unbegrenzt. Nur geistige Arbeit sollen sie nicht lernen." (51)

Ebenso wie ein kohärentes, entwickeltes staatliches Schulsystem sei „die Schaffung einheitlicher Kirchen für größere russische Gebietsteile zu verhindern. In unserem Interesse könne es lediglich liegen, wenn jedes Dorf seine eigene Sekte habe, die ihre eigenen Gottesvorstellungen entwickle. Selbst wenn sich auf diese Weise in einzelnen Dörfern Zauberkulte, wie bei den Negern und Indianern, bilden sollten, könnten wir das nur begrüßen, weil es die Zahl der trennenden Momente im russischen Raum nur vermehre." (52)

Zieht man erneut die UNESCO-Statistiken zu Rate, dann wird deutlich, daß in vielen Ländern der Dritten Welt — trotz der ungeheuren Entfaltung der Produktivkräfte im letzten halben Jahrhundert — die de facto Schulbildung von über 50 Prozent der Bevölkerung nicht über Himmlers Zielvorstellung der vier Jahre hinausgeht. Und die systematische Förderung religiös-fundamentalistischer und obskurantistischer Sekten (Hare Krishna, „Moonies", etc.) sowie bestimmter politischer Gruppen, die sich selbst als marxistische bezeichnen, deren raison d'être aber darin besteht, Konfusion und Nihilismus zu erzeugen, ist, wie jedem Kenner der Situation in der Dritten Welt und den Metropolen bekannt, ein hervorragend verwandtes Mittel des kontemporären Imperialismus, um Irregeleitete, Naive und Skrupellose in beiden Welten für sich nutzbar zu machen.

Ähnlich wie der Nationalsozialismus den Erwerb rationalen Denkens und objektiven Wissens unter den Randvölkern als dysfunktional für die Interessen des Dritten Reiches ansah, so auch die Hygiene: „Was die Hygiene der unterworfenen Bevölkerung angehe, so könnten wir kein Interesse daran haben, ihnen unsere Erkenntnisse zu vermitteln und dadurch ihnen eine von ihnen absolut nicht gewünschte Basis für einen ungeheuren Bevölkerungszuwachs zu geben. Er (Hitler) verbiete deshalb, für diese Gebiete Sauberkeitsaktionen unserer Art durchzuführen. *Auch der Impfzwang dürfe in ihnen nur für Deutsche gelten* ... Auch sei es Unsinn, die unterworfenen Völkerschaften mit unserem Wissen auf dem Gebiet der Zahnheilkunde beglücken zu wollen. Man müsse dabei aber vorsichtig zu Werke gehen, damit unsere Tendenz nicht auffalle." (53)

In einem kürzlich in der *Herald Tribune* veröffentlichten Artikel eines Mitarbeiters der U.S. Agency for International Development heißt es, daß „weniger als die Hälfte der afrikanischen Kinder gegen die prinzipiellen Epidemien schutzgeimpft sind, die im Westen bereits ausgerottet sind". Und weiter, daß Afrikaner die an „chloroquinine-resistenter Malaria erkranken, häufig sterben, da die hiergegen wirksame fansidar-Therapie, die weniger als 2 Dollar kostet, für Afrika zu teuer ist". (54)

Erneut: der Hitlersche Diskurs wäre heute (zumindest als öffentlicher) undenkbar — doch die Konsequenzen und die Realität des Systems sind die gleichen. Oder würde irgend jemand, es sei denn, es handelte sich um einen Sykophanten des Systems oder einen Dummkopf, behaupten, daß es den Machteliten des Westens mehr moralische Kopfschmerzen bereite als den Nazi-Technokraten, zu wissen, daß ihr System über die Hälfte der afrikanischen Kinder schutzlos dem epidemischen Tod preisgibt, der mit wenigen Pfennigen für Vakzine verhindert werden könnte.

Wie in den oben zitierten Ausführungen Hitlers bereits deutlich wurde, maßen die Lebensraum-Planer der Zerstörung der nationalen Identität der „Fremdvölkischen im Osten" durch die Zersplitterung des staatlichen, kirchlichen und gesellschaftlichen Lebens größte Bedeutung bei. „Das einzige, was in den besetzten russischen Gebieten organisiert werden müsse", so Hitler, „sei der Verkehr. Denn die verkehrsmäßige Aufschließung des Landes sei eine der wesentlichsten Vorbedingungen zu seiner Beherrschung und wirtschaftlichen Ausnutzung." (55) Ebenso müsse man „die Bildung von Dorfgemeinschaften so gestalten, daß sich keine Gemeinsamkeiten zwischen benachbarten Dorfgemeinschaften herausbilden könnten." (56)

Himmler beschreibt die divide et impera-Politik folgendermaßen: „Ich will damit sagen, daß wir nicht nur das größte Interesse daran haben, die Bevölkerung des Ostens nicht zu einen, sondern im Gegenteil in möglichst viele Teile und Splitter zu zergliedern. Aber auch innerhalb der Völkerschaften selbst haben wir nicht das Interesse, diese zu Einheit und Größe zu führen, ihnen vielleicht allmählich Nationalbewußtsein und nationale Kultur beizubringen, sondern sie in unzählige kleine Splitter und Partikel aufzulösen." (57)

Auch bei den zu integrierenden Völkern des „Ostraums" sollte jedes Nationalbewußtsein verlorengehen. Wie die kolonisierenden angelsächsischen Puritaner diejenigen „Indianer", die sie nicht abschlachteten, „zivilisieren und zu Weißen machen" wollten („to civilize you, and *make you as white men*") (58), so sollte der „Zivilisierungsprozeß" der „assimilierbaren" Völker über ihre „Germanisierung“ vollzogen werden. „Schon in ganz wenigen Jahren — ich stelle mir vor, in 4 bis 5 Jahren —, schrieb Himmler 1940, muß beispielsweise der Begriff der Kaschuben (westslawischer Volksstamm in Pommern und Westpreußen — H.D.) unbekannt sein, da es dann ein kaschubisches Volk nicht mehr geben wird (das trifft besonders auch für die Westpreußen zu ...) Es muß in einer etwas längeren Zeit auch möglich sein, in unserem Gebiet die Volksbegriffe der Ukrainer, Goralen und Lemken verschwinden zu lassen. Dasselbe, was für diese Splittervölker gesagt ist, gilt in dem entsprechend größeren Rahmen für die Polen.“ (59)

In den für Helotendienste vorgesehen Gebieten des „Lebensraums“ (z.B. im Generalgouvernement) wollte man eine Bevölkerung, die als „führerloses Arbeitsvolk zur Verfügung stehen und Deutschland jährlich Wanderarbeiter und Arbeiter für besondere Arbeitsvorkommen“ (60) stellen sollte. „Die Frage der Deckung des Kräftebedarfs für Arbeiten, die stoßweise Massen von Menschen beanspruchen, ist einfach zu beantworten. Millionen existenzsuchender Menschen des Generalgouvernements und anderer Nachbarländer werden stets diese Kräfte stellen können und wollen.“ (61) Natürlich war klar, daß es zwischen „Menschen dieser Art“, d.h. den Bewohnern jenes gigantischen Reservoirs industrieller Reservearmeen und „unserem Volk ebenso wenig eine Verbindung gibt wie zwischen uns und Negern. Diese Erkenntnis muß in das Gefühl eines jeden einzelnen Deutschen übergehen ...“. (62)

Gemeinsame Essenz der imperialistischen Krisenstrategien

Eine vergleichende Analyse der *Lebensraum-*, *Grand Area-* und *Greater East Asia Co-Prosperity Sphere-*Planungen zeigt, daß die ökonomische Essenz der drei imperialistischen Rettungsprojekte identisch ist und daß ebenfalls in Hinsicht auf Überbauelemente der Expansionsprojekte vielfache bedeutende Übereinstimmungen existieren.

1) Die Genesis der drei Überlebensstrategien ist unmittelbar (Japan, Deutschland) oder mittelbar (USA) auf die große kapitalistische Weltwirtschaftskrise der dreißiger Jahre zurückzuführen, welche aus dem klassischen kapitalistischen Widerspruch zwischen gesellschaftlicher Produktionsweise und privater Aneignung resultierte. Um die, aus der ökonomischen Strukturkrise resultierende politische Instabilität und revolutionäre Bedrohung in den Metropolen zu verhindern, entschieden die Machteliten aller drei Führungsmächte, die eigene Hegemonialzone soweit auszuweiten, daß sie die „economic self-sufficiency" (wirtschaftliche Autarkie) der Metropole garantierten. Wie ausgeführt, handelte es sich für die deutsche imperialistische Bourgeoisie dabei im wesentlichen um die Kontrolle Kontinental-, Ost- und Südosteuropas, für den japanischen Imperialismus ging es um Niederländisch-Ostindien, Manchukuo, Nord-China, Korea, Indochina, Thailand, Burma, Malaya, die Philippinen und gewisse Pazifik-Inseln und für die USA um die, im vorhergehenden spezifizierten, Territorien der „Grand Area".

Als notwendiges militärisches Korollat implizierte dieser ökonomisch-politische Rettungsversuch die Autarkie militärischer Verteidigung, d.h. die Unmöglichkeit, einen Kriegsentscheid (wie im ersten großen imperialistischen Krieg) durch Blockade herbeizuführen.

Die Expansion der eigenen Ausbeutungszone von Seiten der Japaner und Deutschen bedeutete jedoch, die etablierte, anglo-amerikanisch geführte weltkapitalistische Herrschafts- und Ausbeutungsstruktur in Frage zu stellen. Die von beiden Imperialismen postulierte *Neue Ordnung* sah eine Aufteilung der Welt in drei Hegemonialzonen vor, die, durch ihre jeweils eigene „Monroe-Doktrin" geschützt, von den jeweiligen Führungsmächten bevorzugt ausgeplündert werden durften.

Die USA wurden durch diese Neuordnungs-Forderung der konkurrierenden Imperialismen vor folgende Alternative gestellt: a) auf den globalen Revisions-Vorschlag einzugehen und damit der Entmachtung Frankreichs, Englands und der Niederlande zuzustimmen, auf deren Kosten der Machtzuwachs Japans und Deutschlands erfolgen mußte, sowie auf den eigenen Traum des „American Century" zu verzichten oder b) an der alten Machtkonstellation festzuhalten und somit das angestrebte Ziel der Welthegemonie zu bewahren. Dies jedoch um den Preis eines Krieges. Die Vereinigten Staaten entschieden sich für die zweite Option und der Verlauf des Weltkrieges wie die Entwicklung der Nachkriegsgeschichte zeigen, daß es die vom Standpunkt der US-Machtelite aus richtige strategische Entscheidung war.

2) Der Hegemonialzone wurde eine hierarchische Metropolen-Satelliten-Struktur zugeordnet, in welcher die Randvölker in einem System abhängiger Arbeitsteilung drei Funktionen zu erfüllen hatten: 1. Rohstoffe, Lebensmittel und Billigprodukte für die Metropole zu produzieren; 2. Abnehmer für die industriellen Produkte der Herrenvölker zu sein und 3. als gigantisches Reservoir industrieller Reservearmeen zu dienen. Ein System diverser Markt- (z.B. terms of trade) und Verwaltungsmechanismen (z.B. Clearingsysteme, administrative Preise) wirkte wie ein System von Kanälen und Schleusen, durch welches das Plusprodukt der Randvölker in die Metropolen transferiert wurde.

3) Das dritte gemeinsame Element der faschistischen, militaristischen und demokratischen Imperialismus-Projekte bestand in dem Versuch, mittels verschärfter Arbeitsausbeutung und intensiviertem Surplus-Transfer aus den erweiterten Hegemonialzonen hohe Profitraten für die imperialen Großbourgeoisien zu sichern, sowie eine Arbeiteraristokratie in den Metropolen zu schaffen, welche revolutionäre Bestrebungen gegen die herrschende Ordnung zugunsten einer integrativen Pazifierung über die Erhöhung des Lebensstandards aufgeben würde.

4) Auch im ideologischen Bereich existierten, zum Teil, frappierende Koinzidenzen zwischen den imperialen Eliten. Sowohl Japaner (wie ausgeführt) als auch Deutsche gründeten ihr Recht auf die Revision der bisherigen Weltordnung und die Etablierung einer tri-polaren Weltherrschaftsstruktur auf den Prinzipien der seit mehr als 100 Jahren von den USA praktizierten Monroe Doktrin. Beispielsweise gehen Carl Schmitts (führen-

der Rechts-Ideologe des Faschismus) Überlegungen zur „Völkerrechtlichen Großraumordnung mit Interventionsverbot für raumfremde Mächte“ — welche innerhalb der internationalen Rechtsordnung den vom Deutschen Reich hegemonisierten „mittel- und osteuropäischen Großraum“ legitimieren und legalisieren sollten — auf die Monroe Doktrin „als Präzedenzfall eines völkerrechtlichen Großraumprinzips zurück“. „Für uns ist entscheidend, daß die ursprüngliche Monroedoktrin von 1823 die erste Erklärung in der Geschichte des modernen Völkerrechts ist, die von einem Großraum spricht und für ihn den Grundsatz der Nicht-Intervention raumfremder Mächte aufstellt ... Vom völkerrechtswissenschaftlichen Standpunkt betrachtet, lassen sich Raum und politische Idee nicht trennen. Für uns gibt es weder raumlose politische Ideen, noch umgekehrt ideenlose Räume oder Raumprinzipien. Zu einer bestimmbaren politischen Idee wiederum gehört, daß ein bestimmtes Volk sie trägt, und daß sie einen bestimmten Gegner im Auge hat, wodurch sie die Qualität des Politischen erhält ... Der Kern der großen ursprünglichen Monroedoktrin, ein echtes Großraumprinzip, (ist) nämlich die Verbindung von politisch erwachtem Volk, politischer Idee und politisch von dieser Idee beherrschtem, fremde Interventionen ausschließendem Großraum. Nicht die Monroedoktrin ... wohl aber dieser Kern, der Gedanke einer völkerrechtlichen Großraumordnung, ist auf andere Räume, andere geschichtliche Situationen und andere Freund-Feind-Gruppierungen übertragbar ... Ausdrücklich sei nochmals betont, daß wir hier nicht eine ‚deutsche Monroe Doktrin‘ vorschlagen, sondern nur den berechtigten Kerngedanken der ursprünglichen Monroedoktrin freimachen, nämlich den Gedanken der völkerrechtlichen Unzulässigkeit von Interventionen raumfremder Mächte in einem von einem Ordnungsprinzip beherrschten Großraum.“ (63)

Sowohl der japanische als auch der deutsche Imperialismus sprachen, historisch korrekt, von der „Neuen Ordnung“, die sie zu etablieren trachteten. Da die Vereinigten Staaten in diesem Sinne keine Neuordnung anstrebten, vielmehr den status quo, wenn auch mit einer Machtverschiebung zu ihren Gunsten, verfolgten, beschränkte sich ihr Lebensraum-Diskurs auf die bewährten Bastionen von 1776/1789 plus einiger Sozialstaatselemente (Four Freedoms), d.h. auf die Verteidigung dieser Bastionen gegenüber dem Zugriff des Totalitarismus.

Die Mobilisierung nationalistischer und antikolonialistischer Ideologien konstituierte ein weiteres gemeinsames Herrschaftselement der imperialistischen Projekte. Die Japaner wollten die angloamerikanische und französisch-niederländische Hegemonial-Konkurrenz durch die Mobilisierung von Gefühlen nationaler und regionaler Identität aus ihrer Ausbeutungssphäre verdrängen: „Asien für die Asiaten“ war daher eines der zentralen ideologischen Vehikel ihres Propagandadiskurses, ebenso wie bei den Nazis die Losung „Europa für die (germanischen) Europäer“. Da die angloamerikanische Machtelite ein universales Kolonialreich zu verteidigen hatte, konnte ihre Herrschaftsideologie nicht auf einen spezifisch-geopolitischen Großraum beschränkt sein. Sie nahm daher die allgemeinere Form der Verteidigung und Ausbreitung westlicher Demokratie und abendländischer Zivilisation gegen die militaristisch-faschistische Barbarei an. Was von diesem Diskurs zu halten war, wurde den Kolonialvölkern nach 1945 mit Bomben und Napalm eingebläut.

Ein letztes gemeinsames Element der drei imperialistischen Krisenüberwindungsstrategien liegt darin, daß sich sowohl ihre räumliche Dimension als auch ihre Methoden und Durchsetzungsformen im Zeitablauf veränderten. Die zu besetzenden oder auszubeutenden Expansionsterritorien wuchsen und schrumpften auf den Zeichentischen der Planer in direkter Relation mit den militärischen Erfolgen oder Rückschlägen ihrer Armeen. Auf den Höhepunkten jeweiliger nationaler militärischer Erfolge tendierten die regionalen Großraumpläne dazu, universale Entwürfe zu werden. Nur der „Grand Area“ war es jedoch beschieden, sich als solche zu realisieren. Bei den Nazi-Technokraten wurde die entsprechende Hybris seit Ende 1943 durch die militärischen Niederlagen langsam auf realistischere Dimensionen zurückgebracht und die Maximalprogramme von 1940 auf eine, vom deutschen Kapital nur noch geführte, „Europäische Wirtschaftsgemeinschaft" heruntergestuft — eine, wie aus dem heutigen Blickwinkel unbestreitbar, weitaus realistischere Großraum- und Weltausbeutungsperspektive für das deutsche Kapital als jene, die militärisch-expansiv kurz vor Moskau gescheitert war.

Die Realisierung der Neuen Weltordnung

Mit dem Ende des großen imperialistischen Konfliktes trat die US-Politik von der Phase strategischer Planung der Weltnachkriegsordnung in ihre Verwirklichungsphase ein. Angesichts der rapide sich verändernden Gestaltungsbedingungen, insbesondere der durch die Niederlage bzw. Schwächung der vorherigen imperialistischen Zentren (Deutschland, England, Frankreich, die Niederlande, Italien, Belgien und Japan) entstandenen regionalen Machtvakua, des nationalen Erwachens der kolonialen Massen sowie der radikalreformistisch oder revolutionär-antifaschischtischen Widerstandsbewegungen in vielen Ländern, bedurfte es hierzu eines Stabes, welcher ein einheitliches Konzept strategischer US-Interessen und Außenpolitik entwickeln und weltweit durchsetzen konnte.

Der „Policy Planning Staff" (PPS), ein aus hohen Regierungsvertretern und Repräsentanten des Privatkapitals zusammengesetzter „brain trust", führte diese Aufgabe durch. Leiter der Planungsgruppe wurde George F. Kennan, der wahrscheinlich einflußreichste liberale US-Politiker der Nachkriegszeit, der durch seinen berühmten „X-Artikel" („The Sources of Soviet Conduct", Juli 1947) über die „politische Natur der Sowjetmacht" („the political personality of Soviet power") die „Containment"-Doktrin der US-Nachkriegspolitik vorbereitet hatte. (64)

Kennans Planungsgruppe ging von dem Faktum aus, daß die USA „etwa 50% des Weltreichtums besaßen, jedoch nur 6,3% ihrer Gesamtbevölkerung". Diese Disparität mußte unweigerlich zu „Neid und Ressentiment" führen. Die dringlichste Aufgabe amerikanischer Politik bestehe daher darin, politische

„Verhaltensformen zu entwickeln, die diese Disparität ohne Schaden für unsere nationale Sicherheit aufrechterhalten". Dies erfordere, „to dispense with all sentimentality and daydreaming; and our attention will have to be concentrated everywhere on our immediate national objectives. We need not deceive ourselves that we can afford today the luxury of altruism and world-benefaction."

Angesichts dieser Situation sei es besser, eine Reihe von Kategorien aufzugeben, die „bisher unser Denken gegenüber dem Fernen Osten beeinflußt haben ... We should dispense with the aspiration to ‚be linked' or to be regarded as the repository of a high-minded international altruism. We should stop putting ourselves in the position of being our brother's keeper ... We should cease to talk about vague and — for the Far East — *unreal objectives such as human rights, the raising of the living standards, and democratization*. The day is not far off when we are going to have to deal in straight power concepts. *The less we are then hampered by idealistic slogans, the better.*" (65)

Das hier zitierte Dokument bezog sich auf den Fernen Osten, doch sind seine Quintessenz und seine Implikationen unschwer als charakteristisch für die gesamte US-Nachkriegspolitik zu erkennen. Kennan selbst machte diese, aus dem Postulat der „Fünften Freiheit" — der Freiheit des Imperialismus, die Ressourcen anderer Länder auszubeuten — unvermeidlich folgenden Konsequenzen in einem Gespräch mit lateinamerikanischen Botschaftern im Jahre 1950 prägnant klar. Er wies darauf hin, daß ein wesentliches Interesse der amerikanischen Außenpolitik „der Schutz unserer Rohmaterialien" sei, wobei er mit „unseren Rohmaterialien" natürlich die der Lateinamerikaner meinte. Dann fuhr er fort, über die Gefahr zu sprechen, die unseren Rohmaterialien von einheimischen Bewegungen oder Regierungen drohe, die ihre Ressourcen zum Wohl der nationalen Bevölkerungen zu verwenden trachten und erklärte, wie diese Gefahr zu bannen sei. „The final answer might be an unpleasant one, but ... we should not hesitate before police repression by the local governments. This is not shameful since the Communists are essentially traitors. It is better to have a strong regime in power than a liberal government if it is indulgent and relaxed and penetrated by the Communists.“ (66)

Das Recht der USA, die Ressourcen anderer Länder für sich selbst auszubeuten und die zum Schutz dieses „Rechtes“ notwendigen repressiven Regimes überall, wo notwendig, zu installieren, zieht sich als grundlegende Prämisse durch die US-Politik der Nachkriegsgeschichte und, in der Tat, durch die gesamte Expansionspolitik der Vereinigten Staaten seit Konstituierung der Republik.

Diese Expansionspolitik trat nach 1945 in einen Widerspruch zum sich entwickelnden weltpolitischen Rechtssystem, dessen Kern die Vereinten Nationen bilden. Die Funktion von Rechtssystemen gilt allgemein für Schwache, da die Starken — sowohl innerhalb eines Gesellschaftsgefüges als auch international — über Macht verfügen und daher des Schutzes eines formalen Rechtssystems nicht bedürfen. Allgemein-abstrakte juristische Normen führen zu Handlungsbeschränkungen des Mächtigen und sind unter machtpolitischen Gesichtspunkten hinderlich. Kennan wendet sich daher gegen die „universalistische Auffassung“ („universalistic approach“) weltpolitischer Fragen, welche „die Lösung internationaler Probleme mittels universalistischer Normen und Methoden, die in allen Ländern anwendbar sind, zu realisieren sucht ...“. Diese Art weltpolitischen Agierens begünstigt „legalistische und mechanische Lösungen“. Um diese negativen Seiten des „abstrakten Formalismus des internationalen Rechts und der internationalen Organisationen“ zu überwinden, müssen die USA einen „partikularistischen Ansatz“ („particularized approach“) verwenden. Dieser „*particularized* approach is one which is skeptical of any scheme for compressing international affairs into legalistic concepts ... It considers that the thirst for power is still dominant among so many peoples that it cannot be assuaged or controlled by anything but counterforce ... it sees in universal undertakings a series of obligations which might, in view of the shortsightedness and timidity of other governments prevent this country from taking vigorous and incisive measures for its own defense and for the defense of concepts of international relations which might be of vital importance to world stability as a whole. It sees effective and determined U.S. policy being caught, at decisive moments, in the meshes of a sterile and cumbersome international parlamentarianism, if the universalistic concepts are applied."

Dieser partikularistische Ansatz, der der „Theorie nationaler Souveränität, so wie sie sich heute in den internationalen Organisationen ausdrückt, mißtraut", ist der den „fortgeschrittenen Nationen der Welt" angemessene in ihrer Aufgabe, die „reale Führung der Weltpolitik" zu übernehmen. (67)

Die ökonomische Basis des amerikanischen Expansionismus

Das eigentliche Agens des amerikanischen Expansionismus oder, um Chomskys treffendes Konzept zu benutzen, der „Fünften Freiheit" (The Fifth Freedom), ist politisch-ökonomischer Natur. Seit der Entwicklung der amerikanischen Demokratie der 20er Jahre des 19. Jahrhunderts (Jacksonian Democracy) war die Idee politischer Demokratie untrennbar mit den Kategorien Privateigentum, Individualismus und kapitalistische Marktökonomie verknüpft. Die Weltwirtschaftskrise des Jahres 1870 und die folgende große Wirtschaftsdepression in den Vereinigten Staaten, 1893-1898, verstärkten diesen Gedanken scheinbar immanent notwendiger, organischer Verbindung zwischen den erwähnten Elementen und verknüpften ihn mit der Idee schicksalhafter Notwendigkeit zu expandieren — oder unterzugehen.

Um die Stabilität der politischen Institutionen zu gewährleisten, muß die amerikanische Wirtschaft florieren. Dies ist nur möglich, wenn Produktion und Absatz auf ständig erweiterter Stufenleiter stattfinden, was wiederum erfordert, permanent neue Rohstoff- und Absatzmärkte zu finden. Als die amerikanische Kontinentalexpansion gegen Westen am Ende des 19. Jahrhunderts ihr Ende fand, blieb daher als „new frontier" nur die weltweite Expansion: zunächst in die Karibik und den Pazifik (gewaltsame Aneignung der spanischen Kolonien), dann, nach 1945, in die strategischen Zonen der Vorkriegs-Kolonialmächte. Das plus ultra kapitalistischer Produktion drückte sich politisch in der Maxime der sogenannten „open-door policy" aus. In den Worten Woodrow Wilsons, „the manufacturer insists on having the world as his market ... (hence) the doors of nations which are closed against him" must be battered down by state power in order to ensure „that no useful corner of the world may be overlooked or left unused". (68) Das bedeutete, daß jeder Staat, der seinen nationalen Raum gegenüber amerikanischem Kapital und Waren protektionistisch — whatever that means — verschloß, eine US-feindliche Politik betrieb und sich damit den Sanktionen der Vereinigten Staaten aussetzte.

In den Nachkriegsplanungen der US-Machtelite spielte der Imperativ der „open-door policy" eine entscheidende Rolle, da nur die Öffnung aller nationalen Märkte die Prosperität der US-Wirtschaft garantieren und somit die Gefahr einer Wiederkehr der Weltwirtschaftskrise der dreißiger Jahre bannen konnte. Das Menetekel kapitalistischer Produktionsweise, der Widerspruch zwischen gesellschaftlichem Charakter der Produktion und ihrer privaten Aneignung, erforderte die Umgestaltung der gesellschaftlichen Produktionsverhältnisse in sozialistische oder die Umwandlung der gesamten Freien Welt in ein Funktionselement der imperialen Ökonomie.

Selten ist diese Problematik mit größerer Klarheit formuliert worden als in einem Dialog zwischen dem stellvertretenden US-Außenminister Dean Acheson und dem Vorsitzenden des Kongreß-Unterausschusses, dem die ökonomische Nachkriegsplanung oblag (Special Subcommittee on Post-War Economic Policy and Planning), im November 1944.

Acheson begann seine Aussage mit einem Kommentar über die Bedeutung der Weltwirtschaftskrise: „We cannot go through another ten years like the ten years at the end of the twenties and the beginning of the thirties, without having the most far-reaching consequences upon our economic and social system ... When we look at that problem, we may say it is a problem of markets. You don't have a problem of production.

The United States has unlimited creative energy. The important thing is markets. We have got to see that what the country produces is used and is sold under financial arrangements which make its production possible". Die Lösung, erklärte Acheson den Kongreßmitgliedern, ist klar: „You must look to foreign markets." Und dann entwickelte sich folgender, bemerkenswerter Dialog:

„Acheson: We could argue for quite a while that under a different system in this country you could use the entire production of the country in the United States.

Worley: What do you mean by that?

Acheson: I take it the Soviet Union could use its entire production internally. If you wish to control the entire trade and income of the United States, which means the life of the people, you could probably fix it so that everything produced here would be consumed here, but that would completely change our Constitution, our relations to property, human liberty, our very conceptions of law. And nobody contemplates that. Therefore, you find you must look to other markets and those markets are abroad. The first thing that I want to bring out is that we need these markets for the output of the United States. If I am wrong about that, then all the argument falls by the wayside, but my contention is that we cannot have full employment and prosperity in the United States without the foreign markets. That is point one, and if anyone wants to challenge me on that we will go over it again.

Worley: I think we agreed on that." (69)

Es war der klassische kapitalistische Widerspruch zwischen privater Produktion und gesellschaftlicher Aneignung, welcher zunächst die Verwertungskrise der dreißiger Jahre heraufbeschwor, die Logik systemimmanenter kapitalistischer Rettungsversuche der *Lebensraum-*, *Greater East Asia Co-Prosperity Sphere-*und *Grand Area-*Strategien determinierte und schließlich über die Universalisierung der siegreichen imperialistischen Strategie die Architektur der Nachkriegs-Weltordnung bestimmte. Die materialistische Analyse dieses Prozesses, d.h. der Konstruktion der *Freien Welt*, steht noch aus, mit der Konsequenz, daß Genesis und Struktur des *Vierten Reiches* immer noch im Nebel der Mythen bürgerlicher Geschichtsschreibung liegen, insbesondere der sogenannten „Containment"-Doktrin.

Der Mythos der „Containment"-Doktrin

Der wesentliche Mythos bürgerlicher Indoktrinierung und einer der größten Erfolge bürgerlicher Geschichtsklitterung der Nachkriegszeit ist die Saga von der Notwendigkeit der Eindämmung (Containment) des sowjetischen Expansionismus, welche die Strukturen der Nachkriegszeit hervorbrachte. Gegenüber dem aggressiven sowjetischen Kommunismus und seiner perfiden Technik des „indirekten Krieges" sahen sich die USA gezwungen, weltweit die Demokratie zu verteidigen, was dann zur Spaltung Europas, Koreas, dem Vietnamkrieg usw. führte. Die Absurdität dieses Interpretationsmusters, welches die Verlängerung der „Four Freedoms"-Kriegspropaganda Roosevelts und Churchills darstellt, wird offensichtlich, wenn man die objektiven Kräfteverhältnisse zwischen den Vereinigten Staaten und der Sowjetunion 1945 sowie den Charakter der sowjetischen Außenpolitik betrachtet.

Die Sowjetunion hatte durch die nationalsozialistische Aggression 50% ihres Wirtschaftspotentials verloren, darunter die lebenswichtige Schwerindustrie im Donezbecken und die agrarischen Zentren in der Ukraine und Byelorußland. Das lag daran, daß 95% des deutschen Kriegspotentials bis Mitte 1944 im Osten eingesetzt war. 20 Millionen Bürger der Sowjetunion hatten ihr Leben verloren (70) und 25 Millionen waren obdachlos geworden.

Im Gegensatz dazu hatten die Vereinigten Staaten, „safe from bullets and bombs" (W.A. Williams), einen rapiden Ausbau ihrer Produktionskapazitäten vornehmen können und waren als uneingeschränkt stärkste ökonomische und militärische Macht aus dem Zweiten Weltkrieg hervorgegangen. Völlig neue Industriebranchen, wie z.B. synthetische Gummieerzeugung, waren aus dem Boden gestampft worden. (70a) In der Industrie erhöhte sich die Arbeitsproduktivität von 1939 bis 1944 um 25 Prozent. Die vergleichbare durchschnittliche jährliche Wachstumsrate für die Periode 1889-1939 hatte 1,9 Prozent betragen. Die Produktivität im Agrarsektor erhöhte sich von 1940 bis 1945 um 36 Prozent, die viehwirtschaftliche Erzeugung um 23 Prozent und die Ernteerträge um 14 Prozent, trotz der Verminderung der Landbevölkerung um 17 Prozent. Die Stahlproduktion verdoppelte sich. Insgesamt 17 Millionen neue Arbeitsstellen wurden durch den Boom der Kriegswirtschaft geschaffen, und die Zahl der Arbeitslosen sank von neun Millionen im Jahre 1939 auf eine Million im Jahre 1945. Die durchschnittlichen industriellen Wochenlöhne stiegen hingegen von Dezember 1941 bis Kriegsende real um 27 Prozent an. Zur Versorgung der Bevölkerung im Jahr höchster Kriegsanstrengung (1944) standen mehr Güter und Dienstleistungen zur Verfügung, als im Jahre 1936. (70b) Die durch Kriegseinwirkung verursachten Bevölkerungsverluste beliefen sich auf rund 405.399 Personen. (71) Zusätzlich dominierten die Alliierten das deutsche Industriepotential der Westzonen, welches etwa zwei Drittel der gesamten Reichsindustrie betraf, von der, andererseits, lediglich 25% durch den Krieg zerstört worden war. (72)

Militärisch war die Situation ähnlich. Die Sowjetunion war von einem Gürtel militärischer Stützpunkte, Horchposten und Basen des Imperialismus umgeben. Die Vereinigten Staaten beherrschten beide Weltmeere und waren in ihrer Hemisphäre praktisch unangreifbar, da ihr einziger potentieller Gegner, die Sowjetunion, weder über eine nennenswerte Kriegsmarine noch eine strategische Luftwaffe verfügte. Waffentechnisch waren sie der UdSSR weit überlegen und auch quantitativ waren die westlichen Streitkräfte denen der Sowjetunion ebenbürtig. Zudem besaßen die USA das Monopol der Nuklearwaffen, deren zweifacher Einsatz gegen Japan nicht so sehr der letzte Akt der Kriegshandlungen gewesen war, sondern der erste Akt der Nachkriegsdiplomatie gegenüber der Sowjetunion.

Unter diesen objektiven Machtbedingungen wäre jede militärische Expansionspolitik der Sowjetunion selbstmörderisch gewesen und die westlichen Planer waren sich darüber auch völlig im klaren. Die heute deklassifizierten Geheimdokumente jener Jahre zeigen, daß unter den US-Planern allgemeine Übereinstimmung darüber herrschte, daß mit einem militärischen Angriff der UdSSR nicht zu rechnen sei. Amerikanische Geheimdienstexperten schätzten, daß die SU mindestens 15 Jahre brauche, um ihre Verluste an Industrie und Bevölkerung auszugleichen. Selbst mit „Herkules-Anstrengungen" könne die UdSSR die ökonomischen Vorkriegsniveaus der USA erst in 20 Jahren erreichen. Eine Geheimdienstanalyse des Jahres 1945 kam zu der Schlußfolgerung, daß die UdSSR aufgrund ihrer Schwäche in den nächsten 15 Jahren keinen Krieg beginnen würde. In einem geheimen „Resüme über die Welt-Situation", das vom Policy Planning Staff am 6. November 1947 der US-Regierung als Kabinettsvorlage übergeben wurde, heißt es: „The danger of war is vastly exaggerated in many quarters. The Soviet Government neither wants nor expects war with us in the foreseeable future." (73)

Selbst Georg Frost Kennan, der mit seinem berühmten „X-Artikel" im Juli 1947 wesentlich zur Formulierung der Containment-Doktrin („confront the Russians with unalterable counterforce at every point where they show signs of encroaching upon the interests of a peaceful and stable world") (74) beigetragen hatte, gelangte im gleichen Artikel zu der Schlußfolgerung, daß „Rußland" gegenüber dem Westen „still by far the weaker party" sei. (75) Rund vierzig Jahre später schrieb er folgende aufschlußreiche Zeilen über die damalige Kräfte-Situation: „In no way did the Soviet Union appear to me, at that moment, as a military threat to this country. Russia was at that time utterly exhausted by the exertions and sacrifices of the recent war ... The physical destruction had been appalling ... Reconstruction alone was obviously going to take several years. The need for peace, and the thirst for peace, among the Russian people was overwhelming. To have remobilized the Soviet armed forces at that time for another war effort, and particularly an aggressive one, would have been unthinkable. Russia then had no navy to speak of and virtually no strategic air force ... In these circumstances, there was no way that Russia could appear to me as a military threat." (76) Das höchste Exekutivorgan der USA, der National Security Council, schlußfolgerte im Jahre 1948, daß es unwahrscheinlich sei, daß die Sowjetunion einen Krieg riskieren würde, und ähnliche Analysen wurden von der CIA bis weit ins Jahr 1949 hinein vertreten.

Die Möglichkeit sowjetischen Expansionismus wurde nicht nur durch die objektiven Kräfteverhältnisse ad absurdum geführt, sondern ebenfalls durch die Natur ihrer Außenpolitik. Seit dem Ende der internen Machtauseinandersetzung in der KPdSU und der Übernahme der Parteikontrolle durch die Stalin-Fraktion bestanden die Prioritäten sowjetischer Politik in der nationalen Rekonstruktion und dem Interesse nationaler Sicherheit, nicht in der Unterstützung der Weltrevolution. Politisch handelte es sich bei der Stalin-Fraktion um eine konservativ-zentristische Gruppe, welche außenpolitisch die Interessen der Weltrevolution denen der Sowjetunion unterordnete, häufig übrigens zum Schaden der nationalen Befreiungsbewegungen imperialistisch unterdrückter Länder. Die geschichtliche Praxis der KPdSU seit Ende der 20er Jahre dokumentiert dieses Phänomen überreichlich, u.a. im Verhalten gegenüber der chinesischen Revolution Ende der zwanziger, Beginn der dreißiger Jahre sowie seit dem Zweiten Weltkrieg; in der Politik vis-a-vis der griechischen Revolution seit 1944; in Stalins Deutschland-Offerte 1952; in dem Versuch, den Vietminh zu einer Korea-ähnlichen Lösung des Kolonialkonfliktes mit den Franzosen zu bewegen und später, die Tet-Offensive (1968) zu verhindern; in der Besetzung Afghanistans usw.

Auch dies ist von den US-Planern stets richtig eingeschätzt worden. In einer Top Secret Studie über die Mittelmeerregion im Februar 1948 schreibt der Policy Planning Staff, daß man die Erfolge der kommunistisch geführten Befreiungsbewegungen in Griechenland und Italien stoppen müsse, indem man auf die Sowjetunion Druck ausübe mittels der Etablierung weiterer US-Militärbasen in der Region, etwa nach dem Muster der Türkei (die zu einer militärischen Aggressionsbasis gegen die

Sowjetunion ausgebaut worden war). „There is no doubt in our minds but that if the Russians knew that the establishment of a communist government in Greece would mean the establishment of U.S. air bases in Libya and Crete, or that a communist uprising in northern Italy would lead to the renewed occupation by this country of the Foggia field, a conflict would be produced in the Kremlin councils between the interest of the Third Internationale, on the one hand, and those of the sheer military security of the Soviet Union, on the other. In conflicts of this sort, the interests of narrow Soviet nationalism usually win. If they were to win in this instance, a restraining hand would certainly be placed on the Greek and Italian communists." (77)

Der reale Feind der US-Machtelite

Die wirkliche Gefahr für die US-Welthegemonialpläne bestand nicht in dem für Propaganda- und Indoktrinierungszwecke konstruierten „sowjetischen Expansionismus", sondern in etwaigen autonomen Entwicklungen nationalstaatlicher oder regionaler Art. Autonome regionale Machtblöcke wie das frühere Britische Empire oder auch „ein vereinigtes, unabhängiges Europa" waren für die Vereinigten Staaten, wie bereits im War-Peace Studies Project determiniert, „nicht akzeptabel". In Hinsicht auf unabhängig-nationalstaatliche Entwicklungen spielte es keine Rolle, ob diese Prozesse unter sozialistischen oder radikal-bürgerlichen Vorzeichen verliefen, da in beiden Fällen die Funktionslogik des internationalen Herrschafts- und Ausbeutungssystems in Frage gestellt schien. „Es kommt nicht darauf an", resümierte der Korea-Veteran und Spezialist für Psychologische Kriegführung, Colonel Virgil Ney, im Jahre 1961, „ob diese oder jene Befreiungsbewegung mit dem Kommunismus verbunden ist. Dadurch, daß sie eine schwere Belastung für die konventionellen militärischen Kräfte des Westens darstellt und eine westliche Macht aus einer etablierten Position der Stärke an der europäisch-asiatischen Peripherie zu verdrängen sucht, sind ihre unmittelbaren strategischen Ziele parallel zu denen des sino-sowjetischen Blocks." (77a)

Der Klassencharakter eines unabhängigen politischen Regimes war und ist für die USA sekundär, solange es das Axiom der „open-door policy", d.h., die Fünfte Freiheit, respektiert. Im programmatischen Geheimdokument NSC 5432 des Nationalen Sicherheitsrats der USA, vom August 1954, betitelt „U.S. Policy Toward Latin America" — um nur eines der vielen entsprechenden Dokument zu zitieren — wird als wesentliche Gefahr für die Interessen der Vereinigten Staaten in der Westlichen Hemisphäre der Trend zu „nationalistischen Regimes" definiert, die zu sensibel gegenüber dem „popular demand for immediate improvement in the low living standards of the masses" sind.

Diese Sensibilität ist untolerierbar, da sie im Widerspruch zum US-Interesse steht, „ein für Privatinvestitionen freundliches Klima zu schaffen", einschließlich „the opportunity to earn and in the case of foreign capital to repatriate a reasonable return". Das Ziel sei, ein von US-Konzernen und ihren lokalen Verbündeten dominiertes export-orientiertes wirtschaftliches Wachstum innerhalb des übergreifenden Grand Area-Bezugsrahmens zu bewirken, was wiederum politische Systeme erfordere, in denen die Allgemeinheit marginalisiert oder unterdrückt werde, so daß der Volkswille („popular demand") ignoriert werden kann.

Die Vereinigten Staaten müssen daher „eine realistische und konstruktive Haltung" einnehmen, die anerkennt, daß es wesentlich ist, „die in der Region existierende Tendenz zu radikalen und nationalistischen Regimes zu blockieren" (to arrest the drift in the area toward radical and nationalistic regimes), die empfänglich sind für „domestic political pressures to increase production [for domestic needs] and to diversify their economies".

Um diese Ziele zu erreichen, schlußfolgert das Dokument, sei es notwendig, Kontrolle über die lateinamerikanischen Militärs zu erlangen und sowohl Frankreich als auch Großbritannien und bestimmte nationalistische Kräfte zu verdrängen. Es sei unabdingbar, „to increase the understanding of, and orientation toward, U.S. objectives on the part of the Latin American military, recognizing that the military establishments of most Latin American states play an influential role in government." (78) Schließlich diskutiert das Dokument die verschiedenen Methoden, mit denen die lateinamerikanischen Militärs in das System der hemisphärischen US-Ordnung integriert werden sollen.

Nationale Regierungen und soziale Bewegungen, welche das Sakrileg begingen, die Ressourcen ihrer Nationalstaaten für die nationale Bevölkerung verwenden zu wollen, existierten in vielen Gebieten der „Grand Area". Das größte Hindernis für die Umsetzung der von den USA geplanten neuen Weltordnung bestand jedoch in der Existenz politisch-militärischer Befreiungsbewegungen, die gegen die faschistischen oder japanischen Besatzungsmächte gekämpft hatten, sowie in der allgemeinen Diskreditierung der alten Herrschaftseliten, welche mit den entsprechenden Quisling-Regimes kollaboriert hatten. Nationale, antikoloniale Selbstbestimmung, die Durchführung struktureller Sozialreformen (Agrarreform, Sozialisierung der Grundindustrien etc.), die Bestrafung von Kriegsverbrechern und der für den Krieg Verantwortlichen sowie die Entwicklung materieller und formaler Demokratieelemente waren die wesentlichen programmatischen Elemente der auf politisch-gesellschaftliche Veränderung drängenden fortschrittlichen Kräfte, deren tiefgehende sozialreformerische oder auch sozialrevolutionäre Forderungen mit der Grand Area Planung und Fünften Freiheit unvereinbar waren. Die Paralysierung dieser Bewegungen oder Staaten durch Integration oder Zerstörung wurde damit, neben der abhängigen Rekonstruktion der kapitalistischen Subzentren und dem bis weit in die fünfziger Jahre gehegten Traum des sowjetischen „roll back" (79), zum entscheidenden Imperativ der US-Außenpolitik. Die Rekonstruktion der alten Herrschaftseliten, starke ökonomische Unterstützung in strategisch wichtigen Gebieten (z.B. des European Recovery Programs) und die massive Anwendung des Staatsterrorismus waren die wesentlichen Mittel, die die in den Planungsdokumenten des War Peace Studies Projekt und des Policy Planning Staff konzipierte *ordine novo* des US-Imperialismus in die Wirklichkeit umsetzten.

Die autonomen Wünsche der betroffenen Bevölkerungen ebenso wie demokratische Prozeduren (Wahlen, Pressefreiheit, Streikrecht usf.) fanden nur dann Berücksichtigung, wenn sie die Interessen der USA förderten; ansonsten wurden sie skrupellos unterdrückt. In einer Top Secret Studie des Policy Planning Staff vom 23. Juni 1949 über die „Haltung der USA gegenüber Island im Falle eines internen kommunistischen Coup d'Etats oder der Drohung eines solchen Coups", schlug Georg F. Kennan, Direktor des PPS, dem Nationalen Sicherheitsrat der USA vor, „that military planning be for the purpose of protecting United States and North Atlantic security interests in Iceland rather than of supporting a democratic system of government there." (80)

Bei einem studentischen Solidaritätsstreik mit Arbeitern in Südkorea im Herbst 1946 wurden von 1342 Festgenommenen 16 durch Militärgerichte zum Tode und 557 zu Gefängnisstrafen verurteilt: „for crimes against the occupation".

Eine 1946 von der Amerikanischen Militärregierung (American Military Government, Korea) in Seoul durchgeführte Meinungsumfrage ergab, daß 49% der Befragten die vorausgegangene japanische Besetzung der amerikanischen vorzogen. (81) Die „freien Wahlen" von 1948 wurden nach dem Muster der Wahlfarcen abgehalten, die die USA in den letzten Jahren in Mittelamerika realisierten, um ihren Killer-Regimes das notwendig-honorable public relations-Image zu vermitteln. In den zehn Tagen vor Abhaltung der Wahlen wurden 323 Personen in Tumulten oder durch Polizeiaktionen getötet und mehr als 10.000 verhaftet. In den Annalen des US State Department figuriert diese Wahl, in der „an estimated 92,5% (der registrierten Wähler — H.D.) cast their ballots", as „an election characterized by ... public approval and enthusiasm". (82)

In der Bundesrepublik Deutschland konstiutierten sich im Jahre 1951 Ausschüsse, die ein Plebiszit gegen die geplante Remilitarisierung des Landes durchführen wollten. Innerhalb von zehn Tagen wurden diese pazifistischen Gruppen von der christdemokratischen Bundesregierung als „ein Angriff auf die verfassungsmäßige Ordnung des Bundes“ verboten. Zugleich wurde die Polizei angewiesen, die teilnehmenden Organisationen aufzulösen und gegen Aktivisten vorzugehen. Wenig später waren mehr als 2000 Anti-Militaristen inhaftiert. 15 Jahre danach (sic) entschied das Bundesverwaltungsgericht, daß das Verbot der Ausschüsse gesetzwidrig gewesen sei.

Ähnlich war das Vorgehen der neuen-alten Elite und ihrer Grand Area-Protektoren im Fall der Hessischen Verfassung. Artikel 41 der geplanten Landesverfassung sah die sofortige Sozialisierung des Bergbaus vor. Um diesen Artikel zu neutralisieren, forderte Militärgouverneur Lucius Clay, daß die Bevölkerung über ihn abstimmen solle, in der Hoffnung, die Abstimmung werde negativ verlaufen. In den entsprechenden Wahlen, am 1.12.1946 votierten jedoch 71.9% der hessischen Wähler für die entsprechende Klausel. General Clay, der außerordentliche Sensibilität und ein immer offenes Ohr für die Wünsche der Mitglieder struktureller und konjunktureller Nazi-Eliten gezeigt hatte, erwies sich auch den realpolitischen Erfordernissen bürgerlicher Demokratie gegenüber auf der Höhe seiner Zeit. Er verbot schlichtweg das von der vox populi gewünschte Sozialisierungsbegehren.

Konnte die Konstruktion der Freien Welt in der Bundesrepublik mit polizeilicher und administrativer Unterdrückung durchgeführt werden — aufgrund der Abwesenheit einer politisch-militärischen Avantgarde — so wurden die Länder, in denen bewaffnete nationale Befreiungsbewegungen existierten, zu tragischen Schauplätzen brutalster amerikanischer Aggressionskriege. Dem ersten klassischen Counterinsurgency-Krieg des US-Imperialismus, in Griechenland, fielen mehr als 50.000 Menschen zum Opfer. Hunderttausende flüchteten vor dem Staatsterror der „Sicherheitskräfte“ der Machtelite — zusammengesetzt aus ex-Nazi Kollaborateuren, korrupten Royalisten und der Vorkriegs-Oligarchie —, die im Rahmen der Truman-Doktrin durch mehr als 400 Militärberater und Hunderte von Millionen Dollar in eine effiziente Maschinerie des Massenterrors und Massenmords verwandelt worden waren.

Nach diesem erfolgreichen Experiment in Sachen Nachkriegsdemokratie im Ursprungsland westlicher Kultur und Zivilisation, wurde die gewonnene Expertise zur Sicherung der Demokratie in anderen Ländern verwandt (83): den Philippinen, Korea, Iran, Guatemala, Congo, Cuba, Vietnam, Dominikanische Republik, Chile, Angola, Mozambique, Nicaragua ... die Kette ist endlos. Die Notwendigkeit zu ihrer ständigen Verlängerung ergibt sich aus der unausrottbaren Hoffnung der „Randvölker", irgendwann einmal ihr eigenes Schicksal bestimmen zu können — außerhalb des Ausbeutungs- und Herrschaftssystems der Herrenvölker und ihrer Lebensraumstrategen.

Das Vierte Reich

Wie aus der vorhergehenden Untersuchung deutlich wird, wäre eine vergleichende Analyse der drei Varianten kapitalistischer Expansionspolitik insofern interessant, als sie den Einfluß der unterschiedlichen Überbauformen und wirtschaftsstrategischen Lage auf die konkrete Durchsetzungsform der Kapitalinteressen erhellen würde. Über die naturgesetzliche Durchsetzungskraft dieser Kapitalinteressen hingegen würde sie nichts neues vermitteln. Vierzig Jahre nach Kriegsende haben sich die drei Strukturelemente der kapitalistischen Krisenlösungsstrategie der dreißiger Jahre in Normalitäten des kapitalistischen Weltsystems verwandelt, in dem die Dritte Welt, die *Randvölker*, unter der Geißel des Internationalen Währungsfonds und der US-Counterinsurgency die wirtschaftliche Prosperität und politische Stabilität der Ersten Welt, der *Herrenvölker*, produzieren.

Der Preis, den die Massen der Dritten Welt für diese Funktion zahlen, wurde von den Nazis — die mit brutal-sozialdarwinistischer Offenheit das formulierten, was in der liberal-kapitalistischen Rhetorik lediglich verschwommen angedeutet wird — explizit und adäquat zum Ausdruck gebracht. In der Sprache Himmlers: „Ob die anderen Völker im Wohlstand leben oder ob sie verrecken vor Hunger, das interessiert mich nur soweit, als wir sie als Sklaven für unsere Kultur brauchen ... anders interessiert mich das nicht. Ob bei dem Bau eines Panzergrabens 10000 russische Weiber an Entkräftung umfallen oder nicht, interessiert mich nur insoweit als der Panzergraben für Deutschland fertig wird." (84)

Eine leichte Umformulierung des Satzes zeigt, daß es kaum eine präzisere Bestimmung für die Politik des westlichen Kapitals gegenüber seinen Nachkriegs-Lebensräumen, der *Dritten Welt*, gibt: „Ob die Völker der Dritten Welt im Wohlstand leben oder vor Hunger verrecken, interessiert mich nur soweit, als wir sie als Lohnsklaven für unsere Kultur brauchen, anders interessiert mich das nicht". Oder auch: „Ob bei der erhöhten Schuldenzahlung einer internationalen Zinserhöhung 100.000 lateinamerikanische Kinder vor Hunger sterben, interessiert uns nur insoweit, als die erhöhten Schuldenzahlungen an unsere Banken geleistet werden."

Der Preis ist hoch und verringert sich nicht. (85) Unter den meisten Randvölkern liegt der Lebensstandard (und dabei handelt es sich um statistische Durchschnittsziffern) heute wieder auf dem Niveau der fünfziger Jahre. Er kann sich nicht verringern, solange die Randvölker unter den Koordinaten des Vierten Reichs existieren. „Es ist noch nicht lange her", schrieb Sartre im Jahre 1961, „da zählte die Erde zwei Milliarden Einwohner, das heißt 500 Millionen Menschen und eine Milliarde 500 Millionen Eingeborene." (86) Fast dreißig Jahre später hat dieser Satz nichts von seiner dramatischen Aktualität verloren. Heute müßte er heißen: „Es ist noch nicht lange her, da zählte die Erde fünf Milliarden Einwohner, das heißt 700 Millionen Menschen und vier Milliarden 300 Millionen Eingeborene."

Naturgemäß gibt es Völker, die versuchen, die ihnen im atlantischen Welt-Herrschaftssystem zugewiesene Helotenrolle abzuwerfen. Es hat sie immer und auf allen Kontinenten gegeben. Algerien, Cuba, Vietnam, Nicaragua, El Salvador ... bezeichnen nur einige dieser Versuche aus der jüngeren Geschichte. Ebenso naturgemäß versuchen die Herrenvölker, die Ausbruchsversuche aus dem ehernen Gehäuse ihres Ausbeutungs-und Herrschaftssystems zu verhindern, denn jede geglückte Befreiung gibt Hoffnung und weist den Weg für die anderen Randvölker. Im November 1875 bemerkte E.C. Watkins, Hauptinspektor für das „Indian Bureau“ der Vereinigten Staaten, daß die außerhalb der Reservationen lebenden nördlichen Steppen-Indianer („Plains Indians“) ernährt und wohlbewaffnet seien, unabhängig und stolz in ihrem Verhalten, und daher eine Bedrohung für das Reservationssystem. Inspektor Watkins empfahl, daß Truppen gegen diese unzivilisierten Indianer gesandt werden, „am besten im Winter und je schneller umso besser, um sie in die Unterwerfung zu prügeln“. (87) Die Repression sollte „am besten im Winter“ erfolgen, weil die autochthone Bevölkerung dann aufgrund mangelnder Ernährungsmöglichkeiten immobil sein würde.

Was mit jenen zu tun sei, die die „hineingeprügelte Unterwerfung“ nicht mehr hinnehmen, illustriert eine Episode aus der puritanischen Endlösung der „Indianer“-Frage in Nordamerika, d.h. den Vernichtungsfeldzügen der US-Armee gegen die letzten freien Nationen der autochthonen Bevölkerung, 1865-1890. Im Jahre 1877 hatte sich eine Gruppe der nördlichen Cheyenne der US-Armee ergeben, um in Übereinstimmung mit einem Vertrag aus dem Jahre 1868 auf einer in ihrer natürlichen Umgebung liegenden Sioux-Reservation zu leben. Sie wurden jedoch in das 100-Tagesreisen entfernte Reservat der südlichen Cheyenne geschickt (Kansas), wo Hunger und ungewohnte Krankheiten (Malaria) ihre physische Vernichtung zu einer Frage der Zeit werden ließen. „We bowed to the will of the Great Father (US-Präsident, H.D.) and went far into the south where he told us to go. There we found a Cheyenne cannot live. Sickness came among us that made mourning in every lodge. Then the treaty promises were broken, and our rations were short. Those not worn by diseases were wasted by hunger. To stay there meant that all of us would die. Our petitions to the Great Father were unheeded.“ So entschieden sich die Cheyenne, gegen den Widerstand der Armee und der Reservatsverwaltung den Marsch in ihre alte Heimat anzutreten: „We thought it better to die fighting to regain our old homes than to perish of sickness. Then our march was begun.“ (88)

Nach einem Kesseltreiben der Armee, der Siedler und Händler, quer durch Kansas und Nebraska wurden sie schließlich in Fort Robinson (Nebraska) interniert, bis die endgültige Entscheidung aus Washington kommen sollte. Ihre Botschaft an den „Großen Weißen Vater“ war klar. In den Worten *Dull Knifes*, eines ihrer Führer: „All we ask is to be allowed to live, and to live in peace. I seek no war with anyone. An old man, my fighting days are done ... Tell the Great Father that Dull Knife and his people ask only to end their days here in the north where they were born ... Tell him if he lets us stay here Dull Knife's people will hurt no one. Tell him if he tries to send us back we will butcher each other with our own knives.“ (89)

Im Januar 1879 kam die Entscheidung des Kriegsministeriums aus Washington. General Sheridan, Autor der unvergeßlichen Phrase, „The only good Indian is a dead Indian“ (90), und Innenminister Carl Schurz hatten einen Konsens gefunden: „Unless they are sent back to where they came from,“ telegraphierte Sheridan, „the whole reservation system will receive a shock which will endanger its stability.“ Schurz stimmte darin überein: „The Indians should be taken back to their reservation.“ (91)

Dies ist das Sakrileg Nicaraguas, Angolas, Vietnams, Cubas und aller Eingeborenen, die aus ihren Reservationen ausbrechen und damit die Stabilität des weltweiten Reservatssystems in Frage stellen. Sie müssen in ihre Reservationen zurückgebombt werden (92), gleich ob sie dort an Hunger oder Krankheiten elendig zugrunde gehen.

Für die Dritte Welt geht es darum, schrieb Fanon 1961, „eine Geschichte des Menschen zu beginnen, die den von Europa einst vertretenen großartigen Lehren, aber zugleich auch den Verbrechen Europas Rechnung trägt, von denen das verabscheuungswürdigste gewesen sein wird: beim Menschen die pathologische Zerstückelung seiner Funktionen und die Zerstörung seiner Einheit; beim Kollektiv der Bruch, die Spaltungen; und schließlich auf der unermeßlichen Ebene der Menschheit der Rassenhaß, die Versklavung, die Ausbeutung und vor allem der unblutige Völkermord, nämlich das Beiseiteschieben von anderthalb Milliarden Menschen." (93)

Für die Dritte Welt geht es mehr denn je darum, eine Geschichte des Menschen zu beginnen, in welcher die Interessen der Gattung gegenüber den Interessen der Metropolen Vorrang erhalten. In der die Spaltung der Gattung in Eingeborene und Menschen, Randvölker und Herrenvölker, überwunden wird. In der der numerus clausus zwischen vier verelendeten Fünfteln der Gattung und einem privilegierten Fünftel aufgehoben wird zugunsten einer real-demokratischen politischen und ökonomischen Weltordnung. Dieser Übergang kann nicht friedlich erfolgen. Nicht weil die Randvölker den Krieg wollen, sondern weil das *Fünfhundertjährige Reich* der atlantischen Machteliten auf Gewalt gebaut ist, und diese über ein halbes Jahrtausend hinweg gezeigt haben, daß sie die Gewalt skrupellos und mörderisch einsetzen, wenn sich *die Verdammten dieser Erde* gegen ihr Untermenschendasein erheben.

„Die zentrale Frage des 19. Jahrhunderts", schreibt der frühere hessische Umweltminister Joschka Fischer, d.h. die Frage des Privateigentums und Klassenkampfs zwischen Sozialismus und Kapitalismus, „wurde in den achtziger Jahren des 20. Jahrhunderts wohl definitiv entschieden: Der Kapitalismus hat gewonnen, der Sozialismus hat verloren ... der welthistorische Zweikampf zwischen Kapitalismus und Sozialismus (ist) entschieden ... Freilich übernimmt der Sieger dieser historischen Auseinandersetzung zwischen den beiden weltweit konkurrierenden Wirtschaftsmodellen [sic] zugleich auch die Aufgaben und Verpflichtungen des Unterlegenen, wird also von einem Klassen- zu einem Gattungsstandpunkt übergehen müssen, wenn dieser Sieg historisch nicht zum Pyrrhussieg werden soll ... Der Kapitalismus hat gesiegt, aber mit diesem Sieg hat er auch die ganze und alleinige Verantwortung für die Erhaltung des Ökosystems Erde und der Gattung Mensch übernommen". (94)

Weshalb die internationale Bourgeoisie (der Imperialismus), die von der Entstehung des ersten sozialistischen Staates im Jahre 1870/71 (Pariser Kommune) bzw. 1917 (Sowjetunion), bis zur vorläufig letzten Konstituierung eines proto-sozialistischen Staates 1979 (Nicaragua) unablässig — und unter ständiger Verletzung des Völkerrechts — alles in ihrer Macht stehende getan hat, um den Sozialismus zu zerstören, nun die „Aufgaben und Verpflichtungen des Unterlegenen" — nämlich die Befreiung der arbeitenden Menschen, d.h. des überwiegenden Teils der Gattung, vom Joch und Ausbeutungssystem der Bourgeoisie — „übernimmt", i.e., sich selbst als Entität (Klasse) überflüssig macht, mag Fischers Geheimnis bleiben. Doch hat seine wundersame Lektüre des Geschichtsprozesses ohne Zweifel den Verdienst, die Kategorie des „altruistischen Krieges" in die Geschichte einzuführen; handelte es sich doch bei der imperialistischen Bourgeoisie um das erste historische Subjekt, welches Krieg führt, nicht um dem unterlegenen Kontrahenten seine eigenen Bedingungen und Interessen aufzuzwingen, sondern um im Moment des „definitiven Sieges" dessen Aufgaben und Verpflichtungen zu übernehmen.

Unter den Bewohnern des internationalen Reservatssystems wird Fischers frohe Botschaft, daß der nach dem Profitmotiv agierende Kapitalismus durch seinen Sieg in der Systemauseinandersetzung nun doch hinreichend geläutert sei, um die Gattung zu entdecken, auf manch erstaunte Skepsis stoßen. (95) Und daß der Kapitalismus von nun an die „alleinige Verantwortung für ... die Gattung Mensch" übernommen hat, mag doch vielen Mitgliedern der Randvölker gelinde Schauer über den Rücken jagen. Schließlich sind fünfhundert Jahre Erfahrung mit der Caritas des Systems, trotz des allzugut funktionierenden westlichen Indoktrinierungsapparates, nicht restlos vergessen.

In den Metropolen hingegen ist Fischers Stimme nur Teil jener umfangreichen neokolonialistischen Partitur (96), die den Schwanengesang auf das Prinzip Hoffnung der unterdrückten Völker singt. Endlich sollen sie einsehen, daß es keine historische Alternative gibt; daß der einzige Weg ihrer Menschwerdung der der Ausbeutung des Menschen durch den Menschen ist. Die Autonomie der Gattung und die *konkrete* Utopie einer menschlicheren Gesellschaft werden ad acta gelegt, Zeus demagogisch zum Erbe des Prometheus gemacht.

Wie immer in den Hochblüten der Konjunktur schießt auch nun wieder die Imaginationskraft der post-modernistischen, post-industriellen, post-kommunistischen usw. Mandarine der atlantischen Herrenvölker drangvoll ins Kraut, angesichts der Überfülle der aus aller „Herren Länder" in den Metropolen zusammengerafften Reichtümer der Dritten Welt. Und auf den Rezepten der Resignation, die sie den Eingeborenen des Planeten seit einem halben Jahrtausend verschreiben, steht wieder einmal, daß deren einzige Rettung in der kapitalistisch-angelsächsischen Mimesis besteht: „to make you as white men".

Angesichts dieser Schalmeientöne aus den Metropolen, welche demagogisch prätendieren, das Ephemere zum Essentiellen zu machen — und dabei vom Chorus ihrer Klientel-Intellektuellen in der Peripherie sekundiert werden — ist notwendig, die Dialektik von Genesis und Sein nicht aus den Augen zu verlieren. Denn „das Dunkel ist eben kein weit entferntes, kein unvordenkliches am Anfang der Zeiten, als einem längst passierten und mit Fortsetzung oder Kosmos überdeckten Anfang. Sondern konträr: das Dunkel des Ursprungs bleibt als unmittelbares unverändert in der nächsten Nähe oder im währenden Daseins jedes Existierens selbst". (97) Dieser ontologischen Bestimmung können sich selbst die mächtigen Herren des Kapitals nicht entziehen — so sehr ihre Sykophanten und Mandarine auch bemüht sind, das verräterische Band zu zerschneiden. Und darin liegt Hoffnung.

Fußnoten

1) Das Syndrom des Exotischen ist komplex und erfüllt, subjektiv, vielfältige psychosoziale Funktionen. Es teilt mit der Utopie das Moment des Transzendierenden, gelangt jedoch nicht über den Status der regressiven, schlecht-abstrakten, Utopie hinaus. Seine Basis, in dem hier diskutierten Kontext, ist die Imago des bonne sauvage, d.h. die simplistische Vorstellung, daß der Naturmensch („Eingeborene") per se gut sei. Diese paternalistische Form des Rassismus, die den Eingeborenen als, im wesentlichen, unvermittelte Extension der Natur betrachtet — und damit sein Menschsein negiert — ist das kleinbürgerlich-philanthropische ideologische Korrelat zum Klischee des arbeitsunwilligen, faulen Eingeborenen, der nur mit Zucht und Ordnung zur Arbeit und zu zivilisiertem Leben gebracht werden kann („... strenge, aber gerechte Kolonialordnung der Deutschen".) Beide Stereotype sind notwendige ideologische

Begleitprodukte der imperialistischen Ausbeutung: ersteres dient zur philanthropisch-projektiven Befriedigung der in der eigenen Realität nicht gestillten Bedürfnisse des Philisters, einschließlich des aus der Dritt-Welt-Ausbeutung resultierenden schlechten Gewissens, letzteres rationalisiert und legitimiert die terroristische Exploitation der Massen der Dritten Welt.

Wie jede Ideologie, so sind auch die Manifestationen des Rassismus an die Existenz bestimmter gesellschaftlicher Verhältnisse gebunden, die sie hervorbringen. Das heißt, so lange es imperialistische Ausbeutung gibt, wird sowohl der offen-xenophobische wie der verhüllt-paternalistische Rassismus, zu dem der Exotismus gehört, weiterbestehen. Und wie jede Ideologie ist auch der Exotismus blind gegenüber den objektiven Realitäten. Diese sind eindeutig. Die Geschichte des europäischen Kolonialismus/Imperialismus ist nicht nur die Geschichte der Ausbeutung der „Eingeborenen", „Indios", „Neger" usw. durch die „Weißen", sondern ebenso die Geschichte der Kooptation einheimischer Eliten zur Beherrschung und Exploitation der Massen. Die Scouts, die die US-Kavallerie zu den Verstecken und Wohngebieten der „Indianer" Nordamerikas führten, waren in der Regel „Indianer", häufig sogar derselben ethnischen Gruppe, die dann von den „Blauröcken" massakriert wurde. (Vergl. dazu u.a., Dee Brown, *Bury my heart at Wounded Knee*) Die Kontrolle in den „Indianer"-Reservaten Nordamerikas wird im wesentlichen durch eine korrupte Schicht *indianischer* Funktionäre und Stammesmitglieder aufrechterhalten, die, im Austausch gegen gewisse Privilegien, mit dem US-Staatsapparat und den multinationalen Konzernen zusammenarbeiten, gegen die Interessen ihres Volkes. Diese dem System ergebenen lokalen Führungsgruppen unterhalten z.T. eigene Todesschwadronen. (Vergl. dazu, beispielsweise, *Covert Action Information Bulletin*, No. 24, 1985) In vielen Ländern Lateinamerikas werden die „indígenas" ebenfalls durch eine, dem System integrierte und von ihm geschützte, lokale Führungsschicht unterdrückt und ausgebeutet. Allgemein bekannt ist, daß in den spanisch-amerikanischen Kolonialgebieten die lokale Führungsschicht durch Privilegien (wie die Befreiung vom Minendienst [Mita] usw.) in das System eingebunden war und daß es häufig dem Kolonialismus/Imperialismus sogar gelang, Sektoren der „indianischen" Massen in repressiver Absicht gegen progressive Elemente des eigenen Volkes einzusetzen. Bei der Niederschlagung des großen „Indianer"-Aufstandes Tupac Amarus (Peru) Ende des 18. Jahrhunderts, beispielsweise, kämpften viele „Kaziken" mit ihren Dorfgemeinschaften auf der Seite der Spanier gegen den Nachfahren des Inka. Und das Gleiche gilt für die Gegenwart. Der US-amerikanische ebenso wie der europäische Imperialismus versuchen mittels einer systematischen Politik (der Spaltung, Konfusion und Korruption) die Hegemonie über die lokalen und überregionalen amerikanischen „indígena"-Organisationen zu gewinnen bzw. zu behalten. Teil dieser Politik ist die systematische Schwächung der für das atlantische Herrschaftssystem nicht-integrierbaren — weil real-emanzipatorischen — Positionen, wie sie u.a. representiert werden durch „indianische" Persönlichkeiten wie Domitila Chungara, Leonard Peltier, Rigoberta Menchu, etc. Und Teil dieser Politik ist die kontinuierliche Förderung obskurantistischer und sektiererischer „Indio"-Organisationen und -Positionen, welche „1992" als Problem von „Indianern" und „Weißen" darstellen, als Problem der Spanier usf. Vergleiche dazu die Interviews mit Domitila Chungara, Leonard Peltier, Rigoberta Menchú und die korrespondierenden Artikel in *América, la Patria Grande* (APG) Nr. 3, 5 und 6.

APG kann über unsere BRD-Koordination in Dietzenbach (Verein Monimbó) bezogen werden.

2) Toru Yano, „The Greater East Asia Co-Prosperity Sphere: Setting the Stage for the Cold War in Southeast Asia", The Center for Southeast Asian Studies, Kyoto University, Kyoto 1975, p. 3

3) Ibid, p.6

4) Joyce C. Lebra, Ed., *Japan's Greater East Asia Co-Prosperity Sphere in World War II*, Oxford University Press, Tokyo, London, New York 1975, p. 25 ff.
5) 1943 fügte Professor Hikomatsu diesem Argument die Beobachtung hinzu, daß „Greater East Asianism which we are advocating and carrying into practice is different, superior and more progressive in comparison with the types of continentalism and Großraum-ism as advocated and advanced already by Europeans and Americans". Joyce C. Lebra, op.cit., p. 25
6) Ibid, p. 49 ff.
7) Toru Yano, op. cit., p. 12
8) *Nazi Conspiracy and Aggression*, Office of United States, Chief of Counsel for Prosecution of Axis Criminality, US Government Printing Office, Washington, D.C. 1946, Vol. I, p. 838 ff. Die wichtigste Funktion des Dreimächtepaktes bestand darin, die USA vom Kriegseintritt abzuhalten, um die Neue Ordnung in Europa und Südostasien etablieren zu können. Die US-Machtelite sah den Pakt im Kontext der japanischen Invasion in Manchukuo (1931), der italienischen Eroberung Äthiopiens (1935) und Hitlers Expansion in Mitteleuropa (seit 1938), d.h. als kriminelles Vorbereitungselement eines Aggressionskrieges gegen die USA „to achieve world domination". Angesichts der eigenen Welthegemonialpläne mußte der US-Imperialismus die Expansion beider imperialistischer Blöcke naturwüchsig als „Aggression" auffassen — und ihr entsprechend entgegentreten. Ein Kommentar des damaligen US-Außenministers Cordell Hull zur Unterzeichnung des Dreimächtepaktes zeigt — ebenso wie die Dokumente der Japaner und Nationalsozialisten —, daß die jeweiligen Machteliten im vollen Bewußtsein ihres Geschäftes der Neuverteilung der Welt agierten: „The reported agreement of alliance does not, in the view of the Government of the United States, substantially alter a situation which has existed for several years. Announcement of the alliance merely makes clear to all a relationship which has long existed in effect and to which this Government has repeatedly called attention. That such an agreement has been in process of conclusion has been well known for some time, and that fact has been fully taken into account by the Government of the United States in the determining of this country's policies." *Nazi Conspiracy* ... , p. 839 ff.
9) Am 22. Dezember 1938 proklamierte der japanische Premier Konoye Fumimaro die *Neue Ordnung* in Ostasien. Japan, China und Manchukuo „will be united by the common aim of establishing the New Order in East Asia and of realizing the relationship of neighbourly amity, common defence against communism, and economic cooperation". Innerhalb der Neuen Ordnung in Ostasien könne der „Einfluß der Komintern nicht toleriert werden". Die chinesische Regierung solle daher mit Japan einen „Anti-Komintern Vertrag schließen ... der dem Geist des Anti-Komintern Vertrages zwischen Japan, Deutschland und Italien (25.11. 1936, Berlin — H.D.) entspreche". Japanische Truppen sollten als „anti-kommunistische Maßnahme" in bestimmten Gebieten Chinas stationiert werden. Joyce C. Lebra, op.cit., p. 69
10) Joyce C. Lebra, op.cit.,p. 114 ff. u. Toru Yano, op.cit., p. 19 ff.
11) Ein nach wie vor unverzichtbares Dokument zum Verständnis der Medienpolitik der US-Machtelite ist Edward L. Bernays klassisches Essay, „The Engineering of Consent", in dem die Medien — zu Recht — als „open doors to the public mind" definiert werden. Das Wissen, wie dieses „enormous amplifying system" benutzt werden kann, ist von größter Bedeutung für diejenigen, die an „konstruktiven gesellschaftlichen Aktivitäten interessiert sind", also insbesondere politische Führer: „With pressing crises and decisions to be faced, a leader frequently cannot wait for the people to arrive at even general understanding. In certain cases, democratic leaders must play their part in leading the public through the engineering of consent to socially constructive goals and values." Da Wort, Ton und Bild wenig erreichen, „unless they are the tools of a soundly thought-out plan and carefully organized methods", muß die Über-

nahme von Ideen und ihre Umsetzung in praktische Aktivitäten durch die Bevölkerung mittels wissenschaftlich strukturierter und angewandter Medienstrategien realisiert werden. In diesem „engineering of consent" liegt die „wahre Essenz des demokratischen Prozesses" („the very essence of the democratic process"). E. L. Bernays, „The Engineering of Consent", *The American Academy of Political and Social Science, The Annals*, Philadelphia 1947, p. 113 ff.

12) Ein gutes Beispiel für die auf diesem Niveau verwendete Sprache und Machtlogik ist ein vertrauliches Gespräch, das Henry Kissinger mit US-jüdischen Führern über Strategien einer Niederschlagung des palästinensischen Volksaufstandes im Februar 1988 hatte. Darin sagte er:„Israel should bar the media from entry into the territories involved in the present demonstrations, accept the short-term criticism of the world press for such conduct, and put down the insurrection as quickly as possible — overwhelmingly, brutally and rapid ... The insurrection must be quelled immediately, and the first step should be to throw out television, a la South Africa. To be sure, there will be international criticism of the step, but it will dissipate in short order." Kissinger monierte ebenfalls, daß Israels public relations-Agenturen völlig unfähig seien, die Krise angemessen zu managen. *New York Times*, 8.3.1988. Das klassische Werk über die differentia specifica der Politik — im Gegensatz etwa zu anderen Arten sozialer Beziehungen wie Ökonomie, Kunst, Wissenschaft usw. — ist natürlich Niccolo Macchiavellis geniales Werk *Il Principe*, das fern von Vermittlungs- und Vermarktungszwängen radikal die Essenz politischen Handelns bloßlegt.

13) *Congressional Record*, Vol. 87, pp. 1, pp. 44-47, US Government Printing Office, Washington, D.C. 1941

14) Siehe beispielsweise die als „Atlantic Charter" bekannte gemeinsame Kriegszielerklärung („Joint declaration ... to make known certain common principles in the national policies of their respective countries on which they base their hopes for a better future for the world.") Roosevelts und Churchills vom 14. August 1941. Ebenso die „Declaration by United Nations" vom 1.1.1942. *In Quest of Peace and Security*, Dep. of State Publications 4245. General Foreign Policy Series 53, Office of Public Affairs, Washington, Oct. 1951

15) Die Gründung des British Council im Jahre 1934, z.B., war das direkte Resultat der aggressiven Verbreitung der NS-Ideologie, welche weltweit in vielen Ländern auf Sympathien stieß. Ein Sprecher des Französischen Außenministeriums setzte im Jahre 1936 die Bedeutung der kulturellen und Propagandabeziehungen gleich mit der der militärischen Verteidigungsanstrengungen. „At a time when it is necesary for us to make the greatest sacrifices for the Army, the Navy, and military aviation, to prepare for a war which may be imposed upon us, there should be no penury in giving to the Ministry of Foreign Affairs, the outpost of National Defense, the necessary (cultural) means to safeguard peace". Die USA gründeten 1938 zwei Kultur/Propagandainstitutionen für den sich verschärfenden Kampf um die Weltmeinung zwischen rechtskapitalistischen (Faschismus), liberalkapitalistischen (bürgerlichen Formaldemokratien) und sozialistischen Ideologien. 1939 wurde das „Office of the Coordinator for Inter-American Affairs" unter Leitung Nelson Rockefellers gegründet und im Jahre 1942 das „Office of War Information" (OWI), dem die weltweite psychologische Kriegsführungskampagne außerhalb Lateinamerikas oblag. Vergl. Philip H. Coombs, *The Fourth Dimension of Foreign Policy: Educational and Cultural Affairs*, Published for the Council on Foreign Relations, by Harper & Row, New York, p. 25 ff.

16) Zit. in L.H. Shoup and William Minter, *Imperial Brain Trust*, Monthly Review Press, New York, London, 1976, p. 162/3. Der Effekt dieser Propaganda war durchschlagend. Nationalrevolutionäre (Ho Chi Minh) ebenso wie nationalreformistische Politiker (Jacobo Arbenz) sahen die USA als natürlichen Verbündeten im Kampf um antikoloniale Befreiung, nationale Entwicklung und Demokratie an. Das Erwachen aus dieser Illusion war oft brutal. Als im Jahre

1944 reformistische Militärs in El Salvador gegen die Diktatur des Generals Maximiliano Hernandez putschten, der 1932 in der berüchtigten „La Matanza" zwischen 10 und 30tausend Menschen hatte hinrichten lassen, taten sie das auf der Basis der „Four Freedoms"-Propaganda. Als die Rebellion fehlschlug, flüchteten drei der Anführer in die US-Botschaft. Ihnen wurde jedoch Asyl verweigert, da die Vereinigten Staaten die Gewährung von Asyl als „Einmischung in die inneren Angelegenheiten anderer Länder" ansahen. Nach ihrer Übergabe an den Diktator wurden die Rebellen exekutiert. Als die Episode bekannt wurde, erhob sich ein Sturm der Entrüstung in Mittelamerika. US-Botschafter Thurston erklärte dem State Department, daß das Problem nicht aus seiner partikularen Handhabung der Affäre entstanden war, sondern aus der Diskrepanz zwischen US-Propaganda und US-Realpolitik. Die Entrüstung über die de facto-Kollaboration mit dem Diktator, schrieb er im April 1944 an das State Department, „is the result of a general inability, to reconcile our persistent propaganda for the Four Freedoms, the Atlantic Charter, democracy, liberty and the other rights of man, with our policy of non-intervention and seeming indifference to cynical abolition of those rights by a petty Central American dictator (M. Hernandez — H.D.). Bewilderment and criticism increased with our acceptance of the local regime as honored associate and the furnishing to it of seemingly omnipotent military equipment, and reached a higher pitch when it was observed that Washington and this Embassy remained inactive and aloof during and after the recent uprising." Die Kollaboration mit blutigen Diktaturen als „honorate associates" und ihre militärisch-ökonomische Unterstützung gegen fortschrittliche Kräfte ist ein ständiges Element US-amerikanischer Außenpolitik. *Foreign Relations of the United States*, Diplomatic Papers, Vol. VII, US Government Printing Office, Washington, D.C., 1967, pp. 1089
17) *Life*, 17.2.1941
18) In der Diktion Isaiah Bowmans, Direktor des Council on Foreign Relations: Die US „must accept world responsability ... The measure of our victory will be the measure of our domination after victory." Shoup et al, op.cit., p. 163. In den Worten F.D. Roosevelts: „No realistic American can expect from a dictator's peace international generosity, or return of true independence, or world disarmament, or freedom of expression, or freedom of religion — or even good business." Manchmal erscheint der wichtigste Teil einer Satzkonstruktion an ihrem Ende. *Congressional Record*, op.cit., p. 44
19) Zu den Kriegszielprogrammen der deutschen, englischen und französischen Machteliten (unter Machteliten vestehen wir die hegemonialen Fraktionen der herrschenden Klasse) und ihren gesellschaftlichen Grundlagen, vergleiche das monumentale Werk George W.F. Hallgartens, *Imperialismus vor 1914*, München 1962, 2 Vol. Die Kriegszielinteressen der Vereinigten Staaten entsprachen dem Credo der expansionistischen „open-door policy". Woodrow Wilson formulierte das in seiner Nominierungsrede als demokratischer Präsidentschaftskandidat am 7. August 1912 folgendermaßen: „Our industries have expanded to such a point that they will burst their jackets if they cannot find a free outlet to the markets of the world." Falls er gewählt würde, versprach er sein bestes zu tun, damit die Vereinigten Staaten „attained its deserved supremacy in the markets and enterprises of the world." „The Government", fügte er 1919 hinzu, „must open these gates of trade, and open them wide; open them before it is altogether profitable to open them, or altogether reasonable to ask private capital to open them at a venture." Zit. in William A. Williams, „American Intervention in Russia, 1917-1920", p. 29, in: B. Miller Underberger, *American Intervention in the Russian Civil War*, Lexington, USA 1969
20) Shoup et al., op.cit., p. 128
21) Ibid, p. 130
22) Ibid, p. 164
22a) Die Aufgabe der im Frühjahr 1940 in den USA formierten BSC bestand

darin, „to do all that was not being done, and could not be done by overt means, to assure sufficient aid for Britain and eventually to bring America into the war". Eines der wesentlichen Ziele der BSC war die im Oktober 1940 gegründete „America First" Gesellschaft, die gegen den US-Eintritt war. „America First" hatte Anfang 1941 bereits rund 700 Untergruppen mit etwa 1 Million Mitglieder. Zitat: Washington Post, 17.9.1989, p. C2
22b) Diese Kampagne wurde zum klassischen Beispiel geheimer politischer Kriegführung. Viele CIA-Kampagnen der Nachkriegszeit benutzten die für sie entwickelten Methoden. Vergl. Washington Post, 17.9.1989, C2.
23) Das Ende des Ersten Weltkrieges, in dem Japan auf Seiten der siegreichen Alliierten gekämpft hatte, bedeutete für das Reich der aufgehenden Sonne den Aufstieg zur Weltmacht und damit zum Rivalen der USA im Konflikt um die Hegemonialkontrolle des Pazifiks. (Bis Ende des 19. Jahrhunderts hatte die imperiale Militärpolitik China, und in den letzten zwei Jahrzehnten vor der sowjetischen Revolution, den zaristischen Imperialismus, als Hauptfeind definiert.) Auf der Washingtoner Konferenz von 1921 bestand Japan darauf, daß das Flottenverhältnis mit den USA auf die Proportion 7 zu 10 festgelegt würde, was die Verteidigung Japans durch die eigene Flotte gesichert hätte. Seekriegsexperten gingen davon aus, daß eine angreifende Flotte 50% stärker sein müsse, als eine defensive. Die von Japan vorgeschlagene Proportion hätte den USA eine 43% Überlegenheit gegeben, nach den damaligen Machtkalkülen unzureichend, um Japan anzugreifen. Japan mußte sich jedoch dem Druck der USA und Großbritanniens beugen und ein Flottenverhältnis von 5:5:3 akzeptieren (je 525.000 t für Großbritannien und die USA und 315.000 t für Japan), welches den USA in der entscheidenden Marinegruppe (Schlachtschiffe) eine Überlegenheit von 67% gewährte. Weiterhin wurde die Unabhängigkeit Chinas vertraglich garantiert sowie seine Unterordnung unter die Doktrin der „open-door policy". Auf der Londoner Flottenkonferenz im Jahre 1930 versuchte Japan erneut das 7 zu 10 Kräfteverhältnis durchzusetzen, scheiterte jedoch am Nein der westlichen Imperialismen. Von da ab begann die japanische Machtelite die Perspektive militärischer Durchbrechung ihres politischen Abhängigkeitsstatus und territorialer Expansion zunehmend stärker als reale Handlungsmöglichkeit ins Auge zu fassen. Vergl., u.a., Mitsuo Fuchida/Masatake Okumiya, *Midway, The Battle that doomed Japan*, Ballantine Books, New York 1983, p. 26 ff.
24) John Forster Dulles, *War or Peace*, New York 1950, p. 225. Im September 1945 setzte der US-Kongreß einen Untersuchungsausschuß über den Pearl Harbour Angriff ein, der im Juli 1946 einen Mehrheits- und einen Minderheits-Report produzierte. Im Minderheitsreport findet sich u.a. folgender, bedeutungsschwerer Absatz: „Through the Army and Navy intelligence services extensive information was secured respecting Japanese war plans and designs, by intercepted and decoded Japanese secret messages, which indicated the growing danger of war and increasingly after November 26 the imminence of a Japanese attack.

„With extraordinary skill, zeal and watchfulness the intelligence services of the Army Signal Corps and Navy Office of Naval Communications broke Japanese codes and intercepted messages between the Japanese Government and its spies and agents and ambassadors in all parts of the world and supplied the high authorities in Washington reliable secret information respecting Japanese designs, decisions, and operations at home, in the United States, and in other countries. Although there were delays in the translations of many intercepts, the intelligence services had furnished to those high authorities a large number of Japanese messages which clearly indicated the growing resolve of the Japanese Government on war before December 7, 1941." *United States Congress, Pearl Harbor Attack, Hearings Before the Joint Committee on the Investigation of the Pearl Harbor Attack, The 79th Congress, 2nd Session, Senate Document No. 244,* Washington, D.C., Government Printing Office, 1946, p. 514

Als der italienische Außenminister Graf Galleazzo Ciano vier Tage vor dem Angriff auf Pearl Harbor vom bevorstehenden japanisch-US-amerikanischen Kriegsausbruch unterrichtet wurde, schrieb er in sein Tagebuch: „Was bedeutet dieses Ereignis? In jedem Fall, daß Roosevelts Manöver geglückt ist. Da er nicht direkt und unmittelbar in den Krieg eintreten konnte, ist er indirekt in ihn eingetreten, indem er sich von den Japanern hat angreifen lassen." *Nazi Conspiracy* ... , p. 867 ff.

25) Shoup et al., op.cit., p. 166

26) Ibid, p. 168

27) Ibid, p. 170

28) Henry Picker, *Tischgespräche im Führerhauptquartier*, Seewald Verlag, Stuttgart, p. 500

29) „Dieser großen inneren Kolonisierung steht das Kolonialproblem gegenüber, das mit anderen Mitteln gelöst werden wird. Die Kolonien ... sind in erster Linie für die Erzeugung wirtschaftlicher Zusatz- und Rohstoffprodukte bestimmt ... ‚Es wird keine ausländische Heimat mehr geben, denn Heimat kann immer nur das ewige Großdeutschland sein. Es wird keine Kolonie mehr geben, die allen möglichen Illusionen Tür und Tor öffnen, sondern nur Wirtschaftsgebiete, die nach einem klaren Plan betreut werden. Das ist der wahre Sinn des Deutschland aufgezwungenen Krieges'." Himmler vor der NSDAP-Auslandsgruppe in Madrid, Okt. 1940. Zit. in *Mitteilungen* der Dokumentationsstelle zur NS-Sozialpolitik, Hamburg, Heft 4, Juni 1985, Dok. 4

30) Picker, op.cit., p. 59

31) Eine umfangreichere Diskussion des Zusammenhangs von imperialistischer ökonomischer Ausbeutung und staatsterroristischer Counter-Insurgency findet sich in meinem Buch, *Das Netzwerk des US-Staatsterrorismus in Lateinamerika*, welches 1990 vom Hamburger Institut für Sozialforschung (2000 Hamburg 13, Mittelweg 36) in deutscher Fassung herausgegeben wird.

31a) Dieses Interesse wurde von den westlichen Machteliten allgemein geteilt. Stalin fürchtete daher, daß Frankreich und Großbritannien versuchen würden, den heraufziehenden (inner)imperialistischen Krieg auf die Sowjetunion abzulenken, eine Befürchtung, die durch die „Appeasement"-Politik des Jahres 1938 verstärkt wurde. Stalins Akkomodationspolitik gegenüber dem Nationalsozialismus, die im „Hitler-Stalin Pakt" ihren Höhepunkt fand, war der Versuch, die Kriegsmaschinerie des kapitalistischen Faschismus gegen die der kapitalistischen Demokratien zu wenden.

31b) A. Dallin, *Deutsche Herrschaft in Rußland 1941-1945*, Düsseldorf 1981, p. 57

32) Alexander Dallin, Ibid, p. 70.

33) Ibid, p. 317,

34) Vergl. Karl Heinz Roths exzellenten Essay, „Vernichtung und Entwicklung. Die nazistische ‚Neuordnung' und Bretton Woods", in *Mitteilungen*, op.cit. p. 11

35) H. Picker, op.cit., p. 140/141

35a) „Erwägungen zur Nutzung der eroberten Gebiete durch das deutsche Volk", p. 1 ff., Hgb.: Arbeitswissenschaftliches Institut der Deutschen Arbeitsfront, AWI 211/41, Berlin, Dez. 1941, (Geheim), in: YIVO, New York, N.Y., Klassifikation 8/32031

36) Alexander Dallin, op.cit., p. 319

36a) „Erwägungen zur Nutzung ...", p. 9

37) Alexander Dallin, op.cit., p. 318/9 ff.,. Dort ebenfalls Hitlers und Görings Zitate.

38) K.H. Roth, op.cit., p. 1

39) vergl. dazu K.H. Roth, op.cit., p. 1

40) H. Picker, op.cit., p. 441

41) K.H. Roth, op.cit., p. 2

42) Wolfgang Schumann, Hrsg., *Griff nach Südost-Europa*, VEB Deutscher Verlag der Wissenschaften, Berlin, DDR 1973, p. 109 ff., Hervorhebung — H.D.

43) *Ermittlungen gegen die I.G. Farben*, Office of Military Government for Germany, United States (OMGUS), deutsche Fassung, Dokumentationsstelle zur NS-Sozialpolitik, verlegt bei Franz Greno, 1986, p. 257 ff
44) K.H. Roth, op.cit., p. 14
45) Ibid, p. 45
46) A. Dallin, *Deutsche Herrschaft in Rußland 1941-1945*, Athenäum, Droste 1981, p. 322
47) Ibid, p. 322 ff. Himmler sprach in einer Rede Anfang 1941 „von einer Dezimierung der slawischen Bevölkerung um 30 Millionen als dem Ziel des russischen Feldzugs". Ibid, p. 41
48) Der EG-Haushalt für 1990 hat ein Volumen von rund 51 Mrd. Dollar. Davon sind 30 Mrd. Dollar zur Subvention für Agrarprodukte vorgesehen. Nach Angaben der OECD bestehen die Agrareinkommen in der EG zu 46 Prozent aus Subventionen. In Japan beträgt der entsprechende Anteil 24%, in Finnland 70%, in Schweden 58%, in Österreich 48%, in Kanada 43% und in den Vereinigten Staaten 34%. Etwa zur gleichen Zeit, als die Subventionen für den 1990er Haushalt beschlossen wurden, vereinbarten die EG-Finanzminister, den Haushalt für wirtschaftliche Zusammenarbeit mit Lateinamerika und Asien um rund 33 Millionen Dollar zu kürzen. Für den EG-Haushalt 1992 sind Agrarsubventionen in Höhe von 36 Milliarden Dollar vorgesehen, wodurch die Preis- und Absatzlage für lateinamerikanische Agrarprodukte sich weiterhin verschlechtern wird. *Uno más Uno*, 10.8.1989, Mexico, D.F.
49) H. Picker, op.cit., p. 214
50) K.H. Roth, op.cit., Dok. 3, p. 2
51) H. Picker, op.cit, p. 118/9
52) H. Picker, op.cit., p. 215
53) Ibid, op.cit., p. 216
54) *International Herald Tribune*, 10/11.6.1989
55) H. Picker, op.cit., p. 215
56) H. Picker, op.cit., p. 215
57) K.H. Roth, op.cit., Dok. 3, p. 1
58) „The government ... desires to teach you to become farmers, and to civilize you, and *make you as white men*." US Senator John Logan im August 1883 zum nationalen Befreiungskämpfer der Lakota-Nation, Tatanka Yotanka, bekannt im westlichen Herrschaftsdiskurs als „Sitting Bull". Zit. in Dee Brown, *Bury my Heart at Wounded Knee*, Pocket Books, New York 1981, p. 400. Dee Browns Buch ist nach wie vor unverzichtbare Lektüre für jeden, der ein authentisches Verständnis dafür entwickeln möchte, was Kolonialismus real bedeutet. Als Manifest der Kolonialvernichtung der nordamerikanischen Völker steht es stellvertretend zugleich für die Tragödie der afrikanischen und asiatischen Völker, die dem atlantischen Kolonialismus zum Opfer fielen.
59) Zitat in: K.H. Roth, op.cit., Dok. 3, p. 2
60) Um das „Arbeitsvolk" im führerlosen Status zu halten, sollten begabte Kinder ausschließlich in Deutschland zur Schule gehen können. „Die Eltern dieser Kinder guten Blutes werden vor die Wahl gestellt, entweder das Kind herzugeben — sie werden dann wahrscheinlich keine weiteren Kinder mehr erzeugen, sodaß die Gefahr, daß dieses Untermenschenvolk des Ostens durch solche Menschen guten Blutes eine für uns gefährliche da ebenbürtige Führerschicht erhält, erlischt." K.H. Roth, op.cit., Dok. 3, p. 1, 3
61) Ibid, Dok. 2, p. 6
62) Ibid, Dok. 2, p. 6/7. Die Gleichsetzung von „Russen" und „Negern" war integraler Bestandteil des rassistischen Herrschaftsdiskurses der Nazis, ebenso wie der Begriff des „Untermenschen", der von der SS seit 1941 als wesentliches propagandistisches Korrelat der Militärexpansion in den „Ostraum" propagiert wurde. Es scheint, daß der Begriff aus Lothrop Stoddards rassistisch-antikommunistischem Machwerk, *The Revolt against Civilization, The Menace of the Un-*

der Man, entlehnt wurde. Darin definiert er den „Untermenschen" als „the man who measures *under* the standards of capacity and adaptability imposed by the social order in which he lives". Vergl. L. Stoddard, op.cit., New York 1922, p. 23. Stoddards sozialdarwinistisches Vulgärpamphlet wurde 1924 ins deutsche übersetzt. Der Rassismus des westlichen Herrschaftsdiskurses ist ohne Zweifel eines der wichtigsten Themen, das im Rahmen der Problematik des Fünfhundertjährigen Reichs vordringlich zu bearbeiten ist.
63) R. Opitz, op.cit., p. 641
64) *Foreign Affairs*, New York, July 1947, p. 566-582
65) Policy Planning Staff Studie (PPS) 23, 24.2.1948, in: *The State Department Policy Planning Staff Papers*, Ed. A.K. Nelson, New York, 1983, 3. Vol., p. 121/122
66) Zit. in Noam Chomsky, *Turning the Tide*, Boston 1985, p. 57
67) PPS 23, op.cit., p. 124 ff.
68) Vergl. R.W. von Alstyne, *The Rising American Empire*, Oxford 1960, p. 201
69) William A. Williams, *The Tragedy of American Diplomacy*, New York 1972, p. 235/6
70) Nach Angaben Broszat, et al., kamen allein in deutscher Kriegsgefangenschaft 3,5 Millionen sowjetischer Soldaten und Offiziere ums Leben, aus einer Gesamtzahl von 5,7 Millionen. M. Broszat, H.A. Jacobsen, H. Krausnick, *Anatomie des SS-Staates*, Bnd. 2, p. 141, dtv Dokumente, München 1984.
70a) Die japanische Besetzung Niederländisch Ostindiens und Malayas hatte die USA von 90 Prozent ihrer Kautschukzufuhr abgeschnitten. Bis 1944 gelang es, rund 87 Prozent des Bedarfs durch synthetische Herstellung zu decken. Allan M. Winkler, *Home Front U.S.A*, Harlan Davidson Inc., Arlinton Heights, 1986, p. 8. Die folgenden Daten Ibid, p. 14-24.
70b) Resümierend schreibt Winkler über die interne Situation der USA während der Kriegszeit:„For the most part, the home-front population was far more comfortable than it had been in the preceding decade. Mobilization brought the return of prosperity, and with it the hope and confidence in the American way that had all but disappeared during the Great Depression. Within the United States, the wartime mood was buoyant ... on balance, Americans prospered during the war, and prosperity was reflected by the wartime mood." Op.cit., p. 24/25
71) Vergl. William A. Williams, *Empire as a Way of Life*, Oxford University Press, New York/Oxford 1980, p. 177
72) Beispielsweise waren von 55 in der US-Besatzungszone gelegenen Werken der IG-Farben lediglich zwei zerstört, und nach US-Ermittlungen waren „87 Prozent des Produktionskapitals der I.G. Farben intakt geblieben". Vergl. OMGUS, *Ermittlungen gegen die IG Farben*, dtsch. Ausgabe, p. XLVII und XXXIX.
73) PPS/13, 6.11.1947, op.cit., p. 129
74) G.F. Kennan, „The Sources ...", op.cit., p. 581. Kennan erfand den politischen Terminus „containment" nicht, sondern übernahm ihn aus der US-Tradition. Bereits 1900 gebrauchte Henry Brooks Adams die Begriffe „contain" und „containing" zur Beschreibung der Politik, die gegenüber dem zaristischen Rußland angewendet werden sollte. Vergl. W.A. Williams brillantes Werk, *The Tragedy* ..., Delta Book, New York 1972, p. 235
75) G.F. Kennan, „The Sources ...", ibid, p. 581
76) G.F. Kennan, „Containment then and now", in: *Foreign Affairs*, Spring 1987, p. 884/5
77) PPS 23, op.cit., p. 115
77a) „The Western nations are confronted today with the new challenge of guerrilla warfare posed by the strategists of international communism and national liberation movements in the ‚grey areas'. It matters little whether this or that liberation movement is linked with communism: inasmuch as it places a heavy drain on the West's conventional military strength and seeks to dislodge a We-

stern power from an established position of strength on the periphery of Eurasia, its immediate strategic objectives will parallel those of the Sino-Soviet bloc." Col. Virgil Ney, *Notes on Guerrilla War. Principles and Practices*, Command Publications, Washington, D.C., 1961, p. 21

78) Vergl. Noam Chomsky, „The ‚Right Turn' in American Politics and the Decline of the Grand Area", unveröffentlichtes Manuskript, Mai 1987, p. 12/13

79) „Our overall aim with respect to the satellite states should be the gradual reduction and eventual elimination of preponderant Soviet power from Eastern Europe without resort to war." PPS-59, 25.8.1949, p. 137. Unter den dafür eingesetzten Programmen, die von ökonomischer Isolierung bis paramilitärischen Terrorgruppen reichten, befand sich auch eines, welches es als „nationales Interesse" der USA bezeichnete, „to take measures, which will encourage the desertion of the elite of the Soviet World" and utilize „refugee ressources in free Europe and free Asia to fill the gaps in our current official intelligence, in public information, and in our politico-psychological operations". Die Schließung der Zonengrenze zwischen Ost- und Westberlin im August 1961 („Berliner Mauer") war eine der Maßnahmen gegen das „Desertionsprogramm für die Elite der sowjetischen Welt". Die Rekrutierung von Flüchtlingen für „politisch-psychologische Operationen" bezog sich auf den Aufbau paramilitärischer Terrorgruppen nach dem Muster der nicaraguanischen Contras oder der kubanischen Exilbrigade 2506, die 1961 die Aggression in Playa Giron durchführte. Siehe PPS 22/1 vom 4.3.1948, op.cit., p. 96 ff.

80) PPS-52, 23.6.1949, op.cit., p. 59

81) Joyce and Gabriel Kolko, *The Limits of Power*, Harper & Row, New York 1972, p. 290 ff.

82) Ibid, p. 297-8. Zum Gebrauch von Wahlen als antidemokratischem, politischen Manipulationsinstrument vergl. E.S. Herman/F. Broadman, *Demonstration Elections*, South End Press, Boston; ebenso mein Buch, *Nicaragua: la construccion de la sociedad sin clases*, Mexico 1986.

83) Eine systematische, Kontinente und Jahrzehnte übergreifende Studie der US Grand Area-Politik nach 1945 existiert immer noch nicht. Der erste (mir bekannte) Versuch einer solchen Analyse ist Gabriel Kolkos, *Confronting the Third World, United States Foreign Policy 1945-1980*, Pantheon, New York 1988, der jedoch, im Gegensatz zu den anderen, brillanten Arbeiten dieses bedeutendsten kontemporären nordamerikanischen Historikers, unbefriedigend bleibt.

84) Himmler auf einer Konferenz von SS-Obergruppenführern am 4. Oktober 1943 in Posen, zit. in: Robert M.W. Kempner, *SS im Kreuzverhör*, Franz Greno, 1987, p. 304

85) Nach Berechnungen von US-Ökonomen ist der Lebensstandard der Bauern in vielen Gebieten Lateinamerikas heute genau so schlecht oder schlechter als während der Kolonialzeit.

86) in: Frantz Fanon, *Die Verdammten dieser Erde*, rororo Taschenbuch, Mai 1969, p. 7

87) „... in the winter, the sooner the better, and *whip* them into subjection." Dee Brown, op.cit., p. 271.

88) Ibid, p. 327

89) Ibid, p. 327

90) Sheridan äußerte den barbarischen Satz, als der Comanche Towasi sich in Fort Cobb mit einigen Kriegern ergab. Als er General Sheridan vorgeführt wurde, sagte er: „Towasi, good Indian." Sheridan antwortete: „The only good Indians I ever saw were dead."

91) Dee Brown, op.cit., p. 327/8

92) Den Teilnehmern der Vietnam-Protestbewegung wird der Satz des US-Luftwaffengenerals Curtis Le May unvergeßlich bleiben, als er auf dem Höhepunkt des Bombenterrors gegen Vietnam öffentlich deklarierte: „Wir werden sie in die Steinzeit zurückbomben."

93) F. Fanon, op.cit., p. 242
94) Joschka Fischer, *Der Umbau der Industriegesellschaft*, Frankfurt, 1989, p. 58 ff.
95) Fischer möge den Skeptikern verzeihen, daß sie Kinderarbeit, Sklavenhandel, KZ-Zwangsarbeit und die gegenwärtigen Lebensbedingungen der Massen in der Dritten Welt nicht ganz vergessen haben. Doch auch in den Konzernetagen der IG-Farbennachfolger, der Deutschen Bank, Mercedes Benz usf. wird Fischers — sicher gut gemeinte — Proposition besorgtes Stirnrunzeln hervorrufen: denn wie die Herren des Managements nach dem Gattungsstandpunkt Profite zur Dividenden-Zufriedenheit ihrer Großaktionäre kalkulieren sollen, wird noch manches Ökonometristen-Hirn in nicht geringe Schwierigkeiten stürzen.
96) Neokolonialistische Partitur, deren Instrumente von Brezhinsky (*Das gescheiterte Experiment. Der Untergang des kommunistischen Systems)* über die führenden kollektiven organischen Intellektuellen des Systems (New York Times, Washington Post usw.) bis zu bestimmten Dritt-Welt-Solidaritätsblättern in der BRD gehen.
97) Ernst Bloch, *Das Prinzip Hoffnung*, Frankfurt 1985, 20. Kap., p. 358

Noam Chomsky

Die europäische Invasion und ihre Folgen

A.P.G. Die offiziellen spanischen/OEA-Feiern sprechen vom „500. Jahrestag der Entdeckung Amerikas — Begegnung zweier Welten" (Descubrimiento de América — Encuentro de dos Mundos). Ist das eine korrekte Bezeichnung für das geschichtliche Ereignis?

N.Ch. Nun, es gab sicher eine Begegnung (encounter) zweier Welten, aber die Formulierung von der „Entdeckung Amerikas" ist offensichtlich falsch. Die Europäer entdeckten ein Amerika, das von seinen Bewohnern tausende von Jahren vorher entdeckt worden war. Es handelte sich also um die Invasion Amerikas, die Invasion einer fremden Kultur.

A.P.G. Man muß also korrekterweise entweder von Eroberung oder Invasion Amerikas sprechen?

N.Ch. Ja, das ist evident. Es ist möglich, eine unbewohnte Gegend zu entdecken; doch kein Gebiet, in dem Menschen wohnen. Wenn ich eine Reise nach Mexico unternehme, kann ich nicht einen Artikel schreiben, der heißt, „Die Entdeckung Mexicos".

A.P.G. Ist der 12. Oktober 1992 ein Datum, das man feiern (celebrate) kann oder sollte?

N.Ch. Nun, ich denke, das Datum verdient Aufmerksamkeit. Es gibt wenig Ereignisse in der modernen Geschichte, die so schreckliche Implikationen hatten, selbst dann, wenn man diese nur in statistischen Größen erfaßt, die wenig über die Realität sagen. Wahrscheinlich kamen in den auf die Invasion folgenden anderthalb Jahrhunderten ungefähr 100 Millionen Menschen ums Leben. Das ist erschreckend. Es ist schwer, vergleichbare Vorkommnisse in der menschlichen Geschichte zu finden.

Natürlich veränderten die Konsequenzen der Eroberung dramatisch die gesamte westliche Hemisphäre und, in der Folge, die westliche Zivilisation. Es handelt sich also um einen wichtigen Wendepunkt der Weltgeschichte. Doch „feiern" ist ein seltsames (funny) Wort. Ich glaube nicht, daß wir, beispielsweise, Hitlers Machtübernahme feiern, obwohl wir ihr sicher Aufmerksamkeit schenken.

A.P.G. Als Kolumbus in der westlichen Hemisphäre landete, nannte er die Bewohner „Indianer", da er glaubte, Indien erreicht zu haben. Obgleich dieser geographische Irrtum seit 500 Jahren korrigiert ist, nennt man diese Menschen weiterhin „Indianer". Warum?

N.Ch. Darin reflektiert sich die allgemeine Verachtung für die einheimische (indigenous) Bevölkerung. In der Tat, da sie kein Recht hatte, dort zu sein, wo sie war (und ist), spielt es keine Rolle, wie man sie nennt. Wir könnten die Tiere, die die Europäer hier vorfanden, ebenfalls mit falschem Namen nennen und niemand würde sich allzu sehr darüber aufregen.

Die Situation war unterschiedlich innerhalb der Hemisphäre. Doch wurde, z.B., den von nordeuropäischen Siedlern besiedelten Teilen, die nun englischsprachig sind, die britische Gesetzgebung (common law) aufgezwungen und gemäß dieser Gesetzgebung hatten die Bewohner keine Landrechte, da sie nicht seßhaft waren, sondern Jäger und Sammler.

Dies war natürlich völlig falsch. Und die Tatsachen wurden immer wieder gefälscht, damit sie mit der Gesetzgebung übereinstimmten. Zum Beispiel wurden wir von distinguierten Anthropologen bis in die siebziger Jahre hinein dahingehend belehrt, daß wir die archäologische und dokumentarische Information zurückzuweisen hätten, die eindeutig bewies, daß es sich bei den ursprünglichen Bewohnern um Siedler handelte, die, gemessen an den Standards jener Zeit, relativ fortgeschrittene Zivilisationen darstellten. Man behauptete, es seien lediglich Jäger- und Sammlervölker gewesen und folglich zahlenmäßig geringe Bevölkerungsgruppen. So sprach man von etwa einer Million Einwohner nördlich des Rio Grande, anstelle der zehn Millionen Menschen, die dort wirklich lebten.

Der Grund für diese über Jahrhunderte betriebenen systematischen Fälschungen ist einfach. Im wesentlichen ging es darum, das Prinzip zu etablieren, daß die dort lebende Bevölkerung keine Eigentumsrechte am Land hatte, da sie Nomaden waren und die Territorien lediglich auf der Jagd durchstreiften. Auf diese Weise entstanden keine gesetzlichen oder moralischen Probleme, wenn ihnen das Land von den europäischen Kolonisatoren weggenommen wurde.

Es handelt sich hier also um Hintergrundphänomene, die damit zu tun haben, wie der Prozeß der Eroberung und Kolonisation in Amerika wirklich ablief. Was die einheimische Bevölkerung betrifft: da sie kein Recht hatte, auf diesem Land zu sein, spielte es keine große Rolle, wer sie waren; ob sie aus Indien kamen oder von sonstwo her.

Es hat in den letzten zwanzig Jahren eine Art kultureller Veränderung gegeben, im wesentlichen als Resultat der sechziger Jahre. Viele der Dinge, die in den sechziger Jahren passierten waren sehr positiv und bedeutend. Unter anderem wurde es zum ersten mal möglich, die Frage anzuschneiden, was mit der einheimischen Bevölkerung geschehen war und was man ihr angetan hatte. Und daraus entstand ein gewisses Bewußtwerden der rassistischen Bedeutung, die in unserer Bereitschaft lag, weiterhin den Begriff „Indianer“ zu verwenden — so, als ob es nicht daraufankäme, um wen es sich dabei handelte.

A.P.G. Was wäre die richtige Haltung für die Solidaritätsbewegung gegenüber 1992?

N.Ch. Die richtige Haltung für die Solidaritätsbewegung würde darin liegen, die Tatsachen ehrlich und bewußt zur Kenntnis zu nehmen und die Gelegenheit des „1992“ zu nutzen, um die

Fakten über die europäische Invasion der westlichen Hemisphäre bekannt zu machen: die aus der Invasion resultierenden Konsequenzen, die Situation der einheimischen Bevölkerung, ihre Behandlung seit Beginn der Schlächterei und Unterdrückung vor fünfhundert Jahren, die Fortsetzung dieser Unterdrückung in der Gegenwart usw.

Man braucht nur einen Blick auf das guatemaltekische Hochland, die Reservationen im Westen der Vereinigten Staaten oder von einem Extrem der Hemisphäre zum anderen, zu werfen. Dann sieht man, daß die Verfolgung und Oppression vor unseren Augen, in einer häufig sehr brutalen Form, weitergeht.

Die Bedeutung dieser fünfhundert Jahre zu begreifen, heißt nicht nur, den geschichtlichen Prozeß zu begreifen. Es heißt ebenfalls, sich dem Verständnis der aktuellen Wirklichkeit anzunähern. Ich denke, die Solidaritätsbewegung sollte für sich selbst und andere versuchen, ein Bewußtsein dieser Fakten zu entwickeln und, zum ersten mal, eine ehrliche und humane Position ihnen gegenüber einzunehmen.

A.P.G. Im Jahre 1492 wurden die lateinamerikanischen Völker in unterdrückter und abhängiger Weise in das westliche Weltsystem integriert. Haben sie seitdem ihre Autonomie zurückgewinnen können?

N.Ch. Nein. Das Verhältnis zwischen Invasoren und einheimischer Bevölkerung differierte in den verschiedenen Territorien der westlichen Hemisphäre. In einigen Gebieten wurden die amerikanischen Völker in irgendwelcher Form integriert, in anderen schlicht ausgerottet und in wieder anderen einfach vertrieben und irgendwohin in Reservate verbannt. Es existierten also unterschiedliche Beziehungen. Doch ihr Endresultat besteht darin, daß der größte Teil der Hemisphäre nach wie vor unterjocht ist.

Aus Gründen, die mit der Weltgeschichte zu tun haben, entwickelten sich die englischsprachigen Teile zu weltbeherrschenden Mächten, insbesondere die Vereinigten Staaten, welche die erste wirklich globale Macht der Weltgeschichte darstellt. Lateinamerika ist sehr stark der imperialen Macht- und Gewaltausübung des Westens unterworfen worden. Und das geschieht

weiterhin: in der Schuldenkrise, in den Interventionsdrohungen, in den sehr deformierten Formen der Entwicklung und in der — trotz kulturellen Reichtums und Vielfalt — extremen sozialen Rückständigkeit vieler Gebiete. All diese Dinge haben sich im Interaktionsprozeß der Weltgeschichte herausgebildet und, aus verschiedenen Gründen, zu einer sehr abhängigen, untergeordneten und unterdrückten Situation für die Mehrzahl der nicht-englischsprachigen Teile geführt.
A.P.G. Heißt das, daß 1992 für alle kritischen und ehrlichen Leute a priori eine antikolonialistische Bedeutung hat?
N.Ch. Ja. Nur sollte „1992" uns auch dazubringen, die *gegenwärtige Form der Herrschaftsausübung in der internationalen Sphäre zu betrachten.* Es ist nicht die gleiche Form wie die des traditionellen Kolonialismus, weist jedoch andere Aspekte — und horrende Ereignisse — auf, die für jeden ehrlichen Menschen inakzeptabel sein sollten. Es genügt, die Ereignisse Mittelamerikas während der letzten Dekade zu betrachten, um zu sehen, wie schrecklich die Effekte dieser internationalen Herrschaftsstruktur sein können.
A.P.G. Wie ist es zu verstehen, daß die US-Regierungen einerseits eine repressive Politik gegenüber den „American Indians" betreiben, andererseits aber vorgeben, Verteidiger der Menschenrechte der Miskitos in Nicaragua zu sein?
N.Ch. Man muß daran erinnern, daß Reagan, und nicht nur Reagan sondern das ganze ideologische System der Vereinigten Staaten die Miskito-„Indianer" verteidigte oder vorgab, sie zu verteidigen und über ihr Schicksal empört zu sein. Exakt zum gleichen Zeitpunkt applaudierten Reagan und seine Helfer den Vorgängen in Guatemala (Massakern an „Indios" — A.P.G.). Sie verteidigten sie nicht nur, sondern zollten ihnen Beifall und forderten Unterstützung für sie.

Reagan erklärte im Jahre 1982, daß Rius Montt ein Demokrat sei und eine gute Politik betreibe. Ähnliche Dinge hörten wir von Jeanne Kirkpatrick und dem Rest jener Crew während der gesamten Periode. George Shultz, Elliott Abrams, die Reagan-Anhänger und viele andere verteidigten und unterstützten Guatemala. Keiner von ihnen protestierte in ernstzunehmender Weise, während sie gleichzeitig prätendierten, über die Behandlung der Miskito-„Indianer" entrüstet zu sein.

Nun, die Miskito-„Indianer" wurden schlecht behandelt, doch sie befanden sich zugleich unter den bestbehandelten Einheimischen-Gruppen in der Hemisphäre. Wenn sie ihre legitimen Autonomie-Forderungen irgendwo im Norden gemacht hätten, dann wären sie einfach abgeschlachtet worden, sofern das Lächerlichmachen ihrer Forderungen zu ihrer Neutralisierung nicht ausgereicht hätte.

Zur Zeit als Reagan und das State Department über die barbarische und unmenschliche Behandlung der Miskitos sprachen, waren möglicherweise einige Dutzend von ihnen in Konflikten mit Sandinisten getötet worden. Zur gleichen Zeit wurden unbekannte Zehntausende, vielleicht 70 bis 80 tausend, im guatemaltekischen Hochland von Streitkräften abgeschlachtet, die vom Westen ausgerüstet, von den USA unterstützt und von Ronald Reagan verteidigt wurden als ehrliche, für die Demokratie kämpfende Kräfte.

Und wenn wir einen Blick auf die Behandlung der „Native Americans" innerhalb der Vereinigten Staaten werfen, dann ist, verglichen mit diesen minimalen Standards, die Behandlung der Miskitos relativ respektabel. Wie ich schon sagte: wenn irgendeine Gruppe von „Native Americans" in den Vereinigten Staaten vergleichbare Autonomieforderungen stellen würde und ihr Lächerlichmachen nicht ausreichte, um sie zu neutralisieren, dann würden sie einfach abgeschlachtet. Daher kann niemand diese Haltung der US-Regierung als irgendetwas anderes ansehen, denn als außergewöhnliche Heuchelei.

A.P.G. Der „American Indian" stand traditionell auf der untersten Stufe des Sozial- und ethnischen Prestiges der Vereinigten Staaten. Hat sich daran etwas geändert?

N.Ch. Ja. Als ich Kind war, spielten die Jungen vor allem Cowboy und Indianer. Man ging in die Wälder unter der Voraussetzung, daß dort Indianer wären. Es war das gleiche, als ob man jagen würde, Tiere jagen würde. Und in der populären Kultur wurde die Konzeption des „Indianers" als hinterhältigem Wilden betont oder auch, ein anderer Aspekt des gleichen Syndroms, des Noblen, aber Wilden, der sein primitives Leben führt, bevor eine bessere Entwicklung beginnt. Das hat sich sicher verändert. Ich glaube, daß der vulgäre Rassismus, der unsere ganze Geschichte bis zu den sechziger Jahren charakterisiert, durch den Einfluß dieser Periode verändert wurde. Gleichwohl werden die „American Indians" nach wie vor in verabscheuungswürdiger Weise behandelt. In einem kürzlich erschienen guten Buch von M. Churchill, *Agents of Repression*, das von den Kriegen des FBI gegen das American Indian Movement (AIM) handelt, finden sich viele Beispiele dafür. Und dieses Buch dokumentiert Ereignisse der siebziger Jahre.

A.P.G. Mit anderen Worten, der „American Indian" ist immer noch am untersten Ende der Rassenskala?

N.Ch. Ja, unter vielen Gesichtspunkten, am untersten Ende. In der Tat, fast inexistent.

A.P.G. Eine letzte Frage: Als Teil der offiziellen Feiern will man die Statue Christoph Kolumbus' von Barcelona nach New York bringen. Dort soll eine „Hochzeitszeremonie" mit der Freiheitsstatue stattfinden. Wie denkst du darüber?

N.Ch. Kolumbus war einer der wesentlichen Praktikanten des Genozids in jener Periode. Aber abgesehen von seinen eigenen verabscheuungswürdigen Taten, ist der Symbolismus dieses Akts spektakulär, denn seine Reisen in die westliche Hemisphäre initiierten eine Periode und einen Prozeß, in dem Millionen von Menschen ausgerottet wurden. Dies „Freiheit" zu nennen, geht weit darüber hinaus, was George Orwell sich je hätte träumen lassen.

eneko

Iñaki Egaña

Die imperialen Interessen Spaniens und Europas am 500. Jahrestag

Ich möchte mich zunächst vorstellen. Ich heiße Iñaki Egaña und bin Mitglied des baskischen Kollektivs *Amaiurko Quetzal Agiria*. Es kann sein, daß dieser Name wegen seiner Mischung aus baskischer und Mayasprache (Euskara und Tzotzil), etwas exotisch klingt. Ich werde seine Bedeutung erklären.

Amaiurko Quetzal Agiria ist der Name eines Manifestes, das von 100 baskischen Kulturarbeitern unterzeichnet wurde, die sich 1988 entschieden haben, Widerstand gegen die geplanten Feierlichkeiten zu leisten, die sich „500. Jahrestag der Entdeckung Amerikas“ nennen. Das im Namen der Gruppe enthaltene Wort *Amaiur*, kommt vom Volk der Navarro, baskisch im weiteren Sinne, in dem in den Jahren 1512 und 1521, fast gleichzeitig mit dem Eindringen spanischer Truppen in Amerika, eine Gruppe von Jugendlichen ihr Land gegen die spanischen Truppen verteidigte. 1492 bedeutete nicht nur die Ankunft von Kolumbus und seinen drei Fregatten in der Karibik, sondern auch den Beginn des Aufbau Spaniens als Staat, der mit dem Verlust der peripheren Kulturen einherging, die wie die baskische — damals und heute — um eine eigene Identität kämpften.

Mit dem Wort *Quetzal* wollten wir die Symbolhaftigkeit der Freiheit in den Namen der Gruppe aufnehmen, die dieser Vogel, der halb Mythos, halb Realität ist, für die mesoamerikanischen Kulturen hat.

Der *Quetzal* ist das Symbol der Freiheit, weil er nicht in Gefangenschaft leben kann.

Amaiurko Quetzal Agiria ist also ein baskisches Kollektiv gegen die Feierlichkeiten zum 500. Jahrestag, das sein Nichteinverständnis mit den geplanten Aktivitäten deutlich machen will und das gegen jede Art von Rechtfertigung der Eroberung ist. Es ist ein Kollektiv, das an die pluralistische Kultur glaubt, nicht nur in Amerika, sondern auch in Europa und auf der iberischen Halbinsel. Ein Kollektiv, das auch die Beziehungen mit den Völkern auf der anderen Seite des Ozeans anders gestalten will, als sie bisher waren. Es will Beziehungen, die solidarisch und weniger paternalistisch sind, als die, die die spanische Regierung und die Europäische Gemeinschaft etablierten oder einfach fortführen möchten.

Ich werde mich kurz halten. Deshalb möchte ich einfach einige Ideen darstellen, die dazu beitragen sollen, die Reflexion und die Diskussion anzuregen.

Ich möchte zuerst darauf hinweisen, daß 1992 absolut nicht das Gedenken eines Faktums ist. 1992 ist eine globale Operation, an der sich die zwölf Länder der EG beteiligen. Eines davon ist Spanien. Ein Land, das dem Ganzen seinen speziellen, Charakter verleiht. (Erinnern wir uns daran, daß Felipe Gonzáles vor kurzem gesagt hat, daß die *Hispanität*, das Spanischtum, im Zeichen des 500. Jahrestages der Entdeckung, das Wesen des 20. Jahrhunderts sein müßte.) In diesem Sinne ermöglicht das spanische Element eine interne Offensive innerhalb der EG, über die der EG-Zusammenschluß einen distinguierten, kulturellen und künstlerischen Anstrich erhält und der die definitive „Ansiedlung“ des spanischen Staates innerhalb der westlichen Gesellschaft möglich macht.

Ich werde mich noch etwas bei der *Hispanität*, dem Spanischtum aufhalten, weil wir als Basken davon besonders betroffen sind. Diese *Hispanität* verfolgt zwei Richtungen. Die erste ist die, dem Spanischtum in Europa und Amerika Prestige zu verleihen. Das zweite Ziel richtet sich mehr auf das Innere Spaniens und verfolgt die Homogenisierung der iberischen Halbinsel. Das bedeutet: Spanien als ein einziges Volk, mit einer einzigen Sprache, einer einzigen Kultur und natürlich mit einem einzigen Namen.

In diesem Sinne verbirgt sowohl der EG-Zusammenschluß, als auch die Unterstützung der EG für die spanischen Vorhaben eine Wirtschaftspolitik, die die Ausplünderung der Dritten Welt zum Ziel hat. Außerdem soll er über die Misere in den eigenen, europäischen Ländern hinwegtäuschen (wenn ich mich richtig erinnere, leben von den 325 Millionen Europäern 40 Millionen in Armut) und letztendlich ist der EG-Zusammenschluß ein Versuch, die Konkurrenzfähigkeit der EG gegenüber den USA und vor allem gegenüber Japan in Lateinamerika zu verbessern.

Spanien wird für dieses Projekt seine geschichtliche Tradition in Amerika ausnutzen. Eine zweifellos imperiale Beziehung, die Spanien nutzt, um als Vermittler zu wirken und über diese Rolle die wirtschaftlichen Beziehungen des Kontinents zu kontrollieren. Leopoldo Giunti, Leiter der Abteilung Lateinamerika der EG in Brüssel, gab vor einer Delegation der „Kampagne zur Selbstentdeckung“ zu, daß in Amerika eine Stimmung gegen die Feierlichkeiten zum 500. Jahrestag besteht und daß das Projekt des 500. Jahrestages, weil es ein spanisches Projekt ist, ein gesamteuropäisches Projekt ist. Gleichzeitig sagte er, daß Spanien starken Druck ausübt, um es nicht zu Unstimmigkeiten über die zu verfolgende Strategie innerhalb der zwölf Mitgliedstaaten kommen zu lassen.

Wir glauben, daß im Zentrum von all dem die tiefe Misere steht, in der sich der amerikanische Kontinent befindet. Und der Grund ist einfach: Die absolute Abhängigkeit von der westlichen Welt und die Auslandsschulden. Und deshalb nennen wir diejenigen, die die 500 Jahre feiern wollen, unmoralisch. Zur Zeit schuldet jeder Zentral- und jeder Südamerikaner den Banken des Kapitals pro Kopf mehr als 1.000 Dollar. Die Auslandsschuld dieser Länder hat im Jahr 1988 die 415 Milliarden

Dollar-Grenze überschritten. Man sagt, daß ein „vegetatives Wachstum" erreicht sei, das bedeutet, daß die Schulden seit langem schon die Grenzen der Rückzahlungsmöglichkeiten überschritten haben.

1987 haben die Bauern der EG eine Subvention von 33 Milliarden Dollar bezogen. Im gleichen Jahr erhielten die Weizenanbauer der USA 25 Milliarden Dollar Subventionen. Ich kenne die Daten von Japan nicht. Aber die japanische Landwirtschaft war in den letzten Jahrzehnten diejenige, die am meisten durch ihre Regierung geschützt wurde, mehr als es alle anderen Regierungen der fünf Kontinente taten.

Wenn die Makrogemeinden der ersten Welt ihre Produkte mit einem so erheblichen Protektionismus schützen, welche Perspektiven haben dann noch die armen Länder Lateinamerikas unter den bestehenden Handelsbedingungen, die von der Dominanz der Ersten Welt geprägt sind. Welche Perspektiven bleiben ihnen dann noch für die Ausfuhr ihres Weizens, ihres Zuckers, ihres Fleisches, ihrer Öle?

In dieser kurzen Darstellung des europäischen Kolonialismus in Amerika möchte ich jetzt auf einen anderen Aspekt eingehen: nicht weil ich glaube, daß die wirtschaftlichen Beziehungen nicht die Grundlage der Ausplünderung in allen ihren Ausprägungen sind, sondern weil einige der Erscheinungsweisen der Herrschaft oft dann unbeachtet bleiben, wenn wir die Hauptlinien der politischen Macht aufzeigen wollen.

Die Dominierung eines Volkes setzt voraus, daß diejenigen, die damit nicht einverstanden sind, von denen, die es unterdrücken, als Feinde, als Untermenschen, als Wilde, behandelt werden. So war es notwendig, den Indio als unmenschlich darzustellen. Das ist das erste Gebot des Völkermordes. Vor dem Völkermord muß die Herabwürdigung der Opfer geschehen. Während der gesamten Zeit der spanischen oder angelsächsischen Vorherrschaft, wurde der *Nicht*-Engländer oder der *Nicht*-Spanier als ein Wesen zweiter Kategorie angesehen. Und diese Idee spiegelt sich in allen Eroberungen dieses Globus wider.

Juan Ginés de Sepúlveda sagte 1547, „daß die Spanier mit völligem Recht über diese Barbaren der neuen Welt und der umliegenden Inseln herrschten, die in ihren Fähigkeiten und Tugenden den Spaniern so weit unterlegen sind, wie Kinder im Vergleich zu Erwachsenen und Frauen im Vergleich zu Männern." Der spanische Priester Gregorio García sagte bezüglich der Indios: „Sie sind faul, sie glauben nicht an die Wunder Jesus Christus und sie sind den Spaniern nicht dankbar für all das Gute, was sie ihnen getan haben." Als die spanischen Könige die Juden und Araber von der iberischen Halbinsel vertrieben, kommentierte Papst Paul der IV. während des Konzils von Trento: „Diese Herde von Mauren und Juden sind die Scheiße der Erde."

1968 sagte der damals noch nicht amtierende spätere Präsident der USA, Ronald Reagan, daß die Schwarzen „tollwütige Hunde" seien. Und alle kennen wir die Zweifel der katholischen Kirche bezüglich der Frage, ob die „Indios" Menschen seien, oder ihre Zurückhaltung in der Frage der Abschaffung der Sklaverei. Und heute zeigen sich die gleichen rassistischen Ideen bei denen, die die Feierlichkeiten zum 500. Jahrestag verteidigen. Juan Carlos I., König von Spanien, sagte kürzlich: „Wir werden die Großtat, die wir vollbracht haben, wiederholen." Luis Yañez, Präsident der ‚CEVDDA', der „spanischen Kommission für die Feierlichkeiten des 500. Jahrestages der Entdeckung Amerikas", bemerkte, daß die Kritik an den Feierlichkeiten „lächerlicher Masochismus" sei, und daß die wenigen „Fehler", die begangen wurden, verständlich wären. Im spanischen Staat haben die Regierungsanhänger uns, die wir uns den offiziellen Feierlichkeiten widersetzen, mit allen möglichen Ausdrücken belegt: „professionelle Denunzianten", oder „unerträgliche Wesen".

Ich denke, daß die Kolonialisierung als ideologisches Ziel die Zerstörung aller Identitätsmerkmale der überfallenen Kulturen hat. Der erste Schritt dieses Prozesses ist die Rechtfertigung der Ungleichheit: die Indios sind minderwertiger, so wie es die Afrikaner, die Melanesier oder die Vietnamesen waren. Die höherwertige Rasse, die berufen war, den Willen Gottes auszuführen, ist die der Spanier oder der Europäer. In Spanien zum Beispiel — und ich glaube, daß dies ein deutliches Symbol dafür ist, daß die Reden und die Gedankengänge gleich rassistisch und aggressiv geblieben sind wie die der Eroberer — war der 12. Oktober, der Tag an dem Kolumbus erstmalig Land erblickte, der „Tag der Rasse", „Tag der *Hispanität*". Heute, unter der sozialistischen Regierung, ist er der „Nationalfeiertag Spaniens". Das ist eine weitere Immoralität. Können Sie sich vorstellen, daß der Nationalfeiertag der Bundesrepublik der Tag wäre, an dem Hitler in Polen eingefallen ist?

Einer der Mechanismen der Erniedrigung dieser Kulturen kam mit dem linguistischen „Fenstersturz" der unterdrückten Völker. Alle Chronisten der Kolonie waren sich darin einig, die Notwendigkeit zu betonen, Spanisch, Portugiesisch oder Englisch als gemeinsame Sprache Amerikas einzuführen. So wurde Spanisch zur obligatorischen und zur einzigen geschriebenen Sprache, sowohl in Amerika, als auch auf der iberischen Halbinsel. Derzeit gibt es nur noch zwei amerikanische, indianische Sprachen, die als offiziell angesehen werden können, obwohl sie im Erziehungsbereich ungleichen Bedingungen ausgesetzt sind.

Im spanischen Staat geschah etwas ähnliches — und deshalb wiederhole ich, daß das Projekt des 500. Jahrestags für uns eine doppelte Bedeutung hat, eine externe und eine interne. In der offiziellen Geschichtsschreibung, die in Madrid vor 30 Jahren veröffentlicht wurde, hieß es: „Die Armut und die schwache Demographie der baskischen Provinzen vor der industriellen Revolution ... ihre ungebildete und barbarische Sprache (ich erinnere daran, daß ich von einem Text spreche, der vor 30 und nicht vor 300 Jahren verfaßt wurde) hat keine eigene Eleganz, sondern ist wie diese Leute selbst: grob, wild und unkultiviert". Diese Disqualifizierungen gehen von einer Haltung der Überlegenheit eines Volkes gegenüber einem anderen Volk aus.

Und die Sprache ist der innere Zusammenhalt eines Volkes. Sie ist die Verbindung zu seiner Vergangenheit und seiner Geschichte. Sie macht von der Behringstraße bis nach Patagonien den ursprünglichen Reichtum der Identität der Völker aus. Sie ermöglicht seine kulturelle Darstellung gegenüber anderen Völkern. Sie ist die Trägerin, die vermittelt, wie wir sind, und wie die anderen sind. Sie ist die Sicherheit der kulturellen und rassistischen Pluralität.

Kein einziges der Hunderte von Projekten, die die spanische Kommission der Feierlichkeiten zum 500. Jahrestag der Entdeckung Amerikas erarbeitet hat, hat jedoch auch nur die entfernteste Beziehung zu den Indígenasprachen der unterworfenen Völker. Nicht eine einzige der Hunderte von Millionen Peseten, die aus dem spanischen Staatshaushalt ausgegeben wurden, um diesen Jahrestag 1992 vorzubereiten, hatte das Ziel, auch nur eine einzige der Sprachen zu unterstützen, die in ganz Amerika gesprochen wurden. Nicht eine Mark, nicht eine Pesete, nicht ein Dollar wurde dafür ausgegeben. Das ist sehr einfach zu interpretieren — aber deshalb nicht weniger wahr. Amerika wird weiterhin kulturell kolonisiert.

Vielleicht erscheint, was ich dargestellt habe, etwas konfus. Das ist möglich. Was ich klarstellen möchte ist, daß es absolut nicht übertrieben ist. Hier in Köln hat das Ethnologische Institut 1985 eine Ausstellung über die amerikanische Kolonisierung organisiert. Die spanische Botschaft protestierte heftig und die Ausstellung wurde geschlossen. Damit möchte ich zeigen, daß möglicherweise in der BRD das spanische Projekt als sehr weit entfernt erscheint. Aber wahr ist, daß im spanischen Staat und in Amerika eine enorme Offensive stattfindet. Eine imperiale und kolonialistische Offensive, wie immer in den letzten 500 Jahren. Vor kurzem, als das spanische Fernsehen über bolivianische Abgeordnete berichtete, die die Feierlichkeiten zum 500. Jahrestag gegenüber dem spanischen König ablehnten, sagte der Sprecher, daß die Bolivianer wegen „angeblicher Morde", die während der Entdeckung geschehen seien, protestierten.

Jean Loup Herbert hat 1992 als die „westliche Amnesie, den westlichen Erinnerungsverlust" qualifiziert. Chomsky sagt, daß „1992 weit über das hinausgeht, was sich George Orwell jemals hat ausdenken können." Vom Baskenland, von Euskadi aus, können wir nicht von „Gedenkfeierlichkeiten" reden. Von Spanien geht eine imperiale Botschaft aus, mit kaum getarntem Chauvinismus, die auf den Merkmalen beruht, die ein Land dazu bringen ein anderes anzugreifen, den Kolonialismus zu rechtfertigen, der Fremdenfeindlichkeit, dem Rassismus und nationalen Interessen den Vorrang zu geben gegenüber der Lösung innerer sozialer Krisen. Dazu werden die Mythen der Eroberung benutzt. Die Menschen in Amerika erwarten unsere Solidarität, „die die Zärtlichkeit der Völker ist", wie sie die nicaraguanische Dichterin Gioconda Belli genannt hat.

Deshalb kann ich Sie von unserem kleinen Baskenland aus nur animieren, diese Feierlichkeiten zurückzuweisen und dazu auffordern, daß wir alle unser Teil dazu beitragen, um dieses Ziel gemeinsam und pluralistisch zu erreichen.

Alba Guzmán

Die Rolle der „Indígena"-Frauen in der Befreiung Amerikas

Ich möchte die heutige Begegnung mit Euch nutzen, um einige Aspekte der gegenwärtigen „indígena"-Gesellschaft darzustellen, die Euch helfen werden zu verstehen, weshalb es „indígenas" gibt, die die Zelebrationen des 500. Jahrestags (V Centenario) der sogenannten Entdeckung Amerikas mitfeiern werden. Ich verknüpfe damit die Darstellung einiger Aspekte, die die Probleme des Alltagslebens der „indígena"-Frauen widerspiegeln.

Die von mir vorgestellten Gesichtspunkte, welche den offiziellen, paternalistischen Indigenismus in Frage stellen, werden von vielen nicht-„indígenas" geteilt, die in unterschiedlichen Projekten nicht *für* die indígenas arbeiten, sondern *mit* ihnen.

Die „indígenas" existieren nur als Vergangenheit

Wenngleich in Lateinamerika heute mehr als 30 Millionen „indígenas" leben, spricht die offizielle Geschichtsschreibung von ihnen immer nur in der Vergangenheit. Und obwohl die offizielle Historiographie diese Vergangenheit manchmal als glorreiche darstellt, findet die Existenz der „indígenas" ihr Ende doch immer im Moment der Conquista. So sagt man, daß in Macchu Picchu, Mitla oder Copán Incas, Zapotecas und Mayas *lebten* — man spricht von ihnen immer in der Vergangenheit. Die Quechuas, Zapotecas und Mayas, die weiterhin und *in der Aktualität* in diesen Gebieten leben, existieren in der Geschichte nicht, obgleich sie präsent sind. In den Volkszählungen werden sie im allgemeinen nicht mit Präzision erfaßt. Aus diesem Grund spricht man von der statistischen „Unsichtbarkeit" der „indígena"-Bevölkerung, die häufig nur mittels Schätzungen rekonstruiert wird. Diese „Unsichtbarkeit" ist nicht nur statistisch, sondern besitzt eine sehr starke politische Komponente.

Man muß sehen, daß diese historisch negierte „indígena"-Gesellschaft nicht mehr die gleiche ist, die Teotihuacan oder Palenque konstruierte. In der Gegenwart bezieht man sich auf sie als eine marginale Gesellschaft, die „nicht in die nationale Gesellschaft integriert ist". Dies ist falsch: die „indígena"-Gesellschaft *ist* in die nationale Gesellschaft integriert, jedoch unter Bedingungen der Unterordnung und Ausbeutung.

Ihrer Ländereien, ihrer Symbole beraubt, und ohne die Erfüllung der grundlegendsten Lebensnotwendigkeiten, haben die Völker Lateinamerikas bis heute überlebt. In diesem Überlebenskampf ertrugen sie Versuche des Genozids, Massaker, selektive Morde oder einfach die Bestimmung, in extremer Misere zu verelenden.

Die Integration der „indígena"-Gesellschaft in die nationale Sozietät ist im Laufe der Zeit immer komplexer geworden. Während auf der einen Seite ein beschränkter Teil der nationalen Gesellschaft sich „indianisiert" hat, erlitt, andererseits, die „indígena"-Gesellschaft eine fühlbare Erosion ihrer Identität.

Der interne Kolonialismus in der „Indígena"-Gesellschaft

Die unterentwickelt gehaltenen nationalen Gesellschaften haben eine Dynamik des internen Kolonialismus entwickelt, die nicht nur zwischen der nationalen und der „indígena"-Gesellschaft wirkt, sondern sich ebenfalls im Innern der „indígena"-Gesellschaft selbst reproduziert. Der Zugang von „indígenas" zur offiziellen Bürokratie, vor allem im Edukationssektor, hat eine neue Klasse „reicher Indios" hervorgebracht.

Aufgrund der Disposition über ein festes Gehalt und einer Autoritätsposition innerhalb des bürokratischen Apparates der Edukationsministerien, ist diese Gruppe von zweisprachigen (bilinguistisch) Lehrern, Schuldirektoren und, insbesondere, Schulinspektoren und Direktoren höheren Niveaus in einer privilegierten Situation. Sie verfügt über genügend ökonomische Ressourcen, um Eigentum, Vieh, Geschäfte usw. zu erwerben.

Wenn die bürokratische Stellung auch nicht die einzige Bereicherungsquelle dieser Gruppen ist, so hatte sie doch entscheidende Bedeutung in der Entwicklung der neuen Klasse „reicher Indios", die nicht nur über ökonomische Macht verfügen, sondern ebenfalls über eine beträchtliche Quote politischer Macht, die sich aus der Stellung ableitet, die sie in Gemeinden innehaben; Gemeinden, in denen Arbeitslosigkeit herrscht und in denen die Lebensbedingungen äußerst prekär sind. Die neue Komposition der „indígena"-Gesellschaft enthält daher das Phänomen der Ausbeutung der besitzlosen Mehrheit durch die privilegierten „indígenas".

Die Situation der Frau

In diesem Prozeß ungleicher Integration der Ethnien hat die Frau in dem Maße Status verloren, wie sie die Kontrolle über die intern wichtigen Produkte verloren hat, z.B. den landwirtschaftlichen Subsistenzprodukten, den handwerklichen Gütern und, in einigen Ethnien, der Produktion des traditionellen Getränkes, z.B. dem „masato" in den Gemeinden der Chayahuita des peruanischen Amazonas. In diesen Gruppen durchgeführte Studien bestätigen die Beziehung, die zwischen Integration und ökonomischer Macht existiert, dergestalt, daß ein größerer Integrationsgrad einer geringeren Kontrolle in der

Gruppenökonomie und einer Reduktion der Funktionen entspricht, die nicht durch neue ersetzt werden.

Der Integrationsprozeß der Frau erzeugt einen Funktionsverlust für beide Geschlechter, doch kann der Mann die bisher ausgeübten Funktionen durch moderne ersetzen (z.B. die Jagd und Landwirtschaft durch die Aneignung des Verkaufs des Agrarüberschusses oder des Verkaufs der Wirtschaftstiere, die die Frau züchtet). Auf diese Weise kann der Mann seine Identität als autonomes Subjekt innerhalb der autochthonen Gesellschaft erhalten, auch wenn die Veränderungen manchmal für die „indígena"-Weltanschauung traumatisch sind. Das geschieht jedoch nicht im Falle der Frau, da sie, z.B. im Fall der Chayahuita, ihre Rolle als autonome Produzentin mit der einer abhängigen Gehilfin für den Mann vertauscht. Zur gleichen Zeit nähert sich das gesellschaftliche Bild ihrer Rolle in besorgniserregender Form dem der „Hausfrau" an, so wie sie in der mestizischen und nationalen Gesellschaft präsent ist.

Die Deformation der weiblichen Rolle in der Weltanschauung der Gruppe, die auf nationalem und sozialem Gebiet sich manifestiert, ist von einem Rückgang ihres Einflusses begleitet, der sich nicht in direkter Weise ausdrückt, sondern über den internen Kontext der Familie und mittels Pressionen auf den Mann.

In einigen Ethnien hat die Frau ihre wirtschaftliche Macht erhalten können, wie etwa im Fall der Zapoteken des mexikanischen Isthmus von Tehuantepec. Dies geschieht vor allem in den großen Gemeinden, in denen ein gewichtiger örtlicher Handel existiert, an dem die Frauen aktiv teilnehmen. Wenn dies der Fall ist, erhalten sie ihre Autonomie, und ihr Einfluß in der Familie und der Gemeinde ist notorisch.

In anderen Ethnien hingegen beherrscht der machismo die Beziehungen und drückt sich darin aus, daß die Aktivität der Frauen auf die Hausarbeit, Kindererziehung, Tierhaltung, Wasser- und Brennholzversorgung sowie die Textilproduktion für die Familie beschränkt ist.

Selbst wenn die Arbeitszeit der Frauen in vielen Fällen über 14 Stunden hinausgeht, zeigen sie Bereitschaft, an kommunalen Programmen teilzunehmen. Häufig funktionieren die Programme jedoch nicht, weil die Männer den Frauen nicht erlauben, zu partizipieren.

Auf diese Weise erschwert sich die Entwicklung des Potentials der Frau, die eine bessere Erfüllung ihrer Rolle als organische Erzieherin in den Ethnien vollziehen könnte, deren edukativer „Eckstein“ sie ist. Sie ist die prinzipielle Vermittlerin der Sprache, die nicht umsonst „Muttersprache“ heißt, ebenso wie der Werte und Traditionen jeder Ethnie.

In den Gemeinden, wo die Schule eine wesentliche Erziehungsinstitution darstellt, dient diese vor allem der Stärkung und Legitimation der herrschenden Gesellschaft. In den abgelegenen Gemeinden, wo dies ebenfalls manchmal geschieht, ist in der Regel jedoch das Modell der Familiensozialisation die einzige Option für die „indígena“-Bevölkerung. Und in diesem Zusammenhang ist die enorme Bedeutung der „indígena“-Mutter als Erzieherin anzuerkennen. Doch ihre Rolle ist aufgrund der sehr prekären Lebensbedingungen, die in den meisten „indígena“-Gemeinden vorherrschen, häufig darauf beschränkt, Überlebensstrategien für sich und die Kinder zu realisieren. Oft sind diese Gemeinden nur von kleinen Kindern, Frauen und Alten bewohnt, da die Männer gezwungen sind, Lohnarbeit — sei sie auch nur temporär — zu suchen.

Die „indígena“-Mutter, die die Sprache und die Identität der Ethnien durch fünf Jahrhunderte bewahrt hat, ist ebenfalls die Mutter der sogenannten „Neuen Rasse“. Im Falle Mexicos leidet diese reale Mutter — der man seit Generationen nur die Knechtschaft und Dienstbarkeit als Tugend anerkennt — ebenfalls an der „Unsichtbarkeit“, der Nicht-Existenz, die ihr niedriger Status mit sich bringt. Lediglich in der Jungfrau von Guadalupe (la „Virgen de Guadalupe“, mexikanische Präsentation der Jungfrau Maria — H.D.) erscheint für einen Moment und symbolhaft die Anerkennung dieser Mutterschaft.

Guadalupe-Tonanzin, die „Jungfrau der Indios“ („virgen india“), wird als „Mutter aller Mexicaner, Königin Mexicos und Herrscherin Americas“ (Madre de todos los Mexicanos, Reina de México y Emperatriz de América) bezeichnet. Doch dieser Status, der die „indígena“-Herkunft der neuen Rasse akzeptiert, ist nicht hinreichend, um dem Mestizentum (mestizaje) einen würdigen Status zu geben. Und daher hat man, um die „madre indígena“ vollends bedeutungslos und inexistent zu machen, auf die groteske Metapher zurückgegriffen, Spanien als Mutterland (madre patria) der mestizischen Rasse des neuen Kontinentes zu bezeichnen. Dies, obgleich wir wissen, daß die Mutter dieser neuen Rasse immer „india“ war, da der niedrige Status des männlichen „indígena“ die Vaterschaft mit einer spanischen Frau praktisch unmöglich machte.

Der Prozeß der Befreiung

Es ist unabdingbar, die Rolle der Frau als Erzieherin und Agentin der Entwicklung der Gemeinde für die Gegenwart zu fordern, da der Verlust traditionellen Wissens in den Ethnien in einigen Gruppen bereits irreversibel ist. Die Anerkennung der protagonistischen Funktion, die die Frau in den ethnischen Gruppen gehabt hat und weiterhin haben muß, muß sich in konkreten Aktionen ausdrücken, die ihr Zugang zur Ausübung politischer Macht und Entscheidungsmöglichkeiten im Leben der Gemeinde eröffnen. In immer steigendem Maße ist sie das Haupt der Familie, da die Männer auf der Suche nach Arbeit emigrieren. Daher benötigt sie, um ihre vielfältigen Funktionen besser ausfüllen zu können, intellektuelle Instrumente und materielle Ressourcen, mit denen sie ihr Potential für die Schaffung einer besseren Gesellschaft entwickeln kann.

Die „indígena“-Frauen thematisieren das Problem der Befreiung in sehr anderer Weise als der urbane Mittelschichten-Feminismus. „Indígena“-Frauen wie Domitila Chungara und Rigoberta Menchú (aus Bolivien und Guatemala), die weltweit durch ihre Publikationen bekannt wurden, stellen politische Forderungen, die auf die Gemeinde bezogen sind und denunzieren die schlechte Behandlung und Massaker, die ihre Völker erleiden. Die individualistische Vision der Gesellschaft und der sexuellen Befreiung sind nicht Teil des Befreiungskampfes der

„indígena"-Frauen. Domitila Chungara beispielsweise sagte 1975 in Mexico, aus Anlaß des Jahres der Frau: „Wir haben nichts mit der Legalisierung des Aborts zu tun. Wir werden immer weniger und um unseren Kampf fortzuführen, müssen wir mehr werden."

Diejenigen Teilnehmer, die am „Programm der ‚Indígena'-Frauen" in Mexico teilnehmen, stellen Fragen und schlagen Lösungen vor, die sich auf die Probleme des täglichen Lebens beziehen. Sie problematisieren, daß „es nie genug zu essen gibt; daß unsere Kinder häufig krank sind und als Kleinkinder sterben; daß die Kleidung und die Schuhe so teuer sind; daß unsere Männer wegen jeder Nichtigkeit ins Gefängnis geworfen werden und dort monatelang arrestiert bleiben; daß unsere Besitzrechte am Boden oft mißbraucht werden; daß unsere Männer zu viel trinken und das wenige Geld für Alkohol ausgeben und daß man unsere Kinder ständig diskriminiert."

Der Befreiungsprozeß der Frau im allgemeinen und der „indígena"-Frau im besonderen, darf jedoch nicht vom Prozeß nationaler Befreiung getrennt werden. Aus dem bisher gesagten wird deutlich, daß die „indígena"-Gesellschaft, selbst wenn sie unter ungleichen Bedingungen in die nationale Gesellschaft integriert ist, in ihrem Innern die gleichen negativen Phänomene des abhängigen Kapitalismus reproduziert, die in Lateinamerika vorherrschen. Daraus ergibt sich, daß die Möglichkeiten der Befreiung für die Ethnien nur in dem Maße gegeben sind, wie sie — unter Bewahrung ihrer Partikularität — in der Einheit mit nationalen Befreiungsbewegungen gesucht werden.

Wir dürfen nicht in die ideologische Falle gehen, isolierte Befreiungsprozesse vorzuschlagen. Darin bestand genau die erfolgreiche Herrschaftsstrategie der letzten fünfhundert Jahre: teile und herrsche. Die Option der Befreiung erfordert heute mehr denn je die Einheit aller fortschrittlichen Kräfte der Welt. Das kapitalistische Weltsystem mit seinen finanziellen und politischen Zentren hat die Völker fragmentiert. Diese Aufsplitterung erfolgt, in dem ein Land vom anderen getrennt wird, eine Rasse von der anderen, die Männer von den Frauen, die Jungen von den Alten, die Mestizen von den „indígenas" und indem der Konsumismus in allen verankert wird. Dieser Konsumismus, der die kapitalistische Logik Tag für Tag über die Massenmedien in die Köpfe der Menschen einbläut und der nicht die Union sucht, sondern die Uniformität.

Unsere Möglichkeit der Solidarität mit den Befreiungsprojekten liegt in der Unterstützung konkreter Aktionen, die die spezifischen Befreiungsprozesse stärken, welche mittels globaler Strategien alle fortschrittlichen Kräfte auf Weltebene zusammenfassen. Nur aus dieser Perspektive ist die Befreiung der Ethnien überhaupt denkbar. Eine Befreiung, auf die die „indígena"-Völker keine weiteren fünfhundert Jahre warten können.

Miguel Bonasso

Im Kampf gegen das Fünfhundertjährige Reich: Montoneros, Allendes Unidad Popular und die Frente Sandinista

Die hungrigen Massen, die vor wenigen Monaten die Supermärkte von Buenos Aires und Caracas stürmten, repräsentierten das klarste und eindeutigste Symptom einer zukünftigen sozialen Explosion, welche ganz Lateinamerika in den nächsten Jahren erschüttern könnte.

Die von den Gralshütern des internationalen Finanzsystems, der Weltbank und dem Weltwährungsfonds (IMF), diktierten Anpassungsprogramme, die unvermeidlich die Entkapitalisierung der lateinamerikanischen Ökonomien und die wachsende Marginalisierung der Volkssektoren zur Folge haben, führen die verelendeten Massen in eine Situation der Verzweiflung, welche in diesem Jahrhundert fast beispiellos ist.

Die von den nationalen Bourgeoisien zur Überwindung der von ihnen selbst verursachten Krise angewendeten Rezepte wirken auf die gesellschaftlichen Konflikte wie Benzin auf Feuer. Der Abbau der in den vierziger Jahren mittels keynesianischer Politik entwickelten Wohlfahrtsstaaten, der Abbau von Subventionen, die grundlegende Konsumptionsniveaus ermöglichten, die bedingungslose Öffnung der nationalen Märkte sowie die neue Auslandsinvestitionsgesetzgebung hat selbst die elementaren Prinzipien ökonomischen Nationalismus' ins Museum verbannt und die Schwierigkeiten verstärkt, die angeblich durch sie beseitigt werden sollen.

Die Arbeitslosigkeit verstärkt sich, der Reallohn sinkt auf bisher unbekannte Niveaus, die lateinamerikanischen Städte nähern sich immer mehr dem Vorbild Kalkuttas an, Krankheiten, die in der industrialisierten Welt bereits vergessen sind tauchen wieder auf und die einzige wirtschaftliche Aktivität die floriert, ist der Drogenhandel.

Und das schlimmste ist nicht einmal, die Situation in der wir uns befinden, sondern das unter den lateinamerikanischen Volksführern verallgemeinerte Bewußtsein, daß es aus dieser Situation — jedenfalls kurzfristig — keinen Ausweg gibt. Die Existenz einer unbezahlbaren Auslandsschuld und die Gewißheit, daß Lateinamerika weiterhin Opfer eines völlig ungleichen internationalen Handels ist, sind zwei der Elemente, die zu diesem allgemeinen Pessimismus beitragen.

In vielen unserer Länder, insbesondere im südlichen Amerika, die den Terror der Staatsapparate erlitten, verstärkt sich der Pessimismus und die Verwirrung innerhalb der Volksbewegungen durch die Abwesenheit von Führungskadern mit einem revolutionären Projekt und dies ist eine der dramatischsten Konsequenzen, die die brutale Repression der Militärdiktaturen der vergangenen Dekade ausgelöst hat.

In diesem Kontext generalisierten Pessimismus, in dem nur die „Modernisierungs"-Programme des herrschenden Blockes prosperieren, haben alte Kämpfer der revolutionären Linken es vorgezogen, sich mit dem Status quo zu versöhnen und die vorherigen gesellschaftlichen Transformationsprogramme in schüchterne Argumentationen zur Verteidigung eines formalistischen und obsoleten Parlamentarismus umzuwandeln. In diesem neuen Diskurs einer domestizierten Linken haben der „Realismus" und das „Augenmaß für das Mögliche" (posibilismo) die Ideale der sechziger Jahre ersetzt, die nun als „utopisch" betrachtet werden.

Wir befinden uns also vor dem brutalen Paradox, das in dem Moment, in dem die objektiven Bedingungen zu Volkserhebungen führen können, in vielen Ländern die Kader fehlen, um die dann freiwerdende enorme politische Energie in eine Strategie zu kanalisieren, die über die soziale Explosion selbst hinausgeht und die Machtfrage erneut auf die Tagesordnung setzt.

Dieser, von den Militärdiktaturen der nationalen Sicherheits-Doktrin bewußt gesuchte Effekt zwingt uns, gewisse Erfahrungen der Gegenwart sorgfältig zu analysieren, welche uns Aufschluß geben über die Bedingungen, unter denen die Projekte der Avantgarden zerstört wurden. Wie einer der besten und größten Intellektuellen des Kontinentes, der im Kampf gegen die Militärdiktatur gefallene argentinische Schriftsteller Rodolfo Walsh sagte, gibt es im Denken der Linken einen Fehler. Dieser besteht darin, sich mehr mit jenen Lektionen der Geschichte zu beschäftigen, in der die Arbeiterklasse die Macht übernimmt, als mit jenen, in der die Aristokratie oder Bourgeoisie die Macht an sich reißt. „Weder Marx noch Lenin" handelten auf diese Weise, erinnert uns Walsh in einem seiner letzten, in der Klandestinität geschriebenen, Texte.

Mit der Absicht, zu dieser unverzichtbaren Debatte beizutragen, wollen wir in diesem dafür vorzüglich geeigneten Forum einige grundsätzliche Verständniselemente für die Analyse zweier Niederlagen und eines Sieges vortragen: die Niederlagen, die die Volkskräfte Argentiniens und Chiles erlitten sowie der von den Sandinisten vor zehn Jahren errungene Triumph. Vielleicht kann die Konfrontation so unterschiedlicher Erfahrungen uns helfen, bestimmte „Gesetzmäßigkeiten" zu identifizieren, die jenseits der unvermeidlichen nationalen Besonderheiten von jenen in Rechnung gestellt werden müssen, die, wie wir, an einem Projekt der Befreiung arbeiten.

Der Kampf der argentinischen Montoneros

Der Fall Argentiniens, den ich am besten kenne, weil ich ihn am eigenen Leib erfahren habe, illustriert in klarer Weise die wesentlichen Thesen dieses Forums über die Emanzipation und Identität Lateinamerikas.

Wie alle Länder des „Subkontinents", erlangte Argentinien seine politische Unabhängigkeit von der spanischen Krone nur um sofort unter die ökonomische Herrschaft einer anderen Potenz zu fallen: Großbritannien.

Und ebenso wie andere Nationen Lateinamerikas fiel das ehemalige Vizekönigreich des Rio de la Plata von den Unabhängigkeitskriegen in die Bürgerkriege. Letztere waren, nach dem Urteil der Historiker der offiziellen Geschichtsschreibung, irrational und willkürlich. Doch im Grunde drehten sie sich um einen Widerspruch, der bis heute nicht gelöst ist, nämlich die Antinomie zwischen Kolonie und Nation.

Die Thesen Simón Bolívars über die notwendige Einheit Lateinamerikas, die in Argentinien ursprünglich vom Befreier José de San Martín vertreten wurden, erlitten eine Niederlage gegenüber der kommerziellen Bourgeoisie von Buenos Aires, die diese Stadt in eine wahrhafte Sub-Metropole verwandelte, welche die Aus- und Einfuhren der Provinzen über die Zölle des Hafens kontrollierte. Diese Zollpolitik führte sehr bald zur Verarmung der Provinzen, insbesondere jener, welche während des Vizekönigreichs prosperierten.

Die Kräfte des Landesinnern erhoben sich gegen diese Herrschaft mittels der bekannten „Montoneras", die sich ebenfalls in Ecuador und Bolivien ausbildeten. Sie bestanden aus irregulären Gruppen, die durch einen ländlichen Caudillo integriert wurden. Doch die „Ordnungskräfte" oder, wie der berühmte argentinische Schriftsteller Domingo Faustino Sarmiento (ein Borges des vergangenen Jahrhunderts) sie bevorzugt nannte, die Kräfte der „Zivilisation", konnten den Widerspruch für sich entscheiden und die organische Eingliederung des Landes in die neue internationale Arbeitsteilung vollziehen.

Um das Projekt zu konsolidieren, mußte man die Repression und Schlächterei perfektionieren. Dazu diente die euphemistisch als „Wüstenkampagne" (campaña del desierto) bezeichnete Militärrepression, bei der es sich um einen gigantischen Völkermord handelte: das Massaker an den Wandernden Stämmen, welche in den Pampas die „Zivilisationsbemühungen" unserer Führer störten. Mit der massiven Pressung der Gauchos in den Militärdienst, die die Indios bekämpfen sollten (die von San Martín mit mehr Würde als „unsere Landsleute" bezeichnet wurden), beseitigte man zugleich den Fokus des mestizischen Widerstands. Die Offiziere der Militärkampagne eigneten sich dann die den Indios entrissenen Ländereien an und formierten jene soziale Schicht von Großgrundbesitzern, die bis heute weiterexistiert.

Nach diesem großen post-kolonialen Genozid gab es eine kuriose Etappe „nationaler Organisation", die im wesentlichen darin bestand, massiv billige Arbeitskräfte aus den ärmsten Ländern Europas zu importieren, so daß innerhalb weniger Jahre ein formidabler „Blutaustausch" in unserer Gesellschaft stattfand. Ein Datum dazu mag genügen: im Jahre 1880 betrug die Bevölkerung Argentiniens kaum 1 Million Menschen. Zehn Jahre später hatte sich diese Bevölkerung aufgrund der massiven Immigration, die bis in die dreißiger Jahre anhielt, verdoppelt.

Dieses „rassische Weißmachen", diese gewalttätige Transfusion, hemmte die auf Veränderung drängenden Kräfte bis auf den heutigen Tag. Dies aus zwei Gründen: erstens setzte sich in der kollektiven Vorstellung die unglückliche Überzeugung fest, daß die Argentinier „nichts mit dem großen mestizischen Amerika zutun hätten". Dadurch reduzierte sich der lateinamerikanische Nationalismus einiger Montonero-Caudillos wie Felipe Varela auf den beschränkten rhetorischen Nationalismus (au fond dezidiert neokolonial und verräterisch) der von der Oligarchie ausgehaltenen Generäle.

Zweitens, weil er während Jahrzehnte eine Linke verhinderte, die gewußt hätte, in einer einzigen Strategie die soziale mit der nationalen Befreiung zu verbinden, die in unseren Ländern Hand in Hand gehen muß, ebenso wie die Oligarchie Hand in Hand mit dem imperialistischen Kapital geht.

Die Immigranten, die vor allem aus Italien und Spanien kamen, brachten aus ihren Ländern die Ideen sozialer Erlösung mit (was, en passant dazuführte, daß Argentinien sehr früh eine starke Gewerkschaftsorganisation besaß), doch trugen ihre klassisch-sozialistischen, kommunistischen, anarchistischen usf. Programme nicht der Tatsache Rechnung, daß der Kampf auch gegen das neokoloniale Erbe geführt werden müsse.

Dies erklärt sicher, weshalb die traditionellen Linksparteien (Sozialisten und Kommunisten) immer weit davon entfernt waren, sich in authentische Avantgarden zu verwandeln; statt dessen immer Ausdruck kleinbürgerlicher Minderheiten waren, die nie über eine reale Arbeiterbasis verfügten.

Der erste ernsthafte — wenn auch gescheiterte — Versuch, die Konzepte nationaler und sozialer Liberation zu integrieren, war Teil einer Massenbewegung, des Peronismus. Dieser war absolut lateinamerikanisch und drittwelthaft.

Im Rahmen der Importsubstitutionspolitik und begünstigt durch die während des 2. Weltkrieges akkumulierten Handelsüberschüsse, konnte der Peronismus große Verteilungsaufgaben erfüllen, die industrielle Basis modernisieren, den internen Markt dynamisieren, die öffentlichen Dienstleistungen verstaatlichen (Telefon, Eisenbahnen usf.), die in den Händen der Engländer waren, sowie die proletarischen Massen in die politische Szene einbeziehen.

Seine wesentliche Schwäche und die zentrale Ursache seines Falls bestand jedoch darin, eine grundlegende Agrarreform — wie der Cardenismus in Mexico — durchzuführen, die der machtvollen Oligarchie ihre wesentliche ökonomische Basis genommen hätte.

Viele Jahre nach dem Sturz der ersten peronistischen Regierung (September 1955), versuchten die Enkel und Urenkel der Immigranten (meine Generation) den Befreiungsprozeß zu vertiefen: diesmal aber von einer sozialistischen Perspektive aus.

Die erste genuin „nationale", und daher auch entschieden lateinamerikanistische Generation, sollte ihren Krieg mit allen militärischen und politischen Mitteln führen, die Militärs und Polizei nicht monopolisiert hatten. Und so begannen in den sechziger Jahren, im Kontext einer klerikal-ultramontan orientierten Diktatur, die ersten Guerrillas. Einige, wie das Ejército Revolucionario del Pueblo, waren, wie viele andere in Lateinamerika, Guevaristas. Die größte Gravitation innerhalb der Massenbewegung, die weiterhin wesentlich peronistisch blieb, erreichten jedoch jene, die sich innerhalb des revolutionären Peronismus (insbesondere die Montoneros) definierten.

Als Perón 1973 nach Argentinien zurückkam, vor allem aufgrund einer von den Montoneros organisierten Massendemonstration, defilierten 500.000 Menschen unter den Fahnen der Montoneros.

Dieses politische Kapital, diese formidable Fähigkeit, die die Montoneros an die Schwelle der Macht brachte, wurde in wenigen Jahren von der Führung der Montoneros vergeudet, die ihre militaristischen und fokistischen Konzeptionen nicht modifizieren wollte, um eine Massenlinie zu entwickeln, die beim Tode Peróns erlaubt hätte, die Massenbewegung in einem unvermeidbaren dialektischen Sprung in das sozialistische Projekt zu bringen.

Indem die Provokation der peronistischen Ultrarechten akzeptiert wurde, indem man sich darin irrte, welche Art Kampf in der Etappe der, formal repräsentativen, Zivilregierung notwendig sei, half die montonistische Führung, ohne es zu wollen, den Militärputschisten in ihrem Angriff auf die Macht.

Im Grunde wünschte diese Führung im geheimen den Militärputsch, da sie der alten Konzeption anhing — die schon so viele Katastrophen heraufbeschworen hat —, daß eine Verschlechterung der Situation die Widersprüche verschärft. Dies setzte eine sehr oberflächliche Interpretation der kontemporären argentinischen Geschichte und ein völliges Unverständnis über den strategischen Charakter des kommenden Staatsstreiches voraus. (Eine ähnliche Fehlinterpretation, wie sie auch die chilenischen Genossen der Unidad Popular über diesen Typ der, ökonomisch auf den Chicago Boys basierenden, Militärdiktatur durchführten.)

Ebenso wie das Ejército Revolucionario del Pueblo, welches die Installation der Militärdiktatur mit der Parole begrüßte, „*Argentinier, zu den Waffen*", ignorierten die Montoneros den tiefgehenden Rückzug der Massen gegenüber der Repression. Sie stellten sich in die erste Kampflinie und verloren 90 Prozent ihrer Kader, die Anfang 1976 mehr als 5000 Kämpfer und Aktivisten in Wohnvierteln, Universitäten und Fabriken betrugen. Statt die Notwendigkeit wahrzunehmen, daß der Rückzug in die Massen notwendig war, um die eigenen Kräfte zu schonen, entschied man sich für eine Politik des Apparates, die, angesichts der schier unendlichen Überlegenheit des staatlichen Apparates notwendig zur Zerstörung führen mußte.

Der bei den Montoneros kämpfende, schon zitierte Rodolfo Walsh, warnte die Führung wiederholt. Doch all diese Warnungen wurden nicht gehört oder mit stalinistischen Methoden zensiert.

Er wies beispielsweise daraufhin, daß „die wesentliche Schwäche des Montonero-Denkens in ihrem Defizit historischen Bewußtseins liegt. Dieses Defizit bestand zu Anfang nicht, als die Organisation ihren Namen in der argentinischen (und lateinamerikanischen) Geschichte von 1825 bis 1870 fand. Diese ursprüngliche Vision ging dann aber verloren. In den gegenwärtigen Dokumenten der Montoneros gibt es kaum Referenzen auf die argentinische Geschichte vor 1945, nicht einmal auf die eigenen Montonero-Caudillos. Ich glaube, daß in dieser historischen Leere die 'Gesetze' für die Machtübernahme in Argentinien zu finden sind und daß aus ihr der stärkste Einfluß für die Montoneros kommen muß." Stärker als die Einflüsse irgendeines anderen historischen Faktors (er bezog sich dabei konkret auf die chinesische und vietnamesische Erfahrung, die die theoretischen Gedanken der Führung dominierten), da dies die räumliche und zeitliche Bestimmung ist, die uns korrespondiert.

Kurioserweise entfernte sich eine Avantgarde, die, im Gegensatz zum ERP und anderen marxistisch-leninistischen Manifestationen internationaler Politik, aus der Massenbewegung hervorgegangen war, von dieser und wurde zu dem, was Walsh mit zutreffender Ironie „eine verlorene Patrouille" nannte.

Das Oberkommando der Militärs hingegen hatte sich nicht geirrt, als es auf wissenschaftliche Weise die Ausrottung von 30.000 Argentiniern programmierte. Diese Argentinier waren das beste, was ihre Generation zu bieten hatte. Sie repräsentierten die besten Kader, welche die bürokratisierten und verkalkten politischen und Gewerkschaftsstrukturen hätten erneuern können. Als sich dann die Militärs nach ihrem katastrophischen Abenteuer auf den Malvinas zurückzogen, befand sich die Volksbewegung ohne alternative Führungsorgane. Die wenigen Überlebenden der Montonero-Führung hatten sich dem Opportunismus zugewandt, der sie vor kurzem sogar eine Amnestie akzeptieren ließ, die sich auch auf die für den Völkermord Verantwortlichen erstreckte, d.h. die wenigen, die verurteilt wurden.

Dies war und ist natürlich nicht das beste Vorbild für die kämpferische Jugend. Und diese Jugend erträgt zusätzlich das Gewicht der Niederlage, die immer noch beunruhigende Erinnerung an den Terror, den die gesamte Gesellschaft erlitt, die Lagunen im historischen Bewußtsein, die die Diktatur förderte sowie die Abwesenheit eines klaren Projektes gesellschaftlicher Transformation, das diesmal möglich wäre.

Es ist daher nicht überraschend, daß im gegenwärtigen Argentinien, welches mehr denn je eine tiefgreifende Veränderung erfährt, das Wort Revolution zum Anathema geworden ist. Viel Zeit, viel Geduld und viel Weisheit wird nötig sein, um eine Avantgarde-Perspektive neu zu schaffen, die in der Lage ist, diese gesellschaftlichen Kräfte zu einer positiven Lösung zu führen; diese gesellschaftlichen Kräfte, die obgleich immer noch abgeschnitten und verstreut, sich für eine authentische Demokratie, für das unbegrenzte Respektieren der Menschenrechte und für die uneingeschränkte Herrschaft sozialer Gerechtigkeit aussprechen.

Die Niederlage der Unidad Popular in Chile

Die Parteien der Unidad Popular in Chile mißinterpretierten ebenfalls den Charakter des Staatsstreiches, der sie am 11. September 1973 liquidieren würde. Salvador Allende akzeptierte in den Schlußstunden im Palacio de la Moneda in tragischer Selbstkritik diesen Fehlen. Jene, die ihn mit einem Stahlhelm auf dem Kopf und einer Maschinenpistole in der Hand sahen, verstehen mich. Er hatte entschieden, mit seinem Leben das Verstehen des strategischen Fehlers zu bezahlen: daß es keinerlei friedliche Möglichkeiten für die gesellschaftlichen Veränderungen gibt, die unsere Völker erfordern.

Und das leitet sich natürlich nicht aus einem kriegerischem Bedürfnis der Kämpfer für soziale Verbesserungen ab, sondern aus der uns aufgezwungenen strukturellen Gewalt, Klassengewalt, die dem neokolonialen Herrschaftssystem inhärent ist.

Wir sehen uns hier dem gegenteiligen Fehler gegenüber, den die argentinischen Guerrilleros begingen: dem offenen und ehrlichen Glauben Allendes und der prinzipiellen Unidad Popular-Führer, daß eine radikale Veränderung der chilenischen Gesellschaft möglich sei, indem man die Kanäle und Instrumente des Systems selbst benutzt.

Ich habe eine persönliche Erfahrung, die mir zeigt, wie tief diese Überzeugung in Allende verwurzelt war, denn ich führte ein Interview mit Präsident Allende durch, als im Kongreßplenum seine Ernennung zum Präsidenten ratifiziert wurde, die ursprünglich durch das Votum des Volkes erobert worden war.

„Sehen Sie, wie seltsam", sagte er mir in jenem Moment. „Der Kongreß, der eine Institution des Systems ist, wählt jemand, der vorhat, mit dem System Schluß zu machen."

Durch das Privileg bewegt, im Moment seines Triumphes an seiner Seite zu sein, wollte ich glauben, daß es ihm gelänge. Doch in der vorhergehenden Nacht hatte ich die Truppen auf der Straße gesehen — aufgrund des Ausnahmezustandes, der nach dem Attentat auf General Rene Schneider verhängt worden war — und sie schienen mir so „demokratisch" zu sein wie ihre Kollegen in Argentinien.

Am gleichen Nachmittag sah ich im Fernsehen, wie die Kommandanten der Streitkräfte ihn begrüßten und zu seinem Triumph gratulierten. Es erregte meine Aufmerksamkeit, daß die kuriose Szene sich unter einem Foto Che Guevaras abspielte, welches das Wohnzimmer Allendes schmückte und ich hatte das Gefühl — das mir im Gedächtnis geblieben ist —, daß ich einer theoretischen Unmöglichkeit beiwohnte, der Materialisierung der Quadratur des Zirkels. Diese Herren mit den Militärmützen paßten nicht mit dem bärtigen und herausfordernden Gesicht des Che zusammen. Und sie brauchten nur drei Jahre, um das zu beweisen.

Viele Jahre später, schon im Exil in Mexico, lernte ich die Witwe eines sozialistischen Kaders kennen, der sich den Militärs ergeben hatte. Er war überzeugt, daß ihm nichts Böses passieren könne, da während der Unidad Popular die Gesetze nicht gebrochen worden waren. Er wurde erschossen.

Es gab in Allende, der natürlich nicht naiv war, und in seinem sozialistischen Mitstreiter, der vor dem Erschießungskommando endete, ein gemeinsames Element, welches aus der gleichen Praxis herrührte, aus der gleichen politischen Kultur und vor allem, dem Gewöhnen an eine lange Periode institutioneller Stabilität, welche liberale Reflexe erzeugt hatte.

Ebenso gab es, wie auch bei uns, ein Unverständnis über den neuen und strukturellen Charakter der Konterrevolution, die in verschiedenen Ländern des Subkontinentes sichtbar wurde. Man hatte, z. B., nicht verstanden, daß verschiedene ökonomische, politische und gesellschaftliche Faktoren den herrschenden Block zu einer tiefgehenden, strukturellen Lösung der Krise drängten.

Der chilenische Soziologe Jaime Osorio hat auf sie hingewiesen: „der Kapitalmangel zwang Eduardo Frei (Allendes christdemokratischer Vorgänger), der mit Unterstützung eines breiten bürgerlichen Blocks an die Macht kam, alternative ökonomische Entwicklungslinien zu suchen. So kam es, daß die neue Fraktion der industriellen Bourgeoisie in der Regierung einen grundlegenden Bündnispartner fand. Diese neue bürgerliche Direktion auf staatlicher Ebene konnte ihr wirtschaftliches Projekt nicht vorantreiben, weil die ökonomischen Kosten, die aus den politischen und gesellschaftlichen Allianzen, mit denen Frei zur Präsidentschaft aufstieg, resultierten, zu hoch gewesen wären."

Aus diesen und anderen Gründen begannen sie, die demokratischen Institutionen als Hemmschuh zu betrachten. Ein gewichtiges Element in diesem Sinne war die immer engere Allianz, die der dynamischste Sektor der industriellen Bourgeoisie mit dem imperialistischen Kapital abschloß, wodurch, unter anderem, die unverhüllte Intervention der ITT in den Militärputsch erklärt wird.

Beide Partner gingen davon aus, daß eine Neuzusammensetzung innerhalb der klassischen Komposition der chilenischen Bourgeoisie unvermeidlich sei und daß diese Rekomposition nicht ohne eine grundlegende Reform des Staates möglich sei, welche wiederum unvermeidlich eine absolute, totalitäre Diktatur voraussetzte.

Diese wachsende Überzeugung der hegemonischen bürgerlichen Fraktion koinzidierte bruch- und widerspruchslos mit dem politischen Projekt, welches im Schoß des Heeres heranreifte. Eines Heeres, das sich — wie die anderen Armeen der Region — immer mehr der Konzeption des „Kalten Krieges" des Pentagons angenähert hatte, mit seinen Strukturelementen der „ideologischen Grenzen" und der Doktrin „nationaler Sicherheit".

Die chilenische Armee war, ebenso wie ihr argentinisches Gegenstück, nach dem preußischen Vorbild geformt (beide Marinen hingegen, nach dem Vorbild der britischen Royal Navy). Nun adoptierte sie die Doktrinen der US Army School of the Americas in Panama sowie die neuen (philonationalsozialistischen) theoretischen Beiträge der Escuela Superior de Guerra in Brasilien, der berühmten Sorbona.

Und Pinochet, derjenige der dem Präsidenten Treue geschworen hatte — im Bewußtsein, daß er ihn jederzeit verraten würde — hatte eine Reihe aufschlußreicher Schriften verfaßt, in denen sich die theoretischen Beiträge des Generals Gobery da Couto e Silva widerspiegelten, dem bekannten Befürworter der These der „Geopolitik", die dem Hitlerschen „Lebensraum" so verdächtig nahe ist.

Viel wurde in diesen Jahren von der fehlenden Einheit der Unidad Popular gesprochen. Ich glaube, daß es sich dabei um eine oberflächliche Ansicht der Dinge handelt. Über die strategischen und konjunkturellen Differenzen zwischen der Sozialistischen Partei, den Kommunisten und dem MIR hinausgehend, scheint deutlich zu sein, daß vor allem für die ersten beiden Formationen — die die bedeutendsten waren (und sind)

— weitere, tiefergehende Faktoren eine Rolle spielten. Unter diesen könnten wir einige nennen, die von dem mexicanischen Sozialwissenschaftler Pablo Gonzalez Casanova vor einigen Jahren in dem Essay „Der Eurokommunismus und die Erfahrung Lateinamerikas" identifiziert wurden.

„Die Unidad Popular in Chile und der Historische Kompromiß in Europa (sagt er, programmatische Ähnlichkeiten vergleichend), sind keine direkten und eindeutigen Ausdrucksformen für die Arbeiterklasse als Klasse, sondern politisch-soziale, wahlmäßige und Regierungsformen, die sich den von der Bourgeoisie geführten politischen-sozialen und Wahlformationen entgegenstellen. Daraus entsteht ein Problem der täglichen Theorie und Praxis: die Arbeiterklasse und die Bourgeoisie erscheinen nicht als Klassen. Sie manifestieren sich, denken und handeln als politische Formationen. Die Ideologie der politischen Formationen ersetzt die in der Klasse zentrierte Analyse, d.h., die Analyse, die den Staat und die Ökonomie als Macht- und Klassenverhältnisse erklärt, als Macht des Marktes, der Hegemonie und der Repression als entscheidende Elemente im Gebrauch des Überschusses und des Mehrwerts, einschließlich derjenigen, die aus den peripheren Zonen ins metropolitane Europa transferiert wird, dem Sitz der monopolistischen und transnationalen Kapitale. Man tendiert dadurch zu einer theoretischen, verbalen und praktischen Analyse der politischen Formationen zum Nachteil der Klassenanalyse; der Regierung unter Vernachlässigung des Staates; der ‚politischen Demokratie' zum Nachteil der ‚sozialen Diktatur', sei diese hegemonisch, konsensual, verhandelt oder repressiv."

Neben diesen analytischen Deformationen glaube ich, hat im chilenischen Fall eine Rolle gespielt, daß die Strukturen der Linken sich als unfähig erwiesen, einen gesellschaftlichen Block zu konstituieren, eine nationale Befreiungsfront, die in Lateinamerika das erfolgreiche Modell der Revolution zu sein scheinen und nicht nur eine Wahlfront nach dem Stil der Dimitrovschen Volksfront.

Das führte uns nun zum letzten Teil meiner Exposition.

Der sandinistische Triumph

Es ist wahr, daß im Gegensatz zu dem, was in den weitaus komplexeren gesellschaftlichen Formationen Argentiniens und Chiles geschah, die Geschichte in Nicaragua sozusagen eine klarere Visualisierung des imperialistischen Feindes ermöglichte. Ebenso kam es dort zu einer derartigen Machtkonzentration in den Händen des imperialistischen Juniorpartners (Somoza), daß die Situation für die bürgerlichen Alliierten der Tyrannei selbst untragbar wurde.

Doch es ist ebenso wahr, daß die sandinistische Avantgarde aus diesen objektiven Konditionen Vorteile zu schöpfen wußte, für jene zentrale Prämisse, die jede wirkliche Revolution erfüllen muß: die Auflösung des etablierten Heeres (sei es monarchisch oder bürgerlich) und die Schaffung einer bewaffneten Volksmacht, die sich über ihren Ruinen erhebt.

Es gibt keinen Zweifel, daß der konjunkturelle Umstand der Ermordung des bürgerlichen Führers Pedro Joaquín Chamorro durch Chigüin Somoza, den Dauphin der Dynastie, die der Konservativen Partei nahestehenden Sektoren der Bourgeoisie in eine radikalere Konfrontation mit dem Regime zwang, was die revolutionären Sektoren begünstigte. Aber es ist ebenso wahr, daß die Frente Sandinista dieses „Selbsttor" des Feindes auszunutzen wußte, um mittels des Unternehmerstreiks diesen spezifischen Kampf eines wichtigen Sektors der Bourgeoisie mit der Entwicklung des Volksaufstandes zu kombinieren.

Das Beispiel Monimbos, das durch seine spontane Kraft selbst die Führung des Sandinismus überraschte, illustriert ebenfalls, was wir sagen wollen. Es stimmt, daß die Spontaneität der Massen über das von der Avantgarde vorhergesehene hinausging (wie übrigens auch in der bolschewistischen Revolution), doch es ist ebenso sicher, daß die Avantgarde eine intelligente Interpretation des Ereignisses durchführte, die den Prozeß der Insurrektion vorantrieb.

Die Vereinigung der drei sandinistischen Fraktionen, die im Kontext der Volksinsurrektion zustande kam, verstärkt noch mehr, was ich schon ausführte. Wäre es nicht rechtzeitig zu diesem strategischen Übereinkommen gekommen, dann hätte die Bewegung — selbst in dem Fall, daß die sogenannten „Terceristas“ als hegemonischer Sektor der Frente ihre Konzeptionen hätten aufzwingen können — nicht die notwendige Kohärenz und Homogeneität gehabt, um im entscheidenden strategischen Moment die notwendige Zentralisation durchzuführen. Und ohne ein zentralisiertes politisch-militärisches Oberkommando wäre es unmöglich gewesen, entscheidende Initiativen zu unternehmen, wie beispielsweise den Rückzug nach Masaya nach dem Aufstand in Managua, Rückzug, der nach Auffassung aller Analytiker, von grundlegender Bedeutung für den Endsieg war.

Das Zentrale ist jedoch, nach meinem Urteil, ein Faktor politisch-kulturellen Charakters, den die Sandinisten wahrhaft meisterhaft zu handhaben verstanden. Und der die gegensätzliche Haltung zum fehlenden geschichtlichen Bewußtsein (Ahistorizität) ausdrückt, das Walsh den Montoneros vorwarf.

Die Sandinisten hatten nicht nur recht mit der Auswahl des korrekten Eigennamen — als klarer Ausdruck der Kontinuität ihres antiimperialistischen Kampfes. Sie wußten ebenfalls in allen Etappen des Prozesses diesem Namen gerecht zu werden. Bereits in der Schöpfungsphase der Revolution, als die Morgenröte noch kaum am Horizont erkennbar war, existierte eine enge affektive Bindung zwischen den Gründungskadern der Frente wie Carlos Fonseca und Tomas Borge sowie den alten Teilnehmern des „Ejército Loco“ Sandinos, denen sie mit Respekt zuhörten, obgleich sie nicht gerade universitäre Kenner des Marxismus waren. Darin drückte sich eine Qualität aus, die für jeden politischen Revolutionär essentiell ist: der Wille, seinen Kampf mit den vorhergehenden Kämpfen zu verbinden, der Wille, mit dieser gleichen Sprache zu reden, die das Volk benutzt, daß man repräsentieren und führen will.

Und ein anderer Schlüsselfaktor besteht darin, eine luzide Vision der Klassenstruktur der eigenen Gesellschaft zu haben, welche eine schematische und anachronistische marxistische Soziologie beiseite läßt, um sich erneut dem grünen Baum des Lebens und nicht der grauen Theorie zu verschreiben.

Wir wissen, daß wenige Arbeiterkontingente im Befreiungskampf Nicaraguas teilnahmen, einfach deshalb, weil das traditionelle Proletariat in dieser Gesellschaft sehr gering ist. Doch es zählt die Bauernschaft, die Handwerker, die kleinen städtischen Händler, die im allgemeinen als informeller oder unterirdischer Sektor beschrieben werden und diese große Masse von Marginalisierten, die eine zu simplistische Sicht als Lumpenproletariat etikettieren könnte. Und sie waren, ohne Zweifel, die Protagonisten der Insurrektion.

Wenn wir diesem eine angemessene diplomatische Aktion zurechnen, welche die fast absolute diplomatische Isolierung Somozas in Lateinamerika begünstigte, dann könne wir bestätigen, daß der Sieg des Sandinismus nicht ein Produkt des Zufalls war, sondern des in Rechnung stellens der allgemeinen und spezifischen Gesetzmäßigkeiten der Kunst des Volksaufstandes, die wir folgendermaßen zusammenfassen könnten:

1. Ein Projekt der Einheit (Front), welches zur Vereinigung des sozialrevolutionären Blockes führt.
2. Die Einheit der Avantgarde mittels Überwindung aller Sektarismen.
3. Das Verständnis, daß es nationale Befreiung ohne soziale Befreiung nicht geben kann und viceversa.
4. Das richtige und opportune Ausnutzen der strategischen Fehler des Gegners.
5. Eine fehlerfreie Analyse der Geschichte.
6. Eine gemeinsame Sprache mit dem Volk.
7. Die Einsicht, daß ein gewaltloser revolutionärer Wechsel unmöglich ist, ohne deshalb in militaristische oder fokistische Konzeptionen zu verfallen.
8. Die Entscheidung, im *Wesentlichen* bis zum Ende zu gehen und die Subtilität, alle notwendigen Konzessionen zu machen, die den Prinzipien nicht entgegenstehen.

Indem die Frente Sandinista diesen Prinzipien treu geblieben ist, hat sie sich zehn Jahre an der Macht halten können, während derjenige, der schwor, daß er sie vertreiben würde, den Ovalen Salon im Weißen Haus verlassen mußte.

Ohne Zweifel hat die Frente viele Fehler gemacht und wird

weiterhin viele Fehler machen. Doch selbst wenn sie eines Tages geschlagen oder durch die Kräfte des Imperialismus von der Karte verschwinden sollte, kann niemand negieren, daß sie — wie Cuba vor dreißig Jahren — ihr Land transformierte und die soziale Topographie *unseres Amerikas (Nuestra América)* veränderte, welches, in seiner Totalität, weiterhin das *Fünfhundertjährige Reich* ertragen muß.

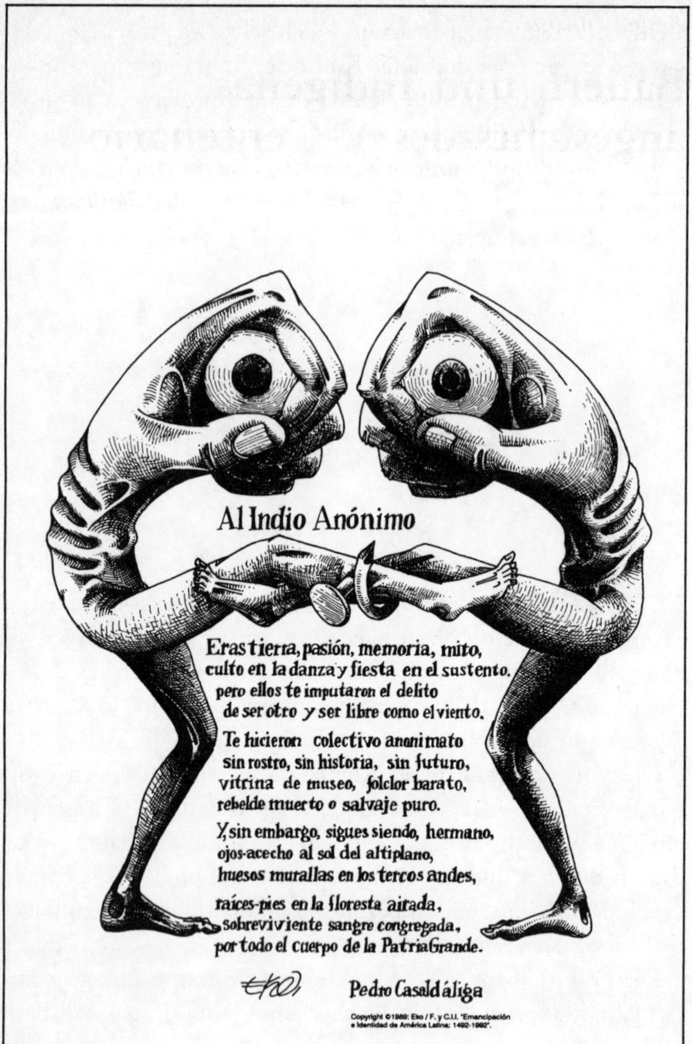
Al Indio Anónimo
Eras tierra, pasión, memoria, mito,
culto en la danza y fiesta en el sustento.
pero ellos te imputaron el delito
de ser otro y ser libre como el viento.
Te hicieron colectivo anonimato
sin rostro, sin historia, sin futuro,
vitrina de museo, folclor barato,
rebelde muerto o salvaje puro.
Y, sin embargo, sigues siendo, hermano,
ojos-acecho al sol del altiplano,
huesos murallas en los tercos andes,
raíces-pies en la floresta airada,
sobreviviente sangre congregada,
por todo el cuerpo de la PatriaGrande.
Pedro Casaldáliga
Copyright ©1989: Eko / F. y C.I.I. "Emancipación e Identidad de América Latina: 1492-1992".

Angel Tolosa

Bauern und Indígenas angesichts des V Centenario

Ich bin Mitglied der kolumbianischen Bauernorganisation „Anuc" (Asociación Nacional de Usuarios y Campesinos Unidad y Reconstrucción) und einer der Organisatoren der Kampagne „500 años de resistencia indígena-popular" (500 Jahre Widerstand des Volkes und der Indígenas).

Die Vorgeschichte dieser Kampagne ist in den vielen Einigungs-Versuchen der Vergangenheit zu finden. Die Einheit ist ein alter Wunschtraum des lateinamerikanischen Volkes — der Traum Bolivars und der Volkskämpfer — doch Kolonialismus, Neokolonialismus und Imperialismus haben alles getan, um diese Einheit zu verhindern.

Die unmittelbare Vorgeschichte unserer Kampagne geht auf das Jahr 1987 zurück. Im Oktober jenes Jahres trafen sich Bauern- und Indígenaorganisationen Kolumbiens, Ecuadors, Perus und Boliviens in Quito, um einen Erfahrungsaustausch über populäre Erziehung/Ausbildung (Edukation) und Kommunikation durchzuführen. Unsere Absicht war, ein alternatives politisch-organisatorisches Projekt der Einheit zwischen Bauern-und Indígenaorganisationen zu beginnen, welches eine neue Arbeitsmethodik und geopolitische Strategie enthalten sollte. Die Notwendigkeit einer neuen Methodologie schien uns geboten, da die vorhergegangenen Einigungsversuche immer entweder auf Veranstaltungen, theoretischen Übereinkünften und Aktionsplänen beruhten — die dann nicht fortgeführt wurden — oder von vornherein zum Scheitern verurteilt waren, weil sie keine Perspektive besaßen.

Diesmal wollten wir erreichen, den Prozeß an konkrete und praktische Aspekte zu „binden", an den Austausch von Praktiken, von Führungskadern unserer Länder und Organisationen und — warum nicht? — unserer Produkte. In der Vergangenheit verband der Tauschhandel unsere präkolumbianischen Gemeinden. Eine der uns vom System aufgezwungenen Barrieren sind die für die Eliten nützlichen künstlichen Grenzen zwischen den Nationen, die die Kommunikation und gegenseitige Begegnung unter uns verhindern.

Die Unterdrücker und Herrscher hingegen haben ihre eigenen politischen, ökonomischen und militärischen Pakte und Vereinbarungen, z.B. den Andenpakt, den Pakt von Cartagena, die „Gruppe der Sieben" (G-7) und auf militärischem Gebiet die Politik der Einheit der amerikanischen Armeen, angeführt von den USA. Daher müssen wir eine strategische Alternative entwickeln, die auf historischen oder geopolitischen „Achsen" basiert. Dazu gehört z.B. die Erinnerung an die bolivarianischen oder Andenländer sowie die Reaktivierung des Denkens Che Guevaras über die strategische Bedeutung der Anden für die Interessen unserer Völker. Ebenso, daß wir uns als Brudervölker fühlen, die sich in ihren Kämpfen unterstützen; daß zwischen den Ländern, die gemeinsame „Grenzen" haben, eine starke Solidarität besteht, daß z.B. nicht das passiert, was zwischen Nicaragua und Honduras mit der Contra abläuft. Dieses waren unsere Vorstellungen als wir uns zum erstenmal 1987 in Quito trafen.

Die zweite Begegnung sollte ein Jahr später in Bogotá stattfinden. Sie mußte jedoch verschoben werden, da es nicht genügend Geld für die Finanzierung gab. Doch die Koordination, die aus dem ersten Treffen in Quito entstanden war, beschloß, sich dort im Januar 1989 erneut zu versammeln. Nun nahm auch Brasilien daran teil und man analysierte gemeinsam, ob es sinnvoll sei, den Charakter der Veranstaltung zu verändern und diese andinische Bewegung auf ganz Lateinamerika auszudehnen. Bogota sollte weiterhin Sitz der Bewegung bleiben. So entstand der Aufruf zur Ersten Begegnung der Bauern und Indígena-Organisationen Lateinamerikas (1.er Encuentro Latinoamericano de Organizaciones Campesinas-Indígenas), mit dem Ziel, vom 7. bis 12. Oktober 1989 über die Fakten zu reflektieren, die anläßlich des 500. Jahrestags der „Entdeckung Amerikas" konmemoriert werden.

Wir stellten dann fest, daß verschiedene Organisationen, insbesondere Indígenas, sich bereits in einem Organisationsprozeß befanden mit Kampagnen wie „Resistencia India" der ekuadorianischen CONAIE (Confederación Nacional de Asociaciones Indígenas del Ecuador) oder „Autodescubrimiento de nuestra America" (Selbstentdeckung) der kolumbianischen ONIC.

Anfangs gebrauchte man den von der ONIC benutzten Namen (Autodescubrimiento). Die ONIC war eine der Organisationen, die zu der Begegnung aufgerufen hatte. Schließlich beteiligten sich zehn Organisationen aus fünf Ländern an der Konvokation: das Movimiento sin Tierra, MST (Brasilien), die Confederación Nacional de Asociaciones Indígenas del Ecuador, CONAIE, (Ecuador), das Movimiento Ecuarunari und die Confederación de Organizaciones Indígenas y Campesinas FENOC-I (Ecuador), die Confederación Sindical Unitaria de Trabajadores Campesinos, CSUTCB, (Bolivien), die Confederación Nacional Agraria, CNA und die Central Campesina del Perú, CCP (Peru) und für Kolumbien, die ANUC, die ONIC und die FENSUAGRO. Insgesamt nahmen an der Begegnung 46 Indígena und Bauern-Organisationen aus 17 Ländern Lateinamerikas teil.

Der ursprüngliche Name der Kampagne wurde nach demokratischer Diskussion von den anwesenden Organisationen folgendermaßen verändert: Innerhalb Kolumbiens spricht man weiterhin von der „Campaña de Autodescubrimiento" (Selbstentdeckung), doch auf kontinentaler Ebene heißt das Ganze nun „500 años de resistencia indígena y popular". Das hat man gemacht, um größere soziale Sektoren zu erfassen und weil der Widerstand eine Konstante dieser 500 Jahre der Domination war. Zudem denken wir, daß die Anerkennung des Widerstandes eine Verteidigung unserer Identität bedeutet. Die grundlegenden politisch-ideologischen Inhalte und Zielsetzungen bleiben natürlich, trotz der Namensänderung, bestehen. (1)

Die Bedeutung dieses Treffens und seiner Übereinkünfte liegt darin, daß eine derartige Einheit zum erstenmal erzielt wurde. Wie ich schon sagte, handelt es sich um einen alten Wunsch (Aspiration) unserer Völker. Zum Beispiel versuchte Nicaragua im Jahre 1980 eine Koordination zwischen Bauern und Indígena-Organisationen herzustellen, doch traf sich diese Koordination nur zweimal. Man kann daher sagen, daß unter den jetzt vorliegenden Charakteristika wir uns das erste Mal so zusammenschließen. Der Grund dafür liegt in der Tatsache, daß diese Geschichte der 500 Jahre uns alle betrifft und berührt.

Die Konjunktur der 500 Jahre stellt eine vereinheitlichende Achse dar, da wir uns alle einig sind, die Zelebrationen des V Centenario zurückzuweisen, ebenso wie die Charakterisierung des historischen Faktums von 1492, bei dem es sich weder um eine „Entdeckung" noch eine „Begegnung zweier Welten" handelte, sondern um eine Invasion.

Nun zu der Frage unserer Auffassung der Feierlichkeiten des V Centenario. Viele der geplanten Akte sind extravagant, wie etwa das 1992 vorgesehene Übersenden von Karavellen, die geplante Zusammenkunft der Kirche in Santo Domingo, die symbolische Hochzeit zwischen Cristobal Colon und der Freiheitsstatue usw. Das oszilliert zwischen lächerlich und ostentativ, ist ein Kult oder eine Hommage an den Sieger, den Unterdrücker, den Eroberer. Es ist ein Kult, der im Gegensatz steht zum Respekt, zur Gleichheit und zur Selbstbestimmung in den Beziehungen zwischen den Völkern.

Es ist sehr widersprüchlich, daß Staaten, die von Solidarität, Gleichheit, Brüderlichkeit, Menschenrechten etc. sprechen, diese Art von Zelebrationen vorantreiben. Wie kann man etwas feiern, das uns 90 Millionen Menschenleben gekostet hat und den von Europa verursachten und zu verantwortenden schlimmsten Ethnozid und Genozid der Geschichte darstellt? Das wäre ebenso, als wenn man den Völkermord der Nazis an den Juden oder die Atombombenabwürfe auf Hiroshima und Nagasaki feiern würde. Diese Invasion kann von uns nicht gefeiert werden. Wir fragen Spanien, warum es nicht auf ähnlich pompöse Weise die maurische Besetzung seiner Territorien zelebriert?

Das wirkliche Interesse Spaniens und der Europäischen Gemeinschaft liegt in einem ökonomischen, politischen, wissenschaftlich-technischen und kulturellen Makroprojekt, welches neokolonialistischer Natur ist und uns verkauft oder besser gesagt, aufgezwungen werden soll. Es handelt sich um die Rückeroberung (reconquista) Lateinamerikas, doch nicht, um ihr zu helfen ... Hier geht es um Konquista, um Herrschaft, um die Verewigung der Abhängigkeits- und Ausbeutungsbeziehungen.

Das Projekt des V Centenario ist ein großes Unternehmen, eine Operation des Supermarketing, in der die partikularen Interessen des Kapitalismus auf dem Spiel stehen, ebenso wie die seiner Kirche, seiner Streitkräfte und des eurozentristischen Projektes der Europäischen Gemeinschaft: jenes „Europa ohne Grenzen“ des Jahres 1992, welches vorschlägt, Lateinamerika näher zu kommen, während es gleichzeitig den Visazwang — hierin den Franzosen folgend — für alle Lateinamerikaner vorbereitet. Jenes Europa, das sich gegenüber der US-amerikanischen Ausbeutung und Unterdrückung Lateinamerikas in kritische Pose wirft und zur gleichen Zeit die USA, zusammen mit Japan und Israel, einlädt, an der großen Feier teilzunehmen. Daran können wir erkennen, daß es zwischen ihnen keinerlei antagonistische Widersprüche gibt.

Worin bestehen unsere Forderungen und Ziele gegenüber dem V Centenario? Wir bauen eine Kampagne auf, die mittels einer permanenten Bewußtwerdung über unsere Identität, unsere Geschichte, über die Rettung unserer kollektiven Erinnerung — die uns geraubt wurde — und für die Verteidigung unserer natürlichen Reichtümer, auf das Ziel der Einheit hinarbeitet. Es gibt eine Plattform, die uns einigt, u.a.: die Selbstbestimmung unserer Völker, das Nichtbezahlen der Auslandsschuld, das Recht auf Leben, die Verteidigung der Menschenrechte, das Recht auf Boden für unsere Bauern und Indígenas.

Wir fordern von Europa und vom Spanien des V Centenario, daß unsere Positionen und Alternativen gehört werden gegenüber ihrem Projekt, das sie uns mittels „demokratischer“ Regierungen aufzwingen wollen; „demokratischer“ Regierungen, die, wie im Fall Kolumbien, Guatemala, El Salvador, Chile, Peru, Brasilien etc., eindeutig und in alarmierender Form die Menschenrechte verletzen.

Wir fordern, daß Europa und die katholische Kirche eine Geste positiven politischen Willens gegenüber Lateinamerika geben. Die Zeit der Kolonien, der repressiven Konkordate mit der Kirche, der ökonomischen Ausbeutungskontrakte unserer Ressourcen muß beendet werden. Und wir wollen jene künstlerischen und kulturellen Schätze zurückhaben, die uns im Namen der Könige, der Kirche und des Kolonialismus geraubt wurden.

1) Zusätzliche Information über die Kampagne findet sich in *América la Patria Grande*, Nr. 6, die im Januar 1990 erscheint.

Heinz Dieterich

George Orwells Schüler: »Indianer«, »Neger« und »Eingeborene« im Herrschaftsdiskurs des Westens

Am 24. Juli 1940 sandte der Industriebeauftragte des Oberkommandos der Wehrmacht bei den Polnischen Philips Werken in Warschau folgendes Geheimdokument an den Regierungsrat Dr. Ohlenbusch, Amt für Volksaufklärung und Propaganda, „zur gefl. vorläufigen und vertraulichen Kenntnisnahme".

„Bei seinem Besuch der Poln. Philips Werke Anfang Juni d.J. hatte der Herr Generalgouverneur den Gedanken, der polnischen Bevölkerung im G.G. wieder die Möglichkeit des Rundfunkempfangs zu eröffnen und damit der deutschen Propaganda polnischer Sprache weitgehende Möglichkeiten zu erschließen, sein besonderes Interesse entgegengebracht. Herr Gen.Dir. Walterscheid stellte die Entwicklung eines besonders kleinen Empfangsgerätes für Polen in Aussicht, welche nunmehr abgeschlossen ist ... Herrn Regierungsrat Dr. Ohlenbusch konnte das Mustergerät am 22.7. ds.Js. im Werk vorgeführt werden. Dieses entspricht der grundsätzlichen Voraussetzung, dem polnischen Eigentümer jede Möglichkeit zu nehmen, andere, zumal ausländische Sender abzuhören. Diese Forderung wird dadurch erfüllt, daß statt eines Drehkondensators ein auf den jeweiligen Orts- oder Provinzsender genau abgestimmter Festkondensator eingebaut wird. Der polnische Radiohörer kann also nur die Lautstärke regulieren. Ihm ist auch die Möglichkeit genommen, etwa für unerlaubte Zwecke an das Innere des Geräts durch Abnahme der Rückenplatte zu gelangen, deren Verschlußschrauben amtlich plombiert werden sollen und durch die Postbehörde kontrolliert werden können. Das Gerät kann auch für den Gebrauch in Wirtschaften und Kaffees an Großlautsprecher angeschlossen werden. Ebenso kann es Schallplatten übertragen." (1)

Dieses Dokument ist nicht nur ein klassisches Manifest für das Problem der Gedankenkontrolle in Klassengesellschaften, sondern auch eine adäquate Zustandsbeschreibung des Indoktrinationssystems der bürgerlichen Demokratien, insbesondere ihrer elektronischen Massenmedien und der sogenannten „Freien Presse".

Wie Chomsky, Herman, Brodhead et al. in vielfältigen wissenschaftlichen, zum Teil quantitativen, Studien gezeigt haben, erfüllt die „Freie Presse" des Westens alle Kriterien und Funktionsmerkmale staatspropagandistischer Systeme. Diese Erkenntnis ruft im europäischen Citoyen nicht allzu große Besorgnis hervor, da er eine oberflächliche oder triviale US-Presse als Teil amerikanischer „Coca Cola"-Kultur ansieht und in typisch europäischer Kulturarroganz die Situation in der „Alten Welt" für anders und a fortiori, sich selbst für kritischer hält. Wie eine kürzlich durchgeführte komparative Untersuchung der europäischen Berichterstattung über den Mittelamerikakonflikt demonstriert, handelt es sich dabei um einen jener narzistischen Euro-Mythen, die an der eigenen Realität weit vorbeigehen. Besagte Untersuchung ergab, daß — wie jeder kritische Beobachter der westlichen Massenmedien a priori erwartet hätte — zwischen der Berichterstattung führender europäischer und US-Blätter zu Mittelamerika mit einer Ausnahme (der englische *Guardian*) keine signifikanten Unterschiede bestehen.

Zwei grundsätzliche Prozeduren stehen für die Kontrolle der Köpfe zur Verfügung: die administrative Zensur, d.h. die

Schere des Zensors bzw. die Plombe am „äußeren Gehäuse" des Informationsempfängers oder die Zurichtung der Hardware (des Kopfes) dergestalt, daß er nur eine bestimmte Software, ein bestimmtes Programm, wahr- und annimmt.

Natürlich ist das Ersetzen des Drehkondensators durch den Festkondensator oder, um auf heutigem technischen Niveau zu bleiben, die gewollte Inkompatibilität der Hardware mit bestimmter Software die funktionalere Lösung für jede herrschende Elite. Und im Systemwettkampf zwischen Sozialismus und Kapitalismus hat die handwerkliche Informationsmanipulation der Sozialisten, wie das Beispiel der DDR tragisch zeigt, sowenig Überlebenschancen gegenüber den fortgeschrittenen Manipulationstechniken des monopolkapitalistischen Staates, wie der militärische Kampf der Amerikaner 1492 mit Pfeil und Bogen gegen die Feuerwaffen der europäischen Invasoren.

Sprache und Kommunikation, Theorie und Indoktrination sind derart komplexe psycholinguistische Systeme, daß die Medien-Manipulationsmöglichkeiten der Eliten über die krude Dichotomie von „Plombe im Kopf versus Plombe am Kopf" hinausgehen. George Orwell hat in *1984* Grundgedanken eines totalitären Sprachsystems entwickelt, das als „Newspeak" zum Begriff geworden ist. Strukturmechanismen grammatikalischer und semantischer Art werden dort beschrieben, die zeigen, wie Sprache zur Ausprägung bestimmter Attitüden und kanonisierter Wirklichkeitserfahrung verwendet werden kann. Orwells Newspeak bezog sich auf das stalinsche Herrschaftssystem, das für ihn Inbegriff des Totalitarismus war. Er hätte sich sicher nicht träumen lassen, daß das elaborierte Indoktrinationssystem der Freien Welt einmal die stalinschen mentalen Kontrollformen zu lächerlich primitiven Vorläufern ideologisch geschlossener Systeme degradieren würde.

Charles Osgoods geniale „semantic differential technique", die er mit einem Forschungsstipendium der CIA in interdisziplinärer Arbeit entwickelte, zeigt weitaus komplexere Manipulationsmöglichkeiten als Orwells 1948 entwickelte Fiktion. Sprache als psycholinguistisches Medium wird in Osgoods „semantischem Differential" statistisch erfaßbar und in ihrer interkulturellen wie spezifisch-nationalkulturellen Dimension für (kommerzielle wie politische) Indoktrination zugänglich.

Soziologische Analysen der Kommunikationsproblematik wiederum eröffnen die Möglichkeit, schichtenspezifische Herrschaftsdiskurse zu kommunizieren, welche die Welt-Anschauung der Eliten den spezifisch-konkreten Lebensbedingungen der wichtigsten Klassen und Sektoren anpaßt. Und schließlich sind uns die kommunikationspolitischen Analysen nicht unbekannt, wie die Bernays, der in seinem 1947 erschienen klassischen Essay „The Engineering of Consent", die Medien korrekt als „open doors to the public mind" definiert, die wissenschaftlich benutzt werden müssen, um das „engineering of consent", d.h. die „Essenz des demokratischen Prozesses", herbeizuführen. (Vergl. dazu mein Essay, „Ironien der Weltgeschichte ...").

Ich will mich heute jedoch ausschließlich auf den kolonial-eurozentristischen Herrschaftsdiskurs des Westens beziehen, da eine auch nur ansatzweise Diskussion der anderen, im vorhergehenden erwähnten, Verfahren, in der zur Verfügung stehenden Zeit unmöglich ist. Bevor dies jedoch geschieht, ist es notwendig, kurz die Bedeutung der Kommunikation als Herrschaftsmedium zu diskutieren.

Häufig wird das Verhältnis zwischen Wort und Realität, Theorie und Praxis, Vernunft und Veränderung auf, im Hegelschen Verstande, metaphysische Weise diskutiert. Sprache und, folgerichtig, Theorie verändern die Realität nicht und sind daher von sekundärer Bedeutung, behauptet diese Art von Metaphysik, für die Realität das Dinghaft-Stoffliche ist, welches Veränderungen materiellen Widerstand entgegensetzt. Auf Transformation drängendes Handeln manifestiert sich daher für sie primär in Demonstrationen, materiell-militanten Handlungen gegen bestimmmte multinationale Konzerne, Institutionen usw.

Diese schlecht-abstrakte oder metaphysische Wahrnehmung der Wirklichkeit versteht nicht, daß Relevanz, Einfluß, Macht etc. jedes ontologischen Phänomens immer kontextuell bestimmt ist, d.h., daß Wahrheit zwar als objektive, jedoch nur relationale (nicht absolute) erfahren werden kann. Die Unkenntnis (oder Negation) dieser axiomatisch-essentiellen Erfahrungs- und Wahrheitsbedingung führt zum erkenntnistheoretischen und politischen Dilettantismus, der über vereinzelte spektakuläre Aktionen nicht hinauskommt, welche politisch keinerlei signifikante Veränderungen nach sich ziehen. Das *Wort* mit Ohnmacht oder praktischer Hilflosigkeit und *Handeln* mit Macht oder realer Veränderung gleichzusetzen, läuft auf einen blinden, folgenlosen Aktionismus hinaus, (der häufig narzistisch gespeist ist).

Jeder von uns kennt die historischen Situationen, in denen Worte Panzer zum stehen gebracht haben, ebenso wie entgegengesetzte Zusammenhänge, in denen sie von Panzern zermalmt wurden. Doch steht fest, daß revolutionäre Bewegungen immer nur dann siegreich waren, wenn es ihnen gelang, die Armee des Systems mittels des Wortes, der Theorie, zu spalten und so zu neutralisieren.

Kommunikation und Handeln, Wort und Realität sind nicht durch Mauern getrennt. Die Beziehung zwischen ihnen ist dialektisch-konkret. Das Wort ist Teil der Realität, so wie die Realität Teil des Wortes ist. Und politischer Kampf ist zunächst immer Kampf um die Köpfe der Menschen: ist Kampf der Ideen im Vorfeld der Gewehre.

Jede herrschende Elite verfügt über zwei Verteidigungslinien: eine unsichtbare, die in unseren Köpfen ist und eine sichtbare, militärische, die von der Armee des Regimes gebildet wird. Solange die erste Verteidigungslinie nicht genommen ist, ist die Prätention, die zweite zu attackieren, sinnlos. (Daher die Absurdität, in den konsolidierten Metropolen der 1. Welt, wie der BRD, bewaffneten Guerrillakampf führen zu wollen.)

Die beiden Verteidigungslinien existieren seit der Aufspaltung der konkreten Arbeit in intellektuelle und manuelle und werden auch erst mit der Überwindung dieser elementaren Arbeitsteilung verschwinden. 2) Bis dahin wird also jeder, der an einem Projekt nationaler Befreiung mitarbeitet, gut daran tun, den zweiten Schritt nicht vor dem ersten zu tun, und den Kampf der Ideen als eine der Hauptfronten der Auseinandersetzung zu akzeptieren.

In diesem Zusammenhang liegt eine der großen Aufgaben der Solidaritätsbewegung für 1992. Es gilt, den offiziellen Herrschaftsdiskurs des Westens zu zerbrechen, der, ganz im Verstande der Orwellschen Analyse, die Realität von fünfhundert Jahren Kolonialismus und Neokolonialismus für die überwiegende Mehrzahl der Menschen in der 1. Welt verschleiert und, folglich, stabilisiert. Es gilt, die Tabus, Herrschaftsmythen und Sprachelemente, die seit 1492 im Dienst der Ausbeutung der Dritten Welt stehen, kompromißlos zu kritisieren und einen neuen Diskurs kollektiv zu entwickeln, welcher die Rationalisierungsschleier vor den „horror chambers" der Dritten Welt hebt, damit diese in ihrer nackten, grausamen Brutalität zu erkennen ist.

Einige Beispiele aus diesem Diskurs mögen zur Illustration genügen, etwa der Begriff „Indios" oder Indianer. Als Columbus in die westliche Hemisphäre gelangte, glaubte er, die West-Küste Indiens erreicht zu haben und nannte die Bewohner folgerichtig „Indios" („Indianer"). Wenige Jahre nach seinem Tod stellte sich diese Schlußfolgerung als geographisch bedingter Irrtum heraus. Gleichwohl wird der Name „Indio" bis heute weiter benutzt. Warum das so ist, ist leicht ersichtlich. Es handelt sich um einen äußerst funktionalen psycholinguistischen Herrschaftsmechanismus, der die „Indianer" zu Menschen zweiter Klasse stempelt, ebenso wie „Neger", „Eingeborene" oder „Zigeuner", d.h. alles, was der Ersten Welt entweder als Arbeitstier dient oder überflüssig ist, weil unverwertbar.

Ironischerweise wird Columbus für die Entdeckung Amerikas gefeiert — die nicht von ihm ist —, während seine tatsächlichen Großtaten weder auf Denkmälern noch bei Zelebrationen entsprechende Würdigung finden. In der Tat veränderte der Genuese den biblischen Plan der Genesis beträchtlich, indem er die Erste und die Dritte Welt schuf. Das war relativ einfach. Die Europäer hatten im Süden bereits den „schwarzen Kontinent" entdeckt, der voller „Neger" war. Nun „entdeckte" der Admiral einen neuen Kontinent im Westen, der voller „Indianer" war. Es lag nahe, „Neger" und „Indianer" zur Arbeit zu bringen: zu ihrem eigenen Besten und zum Fortschritt der Zivilisation. Und so entstand der fruchtbare Welthandel mit „schwarzem Gold" aus Afrika, Zucker und Edelmetallen aus Amerika und Industriewaren, Schund und Alkohol aus Europa.

In der westlichen Hemisphäre gab es keine „Indios", ebensowenig wie es in Afrika „Neger" gab. Nicht einen einzigen von ihnen. Doch das Ausbeutungsinteresse der Kolonisatoren erforderte ihre Existenz und so wurde die Phantom-Spezie der „Indios" geschaffen. Indios oder Eingeborene sind, wie Fanon und Sartre in eindrucksvoller Reflexion gezeigt haben, das notwendige Produkt des Kolonisationsprozesses: weder Mensch noch Tier, sondern ein Mittelding zwischen beiden. In der brutal-enthüllenden Sprache des Faschismus: Untermenschen, die in ihrer Totalität die Randvölker (im heutigen akademischen Sprachgebrauch: marginale oder periphere Völker) bilden, welche den Herrenvölkern der Ersten Welt als Kultursklaven dienen.

„Indios" und „Neger" entstanden aus der Dialektik der Ausbeutung. Die europäischen Invasoren brauchten Arbeitstiere für Bergwerke und Plantagen. Daher konnten die vorgefundenen Menschen nicht als Menschen behandelt werden, sondern waren in ihrer Identität und Menschenwürde zu vernichten. Andererseits war ein Rest rationaler Arbeitsfähigkeit zu erhalten, der über den Gebrauchswert des Arbeitstiers hinausgehen mußte. Aus dieser Dialektik entstanden in kafkaesker Metamorphose „Indios" und „Neger".

Die Fortdauer dieses Sprachgebrauchs zeigt mehr als alle Sonntagsreden und zeremoniellen Erklärungen der Erst- und Drittwelt Politiker, daß sich substantiell nichts verändert hat am Grundtatbestand der Degradierung und Ausbeutung dieser Völker. Und wenig auch hat sich geändert an der internalisierten Unterdrückung in den Köpfen der „Indios", die sich mit dem ihnen aufgezwungenen peiorativen Terminus identifizieren und das Stigma zum — unbegriffenen — Teil ihrer Identität gemacht haben. „Indio“ steht nicht, wie so viele „Stadtindianer“, romantisierende Kleinbürger und obsolet-phantasierende Kultur-Anthropologen in den Metropolen glauben, für die andere, reinere, ursprünglichere prä-europäische Kultur, sondern für das aus dem staatsterroristischen Vorgehen der Invasoren resultierende Frankensteinsche Produkt: der Untermensch als „the man who measures *under* the standards of capacity and adaptability imposed by the social order in which he lives“, d.h., der sozialen Ordnung, die ihm von den Conquistadoren aufgezwungen wurde.

Der „Indio“ ist ethnolinguistisch des Produkt des „mestizaje“, i.e., der Imposition des Siegers, ebenso wie der Mestize als biologische Entität das Produkt physischer Vergewaltigung der amerikanischen Frauen ist. Die Funktion des Terminus entspricht dem des Judensterns während der Nazizeit. Das macht deutlich, wie ungebrochen das Herrschaftsverhältnis durch 500 Jahre Staatsterror, materielle Verelendung und psycho-kulturelle Zerstörung erhalten geblieben ist.

Der Begriff und Eigenbegriff „Indio“ ist natürlich nur ein Symptom des Herrschaftssyndroms. Es entbehrt nicht einer gewissen Komik, wenn die gutmeinenden Bewohner der Ersten Welt die Tracht der bolivianischen Cholas oder bestimmter ekuadorianischer Ethnien als Authentische bewundern, ohne sich darüber klar zu sein, daß, z.B., der Sombrero letzterer ein von den Spaniern eingeführter italienischer Sombrero des 15. Jahrhunderts ist. Das gleiche gilt, wenn „Indio“-Musik aus Mexiko mit Trompeten oder aus dem peruanischen Amazonasgebiet mit Gitarren unterlegt ist, die beide Instrumente der dominierenden europäischen Kultur darstellen oder wenn bestimmte Volkstänze, die karnevalistische Satiren auf die Eroberer sind, als „indianische“ identifiziert werden.

Wenn nicht von „Indianern“ gesprochen werden soll, dann verwenden die Sieger gern den Terminus „indígenas“ und belehren uns, daß es sich dabei um einen ethymologisch und semantisch korrekten, nicht-diskriminierenden Begriff handelt. Er ist in abstracto in der Tat objektiv-beschreibend, verliert seine Unschuld jedoch im konkreten neokolonialen Zusammenhang. Um diese, seine reale Dimension zu erfahren, bedarf es keiner theoretischen Analyse. Man braucht nur einen Bewohner der Ersten Welt oder, genauer, ein Mitglied der Herrenvölker, als Eingeborenen zu bezeichnen und die Reaktion wird deutlich zeigen, wann der Begriff als objektiv und wann als pejorativ dargestellt und empfunden wird.

„Los Naturales" oder the „natives" wird als weiteres Synonym für „Eingeborene" gebraucht. Hier tritt das Unterdrückungsverhältnis noch deutlicher zutage. Die spezifische Differenz zwischen Mensch und Natur liegt gerade darin, daß ersterer ein vernunftbegabtes und rational-arbeitsfähiges Wesen ist. Indem eine Gruppe von Menschen als „naturales" oder „natives" kategorisiert wird, werden sie ausgegrenzt aus der logischen Klasse der Menschen und sind zu verstehen als Teil des Hegelschen Reichs der Natur, d.h. als Extension des nicht-geistigen Sektors des Universums, als sein dinghafter Teil.

„Aborigenes" ist eine weitere Kategorie, die mit Hilfe der organischen Intellektuellen des Fünfhundertjährigen Reiches benutzt wird, um das Unterdrückungsverhältnis zwischen Erster und Dritter Welt zu stabilisieren. Die musealen, prähistorischen Assoziationen, die dieser Terminus in Kommunikationszusammenhängen auslöst, sind zu offensichtlich, als daß wir darauf länger eingehen müßten.

Die von uns angeführten Beispiele für die ungebrochene Dominanz des kolonial-imperialistischen Herrschaftsdiskurses des Westens könnten fast beliebig verlängert werden. „Neue Welt", „Kazique", „Häuptling", „Stamm" etc. sind weitere Bollwerke der unsichtbaren Verteidigungslinie, die die glücklichen Sieger des Verteilungskampfes um das planetarische Mehrprodukt seit 1492 in den Köpfen der Verlierer und der Massen etabliert haben. Immense Summen und Bataillone organischer Intellektueller, von Zeitungsschreibern bis Akademikern, werden von den atlantischen Eliten eingesetzt, um diese erste Verteidigungslinie des Fünfhundertjährigen Reiches zu protegieren. Nur durch die kollektive Anstrengung der fortschrittlichen Sektoren Europas und Amerikas und mit der Kraft begrifflicher Analyse, politischer Organisation und politisch-kultureller Praxis kann es uns gelingen, in die Bollwerke dieser Eliten bis 1992 bedeutende Breschen zu schlagen. Und erst dann, wenn wir 1992 mit Brecht konstatieren können, daß den Architekten und Nutznießern der *Brave New World* der Stein ihrer zynischen Triumphfeiern auf die eigenen Füsse gefallen ist, dürfen wir zufrieden sein.

1) Das Dokument befindet sich im YIVO-Institut, New York, N.Y.
2) Die gegenwärtige Bourgeoisie verfügt über eine dritte Verteidigungslinie: die kapitalistischen Weltproduktionsverhältnisse. Selbst wenn die ersten beiden Verteidigungslinien durchbrochen sind, kann die Bourgeoisie immer noch über die dritte siegen, wie u.a. der Fall Ungarn zeigt.

Gaby Gottwald

Solidaritätsarbeit mit Zentralamerika: Konsequenzen für die politische Arbeit hier

Das Bedürfnis, praktische Politik theoretisch zu untermauern oder andersrum, aus der theoretischen Auseinandersetzung praktische Schritte abzuleiten, ist uns allen bekannt. Ob es überhaupt möglich ist, aus der vorherigen Debatte direkte Schlußfolgerungen für die heutige Solidaritätsarbeit zu Zentralamerika zu ziehen, weiß ich nicht. Mir erschien es jedenfalls als eine Aufgabenstellung, die meine Kapazitäten bei weitem übersteigt. Ich kann also nur versuchen, einige Anregungen zu geben, meine Gedanken zu benennen und darauf hoffen, daß sie zu einer Systematisierung der Debatte beitragen.

Im Spiegel vor einigen Wochen erschien ein Foto von 1983, wo Entwicklungshilfeminister Warnke zu Besuch in Togo ist. Das Bild zeigt ihn freudig lächelnd einer Gruppe sogenannter Eingeborener zuwinkend, die ihm zu Ehren einen Tanz vorführen, kaum bekleidet sind und Federn auf dem Kopf tragen. Warnke hatte Geld dagelassen und erfreute sich seiner Mission. Ob es sich bei dieser Art von Politik eher um Kolonialismus handelt oder ob angesichts der bundesdeutschen Interessenlage in Togo eher von klassisch imperialistischer Politik zu sprechen ist, weiß ich nicht — am Ende ist es beides. Unübersehbar ist jedoch der Rassismus als integraler Bestandteil dieser Herrschaftspolitik. Sartre benennt dies im Vorwort zu Fanons „Die Verdammten dieser Erde“: „ein rassistischer Humanismus, weil der Europäer sich nur dadurch zum Menschen hat machen können, daß er Sklaven und Monstren hervorbrachte.“

Der Weiße als Herrenmensch, der nur die liebt, die ihn von einer sogenannten niederen Entwicklungsstufe aus vermeintlich bewundern und ihn brauchen. Er freut sich, den Eingeborenen, Negern, Indianern, Flüchtlingen Gutes zu tun. So wird es jedenfalls definiert.

Vor kurzem erlebten wir eine ganz andere Szenerie. Der nicaraguanische Präsident Daniel Ortega war zu Besuch in der Bundesrepublik. Auch er brauchte Geld und Unterstützung. Doch kein Regierungsvertreter verspürte das Bedürfnis nach Selbstbefriedigung und Selbstbestätigung, das die vermeintlich Helfenden beim Anblick von „Eingeborenen“ überfällt. Der „rassistische Humanismus“ bleibt aus. Dies nicht nur, weil man sich der Gefolgschaft der imperialistischen Politik des Bündnispartners USA verschrieben hat, was den Boykott der Sandinisten vorschreibt, sondern auch, weil andere Gefühle sich beim Anblick eines nicaraguanischen Revolutionärs Bahn brechen. Haß.

Ob wir das Beispiel des Ortega-Besuchs oder das anderer Auftritte der Sandinisten in der BRD nehmen, ist egal. Eins wird immer deutlich. Das Bedürfnis zu demütigen, zu unterwerfen, selbst Macht zu demonstrieren und aus der Position des Herrschenden heraus sowohl die Politik der Sandinisten als auch deren Vertreter abzulehnen. Die bundesdeutschen Konservativen in der Politik haben ein sehr emotionales Verhältnis zu den Sandinisten. Sie hassen sie, weil sie es ihnen nicht verzeihen, daß sie sie aufgrund der größeren kulturellen und ethnischen Nähe, die Europa zu Lateinamerika hat, nicht in den Status „eingeborener Völker“ drängen können, die sie selbstgefällig belächeln und betätscheln, sondern sie als Gegner in der Politik wahrnehmen müssen, der ihr Feld der internationalen Politik betreten hat. Sie hassen sie noch viel mehr deswegen, weil die Sandinisten trotz Bedrohung durch Krieg, Schwäche durch wirtschaftliche Krise und Opfer imperialistischer Politik, etwas an den Tag legen, was hiesige Machthaber nicht besitzen: Würde. Die Sandinisten sind gezwungen, mit jedem zu verhandeln, von jedem Hilfe zu erbitten und zahlreiche Konzessionen zu machen. Sie haben dabei doch niemals ihr Ziel aus den Augen verloren, ihre Identität aufgegeben und ihre Würde verloren. Bundesdeutsche Machthaber haben keine Würde, da sie das Wort Widerstand nicht kennen. Sie sind imperialistische Schleimscheißer, was sie zu ahnen scheinen, tritt ihnen jemand mit aufrechtem Gang gegenüber. Es jagt ihnen Angst ein. Können sie den Gegner nicht unterwerfen, hassen sie ihn.

Ich habe dies nicht angeführt, um psychologische Ursachen für das Verhältnis der Bundesregierung zur sandinistischen Revolution als konstituierende in der Politik anzugeben. Die Mittelamerika-Politik wird durch außen- und sicherheitspolitische Bündnisinteressen festgelegt. Ich habe es nur angeführt, da ich glaube, daß die leidenschaftliche Ablehnung der Sandinisten und der glühende Antikommunismus, den man ihnen entgegenbringt auch persönlich-psychologische Momente enthält, die ihrerseits die Art der Debatte um Nicaragua mitbestimmen.

Die imperialistischen Herrenmenschen haben aber nicht nur eine pathologische Psychologie und eine marode Seele, sondern auch eine dem adäquate Theorie, die sie, da sie intelligent sind, zur Begründung ihrer imperialistischen Politik anführen und sie mit den allerhöchsten menschlichen Werten belegen. Nehmen wir die Mittelamerikapolitik der Bundesregierung als Beispiel. Seit Jahren gibt die Bundesregierung vor, daß die Grundlage ihrer Zentralamerikapolitik der Einhaltung und Wahrung der Menschenrechte diene. Bereits der erste Blick auf diese Menschrechtspolitik beweist, daß Sartres Beschreibung der Kolonialisten auch noch heute Gültigkeit findet: „Die Elite offenbart ihre eigentliche Natur: Sie ist eine Bande. Unsere treuen Werte verlieren ihre Flügel, von nahem betrachtet wird man nicht einen einzigen finden, der nicht mit Blut befleckt ist."

Die koloniale Eroberung wird heute neben der unmittelbaren Ausbeutung und militärischer Zwänge über imperiale Penetrierung der eroberten Gesellschaften abgesichert. Die Penetration findet nicht nur materiell, sondern auch geistig statt. Angeblich zivilisierte Wertesysteme sollen etabliert werden. Es handelt sich um das westliche Wertesystem, das offiziell durch die NATO repräsentiert wird und in dessen Namen Vernichtungskriege geführt werden. Die erzwungene Übernahme dieses Wertesystems, daß Frantz Fanon als pathologisch und mörderische Fratze beschrieb, soll die ideologische Grundlage der politischen Hegemonie des Imperialismus stellen.

Erinnern wir uns an den großen Feldzug in der Menschenrechtspolitik in Lateinamerika, den US-Präsident Carter in den 70er Jahren führte. Die Cartersche Menschenrechtspolitik, die der sozialliberalen Bundesregierung als Grundlage für ihre Mittelamerikapolitik galt, ging davon aus, daß der status-quo in Lateinamerika nur dann aufrecht zu erhalten sei, wenn in gewissem Umfang Reformen zugelassen werden, um Ventile für soziale und politische Unzufriedenheit zu schaffen. Dieses Denken und diese imperialistische Politik galt der Verhinderung revolutionärer Entwicklungen und stellte die wesentliche Basis für das militärisch-politische Konzept der Aufstandsbekämpfung oder counter-insurgency-Politik dar. Stabilität im Sinne hegemonialer Machterhaltung sei nur über das Zulassen gewisser kontrollierter Veränderungen möglich. Da in diesem Sinne häufig brutale Militärdiktaturen stabilitätsgefährdender sind, als kontrollierte Demokratien, war es propagandistisch ein leichtes, eine solche Herrschaftspolitik als Menschenrechtspolitik zu deklarieren. Reagan hat besonders in Zentralamerika versucht, diese Strategie als Demokratisierungsoffensive zu verkaufen, hat das Konzept verfeinert und ausgebaut und ihm zur Durchsetzung verholfen. Das gelungenste Beispiel dieser Politik ist die heutige Regierung in El Salvador. Mußten ehemals faschistische Killer die Regierungsmacht über Militärputsche an sich reißen und unter dem Makel von Militärregierungen den Staatsterror organisieren, ist die rechtsradikale ARENA-Regierung heute in der priviligierten Situation, über demokratische Wahlen an die Macht gekommen zu sein, was per se staatsterroristische Politik legitimiert. In diesem Sinne ist die heutige Regierung El Salvadors wohl eine der gelungensten Schöpfungen der US-Demokratisierungspolitik in Lateinamerika. Die Bundesregierung befindet sich stets in ideologischer und politischer Übereinstimmung mit der US-Politik und weiß die Fortschritte des Demokratiserungsprozesses in Zentralamerika sehr wohl zu schätzen und zu unterstützen. Die Ausrichtung ihrer Zentralamerikapolitik nach bündnispolitischen Optionen, was die Interessengemeinschaft mit den USA ausmacht, steht nicht etwa in Gegensatz zur beabsichtigten Menschenrechtspolitik, wie viele Kritiker fälschlicherweise stets behaupten, sondern umgekehrt. Die Menschenrechtspolitik ist integraler Bestandteil der imperialistischen Außenpolitik, da sie die ideologische Basis stellt.

Per hiesiger, also westlicher Definition, können die Menschenrechte nur in marktwirtschaftlich organisierten Gesellschaften mit parlamentarischer Demokratie gewahrt werden. Sozialistische Gesellschaftsmodelle bedeuten per se die Negation von Menschenrechten. Freiheit ist das Gegenteil von Sozialismus. Jede Abweichung von diesem Modell, jede Form direkter politischer Partizipation, wie es sie z.B. in Nicaragua gibt, ist per Definition undemokratisch. Weltweit hat dieses Modell für imperialistische Politik Gültigkeit. Die Barbarei, die diese Sichtweise hervorbringt, hat sie die Macht, sie auch durchzusetzen, können wir in Lateinamerika beobachten. Die Absurdität, mit der die Argumentation geführt wird, haben wir hier jeden Tag vor Augen. Jedes vorgebrachte Argument bricht sich an der gesellschaftlichen Realität in Lateinamerika, ist aber für hiesige Politik erfolgversprechend, da es unmittelbar an den mehrheitlich ausgeprägten Bewußtseinsformen in der Bevölkerung anknüpft. Demokratie und Menschenrechte bedeuten Wahlen, Parteiensystem, Versammlungsfreiheit, die Existenz rechter Presseorgane, etc. Soweit diese westlichen Werte als formal existierende Phänomene überhaut wahrnehmbar sind, befindet sich eine Gesellschaft auf dem Weg zur Demokratisierung. Ob die Wahlen innerhalb der eigenen imperialistischen Ideologie auch frei waren, spielt dann nur noch eine untergeordnete Rolle. Zur Not wird gelogen und die Wahlen in El Salvador werden als frei deklariert, die Wahlen in Nicaragua als gefälscht. Daß in keinem Fall demokratische Prozesse in diesen Ländern an der Abhaltung von Wahlen gemessen werden können, gibt es in der offiziellen Politik als Argument überhaupt nicht. Solche Positionen vertreten nur Extremisten. Wir wissen alle, daß mit dieser Argumentation stets die sandinistische Regierung zum totalitären Regime erklärt wurde und der hiesige Antikommunismus versucht hat, sich ein menschenrechtsfreundliches Gesicht zu geben.

Es ist ihm jedoch nicht gelungen. Die imperialistische Fratze scheint durch. Und mehr noch. Sartre beschreibt die Ideologie des Kolonisators wie folgt: „Weil keiner Seinesgleichen ausplündern, unterjochen oder töten kann, ohne ein Verbrechen zu begehen, erheben sie es zum Prinzip, daß der Kolonisierte kein Mensch ist.“ Der Imperialist argumentiert anders aber auf der gleichen Basis: In der Nachfolge des abendländischen Humanismus betrachten sich hiesige Imperialisten als die Inkarnation der Zivilisation, die es weltweit zu etablieren gilt. Da die Dritte Welt über keine Zivilisation verfügt, muß der Westen sie in der unterentwickelten Welt verankern. Da die Bewohner der Dritten Welt ungebildet und rückständig sind, weswegen sie es nicht einsehen wollen, daß es der Imperialismus gut mit ihnen meint, muß zu ihrem Heil eben auch Zwang eingesetzt werden. Für beide Seiten einfacher ist es jedoch, wenn der Dritte-Welt-Mensch ein „Einsehen“ hat und sich freiwillig unterwirft oder gar um Beherrschung nachfragt. In keinem Fall vorgesehen ist Widerstand.

Und nun zu uns, den Solidaritätsbewegten. Über uns zu reden und unsere Politik zu bewerten, ist viel schwerer. Es ist wie Glatteis betreten. Man rutscht leicht aus.

Wir haben mit kolonialer und imperialistischer Politik natürlich nichts zu tun. Wir machen sie nicht, wir vertreten sie nicht, wir haben sie nicht zu verantworten. Wir haben im Wesentlichen ein Problem. Wir sind die Kinder dieser Gesellschaft, wir sind die Produkte ihrer Sozialisation, wir leben in ihr und profitieren davon und wir gehören zu denen, die wie Frantz Fanon sagt, für diese Gesellschaft „von Zeit zur Zeit einen ungeheuren Ekel empfinden.“

Viele von uns sind gegen diese Gesellschaft, lehnen sie massiv ab, und einige verstehen sich gar als Opfer hiesiger Verhältnisse. Mag sein, daß es für einige zutrifft. Doch in der Solidaritätsarbeit nützt es uns wenig. Wir können uns gegenüber unseren Freunden in der sogenannten Dritten Welt nicht ernsthaft als Opfer präsentieren und darüber die Gemeinsamkeit zu ihnen suchen. Wir können uns allenfalls als Gegner des Systems präsentieren und darauf hoffen, daß es uns geglaubt wird.

Die Tatsache, daß wir als Gegner aber Mitglieder einer imperialistischen Gesellschaft die Zusammenarbeit mit den Opfern des Imperialismus suchen und dafür auch Anerkennung wollen, führt häufig zu einer inneren Zerrissenheit, die die verschiedensten Ausdrucksformen annimmt.

Ich will nur einige Typen in stigmatisierter Form nennen.

Die Verzichtsapologeten

Es gibt Leute, die als politische Strategie was propagieren, was keine Politik ist, da es zu nichts führt. Es führt zu nichts, da es sich um individuelle Überwindungsstrategien zur Bewältigung der Realität handelt, die gesellschaftlich keine Gültigkeit erlangen können und als solche auch gar nicht gemeint sind. Verzichtet auf die Produkte aus der Dritten Welt und unterminiert so die imperialistische Ausbeutung. Ich will nicht abstreiten, daß das Importverbot von Edelhölzern eine Strategie sein kann, dem ökologischen Raubbau in der Dritten Welt entgegenzuwirken. Aber ich streite entschieden ab, daß persönliche Konsumbeschneidungen, wie tragt keine Jeans, da sie aus Baumwolle gemacht werden, trinkt keinen Kaffee oder Tee, usw. irgendetwas mit antiimperialistischer Politik zu tun haben. Ich will diese Strategie der Gewissensberuhigung nicht abwerten, aber ich spreche ihr einen politischen Charakter ab.

Die Humanisten

Es gibt viele Menschen, die sich aufgrund aufrichtiger Motive aufraffen, zu helfen. Es wird gesammelt, gespendet, Stickereien verkauft, Sachen besorgt, etc. Es ist gut, daß es solche Anstrengungen humanitärer Art gibt, doch auch sie können eine antiimperialistische Politik nicht ersetzen. Doch dieser Humanismus birgt auch eine Gefahr in sich, vor allem, wenn er sich mit politischer Praxis paart. Sartre nennt das „Striptease des Humanismus". Eine verlogene Ideologie, die Ausbeutung verdecken kann, die Gewissen beruhigen soll, und die als Politikersatz angewendet, strukturelle Ungleichheit nicht überwindet, sondern festschreibt. Der Helfende sollte sich zumindest davor hüten, daß er subjektiv von der Ungleichheit profitiert, wenn er sich am Helfen ergötzt.

Sowohl bei den Humanisten als auch bei den Verzichtsapologeten ist die Grundlage des Handelns häufig ein Gefühl von Schuld. Man fühlt sich irgendwie mitschuldig am Elend in der Dritten Welt und will sich irgendwie freisprechen. Die einen, indem sie alles rüberschaffen, was sie organisieren können, die anderen, indem sie von nichts profitieren wollen, was über imperialistische Ausbeutung angeeignet wurde. Die moralische Betroffenheit ist sicherlich sehr ehrenwert, doch ich glaube nicht, daß sie unseren Freunden in Lateinamerika oder woanders dient, noch daß wir sie damit auch noch behelligen sollten. Sie haben wirklich schon genug Probleme.

Die radikalen Klassenkämpfer und Antiimperialisten

Fühlen sich die einen wohl, wenn sie helfen können, verachten die anderen die Menschen, da sie unter einem Helfersyndrom leiden. Da Hilfe strukturell nichts verändert, unterlassen sie jede Form humanitärer Hilfe und verlieren oft den Blick dafür, daß Überleben die Voraussetzung für Kämpfen ist. Die stilisierteste Form dieses Denkens drückt sich in der Glorifizierung des bewaffneten Kampfes aus, wo die Bewunderung für die radikalste Form des Widerstandes in anderen Ländern zur Ersatzdroge fürs eigene Angepaßtsein wird. Es gibt von diesen Leuten viele, die hier wie die Made im Speck leben und die Konsequenzen von Befreiungskriegen zunächst nur für andere tragbar finden. Es gibt auch solche, die bereit wären, die Konsequenzen hier zu tragen und aufgrund der verklärten Anschauung über bewaffnete Auseinandersetzungen nichts mehr herbeisehnen, als den bewaffneten Kampf hier. In jedem Fall handelt es sich um Ideologen, die nicht in der Lage sind, politische oder politisch-militärische Strategien aus der Analyse der jeweiligen gesellschaftlichen Situation und dem Stand der Klassenkämpfe abzuleiten, die historisch adäquat und damit politisch-moralisch zu verantworten sind.

Die Pazifisten

Was hier als höchste Tugend gefeiert wird — besonders in Kreisen, wo ich mich viel aufhalte — empfinde ich als eine der schlimmsten Heucheleien. Die Vertreter der prinzipiellen Gewaltlosigkeit vertreten ihre Religion nicht nur wie eine alles seligmachende Heilslehre, die wie ein Dogma auf alle gesellschaftlichen und historischen Verhältnisse angewandt wird, sie sind auch Lügner. Sie haben nicht nur unrecht, wenn sie sagen, gewaltfreier Widerstand ist immer das adäquate Mittel zur eigenen Interessendurchsetzung, sie wissen auch, daß sich in ihren eigenen Reihen nicht ein einziger wirklicher Pazifist befindet.

Die Pazifisten versuchen — vielleicht aufrichtig — die Ungerechtigkeit in der Welt mit friedlichen Mitteln auszuräumen. Doch die Dogmatiker unter ihnen müssen sich von Sartre sagen lassen. „Seht doch endlich folgendes ein: wenn die Gewalt heute abend begonnen hätte, wenn es auf der Erde niemals Ausbeutung noch Unterdrückung gegeben hätte, dann könnte die demonstrative Gewaltlosigkeit vielleicht den Streit besänftigen. Aber wenn das ganze System bis zu euren gewaltlosen Gedanken von einer tausendjährigen Unterdrückung bedingt ist, dann dient eure Passivität nur dazu, euch auf die Seite der Unterdrücker zu treiben."

Gewalt kann ein revolutionäres Moment sein, sie muß es aber nicht. Zwei Seiten einer Medaille, von der wir häufig weder die eine, noch die andere richtig verstehen können.

Ich könnte diese übertriebene Stilisierung von Typen, die uns in der Solidaritätsarbeit begegnen noch weiterführen. Es gibt noch die Ethnologen und ihre Liebe zur indianischen Bevölkerung, deren Kultur sie in Studien zu erfassen suchen und deren Lebensweise seziert und geistig penetriert wird. Es gibt viele Leute in der Solidaritätsbewegung, die sich mit den Produkten der anderen Kultur komplett zuhängen, so daß man den Eindruck bekommt, sie möchten am liebsten Indianer sein und doch schaffen sie es nicht. Es gibt Leute, die darauf brennen, als Revolutionär an einer Revolution teilzunehmen, die nicht die ihrige ist. Es gibt Leute, die in der Solidaritätsarbeit alle möglichen Absurditäten hervorbringen, die sie als Liebe zur anderen Kultur deklarieren, die in der Regel die Funktion hat über das hinwegzutäuschen, was Tatsache ist. Daß wir alle Kinder dieser Gesellschaft sind und deswegen anders.

Ich bin sehr froh, daß die Geschichte Menschen wie Amilcar Cabral hervorgebracht hat, der zwar nicht unsere Zerrissenheit und Identitätssuche lösen kann, der aber zumindest den Weg aufzeigt, wie wir uns dem Problem nähern können. Er schreibt über die internationale Solidarität. „Wenn es einen Imperialismus gibt — und das ist offensichtlich — ... dann gibt es nur einen gemeinsamen Feind, gegen den wir kämpfen müssen. Wenn wir den Kampf gemeinsam führen, ist der wesentliche Aspekt unserer Solidarität eindeutig. Man muß kämpfen. Ich glaube nicht, daß man darüber viele Worte verlieren muß. Wir kämpfen in Guinea mit dem Gewehr in der Hand. Sie müssen in ihren Ländern ebenfalls kämpfen. Ich sage nicht, mit dem Gewehr in der Hand, ich werde ihnen auch nicht sagen, wie sie zu kämpfen haben, das ist ihre Angelegenheit. Aber sie müssen die beste Form und die besten Mittel des Kampfes gegen unseren gemeinsamen Feind finden. Das ist die beste Art der Solidarität." (*Die Revolution der Verdammten*, S. 30)

Ich denke Cabral hat Recht, da er zumindest einen Knoten löst: den der Moral. In aller Schlichtheit verweist er uns darauf, daß die politische Lösung für keine Seite darüber vorangetrieben wird, daß wir uns entweder in übersteigerter Identifikation mit den Opfern des Imperialismus und deren Kämpfen ergehen, noch unsere Brust mit Skrupeln und Gewissensbissen füllen, da es uns unmoralisch erscheint, Kinder einer imperialistischen Gesellschaft zu sein.

Cabral verweist uns auf unsere eigenen Zusammenhänge und angesichts seines Vorschlages sind wir fast auf die Literatur zurückgeworfen, da wir uns mit dem Kampf im eigenen Land am schwersten tun. Wer von uns weiß schon, wie man die Bestie im Herzen der Metropole am besten bekämpft.

Ich weiß es jedenfalls nicht.

Doch ich weiß, daß Cabral Recht hat, wenn er sagt, wir müssen die Situation im eigenen Land zum Ausgangspunkt unserer Politik machen.

Ich kann nur versuchen, mich dem zu nähern, was das bedeuten kann im Rahmen der internationalen Solidaritätsarbeit.

Der zentrale Gegenstand unserer politischen Aktivitäten sollte die Politik sein, die von hier aus gegen die sogenannte Dritte Welt betrieben wird. Wir können über alles mögliche diskutieren und Veröffentlichungen machen, über den Stand der Agrarreform in Nicaragua, über die Rolle der Frau im salvadoreanischen Befreiungskampf etc., wir können überlegen, ob wir diese Entwicklungen politisch oder materiell unterstützen oder es lassen, aber von der Natur der Sache her können wir politischen Einfluß nur hier nehmen.

Jenseits konkreter Aufgabenstellungen, sollten wir in unserer Arbeit stets von einem Grundsatz ausgehen. Wir müssen mit der herrschenden Logik brechen und diesen Bruch zur Grundlage unseres Handels machen. Dieser Satz hört sich banal an, weil es in der Tat eine banale Feststellung ist, daß antiimperialistische Solidarität auf dem Bruch mit der Logik der Imperialisten beruht. In der Praxis der Solidaritätsarbeit führt diese Banalität jedoch zu den größten Verwirrungen und auch Auseinandersetzungen und zwar deswegen, weil diese Logik scheinbar mit einem anderen Anspruch kollidiert, dem, daß wir uns praktisch politisch einmischen müssen und uns deswegen an der Realität zu orientieren haben, man — wie es bei den Grünen heißt — Realpolitik machen müsse. Meiner Meinung nach müssen diese beiden Ansprüche kein Gegensatzpaar bilden, wenngleich sie sich in der Solidaritätsarbeit häufig als gegensätzliche gegenübertreten und zwar dergestalt, daß die eine Seite behauptet, nichts sei verwerflicher, als sich an der Realität abzumühen, indem man die Politikfelder des Feindes betritt, was stets den eigenen Untergang nach sich zöge und anderseits behauptet wird, man müsse sich auf existierende Politik dergestalt einlassen, daß man die herrschende Logik innerhalb ihres eigenen Systems bekämpft. Handelt es sich im ersten Fall um die Höhen linker Saubermann-Politik, die sich stets an der reinen Lehre orientiert, haben wir es im zweiten Fall mit den Niederungen des Reformismus zu tun, der stets den status quo als Ausgangspunkt und Ziel seiner Bemühungen begreift. In beiden fällen bewegt sich nichts.

Zwei aktuelle Beispiele:

Die Solidaritätsarbeit zu Nicaragua kreist zur Zeit um das Thema Wahlen. Wir können das verabscheuen oder gut heißen, Fakt ist, es ist so. Was tun? Die Solidaritätsbewegung und auch die Grünen machen zur Zeit die Kampagne „Unterstützt die Sandinisten im Wahlkampf", wo neben dem Sammeln von Geldspenden für die FSLN die Intervention der hiesigen Rechten in den Wahlkampf in Nicaragua zum Thema gemacht werden soll. Der Bezug zu den Wahlen ist einfach. Wir sagen, die FSLN muß gewinnen, soll die Revolution fortgesetzt werden, da es eine Wahl zwischen Revolution und Konterrevolution ist. Weil es um die Wurst geht, mischen wir uns ein, wenngleich wir Fragen der Demokratie in Nicaragua nicht entlang von Wahlen diskutieren.

Obwohl dies eine recht breit angelegte Kampagne ist, gibt es wie immer Kritik. Kritik von links, die besagt, wie könnt ihr euch als Linke auf diese Wahlen konzentrieren, wo doch die US-Regierung die Wahlen als Verlängerung des Krieges mit anderen Mitteln einsetzt. Stimmt. Doch zwei Gegenargumente folgen. Erstens, die FSLN hat Unterstützung erbeten. Sie braucht nicht nur Geld, sondern auch politische Öffentlichkeit zu ihren Gunsten. Zweitens: Wenn die zentrale Debatte um Nicaragua bis zu den Wahlen um diese Wahlen kreisen wird, wie sollen wir irgendwie öffentlich Einfluß nehmen, wenn wir die Wahlen nicht diskutieren wollen?

Die zweite Kritik an der Kampagne kam von der anderen Seite. Es gab den Vorschlag, eine politisch breit angelegte Kampagne zu führen, die alle möglichen politischen Spektren einbezieht. Gemeint war, die Ausrichtung der Kampagne zur Mitte hin, die Zusammenarbeit mit der Sozialdemokratie.

Wir haben dies abgelehnt, weil dies bedeutet hätte, daß wir unsere Position zu den Wahlen hätten dergestalt ändern müssen, daß wir es zulassen, daß im Rahmen der eigenen Kampagne behauptet wird, die Wahlen seien wichtiger Bestandteil des Demokratisierungsprozesses in Nicaragua, wir hätten lobend hervorgehoben, daß die Rechtsopposition alle erdenklichen Freiheiten genießt, wir hätten die saubere Durchführung der Wahlen zum Thema gemacht, usw. Statt des Bruchs mit dieser Logik hätten wir sie unsererseits in der Solidaritätsbewegung und in der Öffentlichkeit verfestigt. Das geht nicht.

Wir haben versucht, einen Ausweg zu finden, der m. M. nach sich deutlich von der herrschenden Debatte absetzt und gleichzeitig öffentlich Einfluß nimmt, da er die herrschenden Kreise berührt, indem er provoziert und Gegenreaktionen hervorruft. Wir haben politisch polarisiert, die SPD rausgelassen, keine inhaltlichen Kompromisse gemacht und durch recht ungewöhnliche Geldmengen für Aufmerksamkeit gesorgt. Unser Vorgehen hat mit dazu beigetragen, daß die sozialdemokratischen Kreise sich bewogen fühlten, ebenfalls Solidaritätsbekundungen abzugeben und die Jusos haben eine Spendenkampagne eingerichtet. Sie wollten nicht abseits stehen. Auf der Ebene der Spendensammlungen gibt es jetzt nicht eine inhaltlich verwässerte lahme Papieraktion, sondern zwei miteinander konkurierende Kampagnen, die sich inhaltlich und vom Spektrum her unterscheiden. Ich glaube, daß wir es diesmal geschafft haben, von links etwas anzuschieben, das eine generell öffentliche Wirkung hat. Die Reaktionen von rechts darauf sind sehr heftig. Sie sind offensichtlich beunruhigt, da wir ihre eigene Interventionspolitik in den Wahlkampf, zum Beispiel die Aktivitäten der CDU-nahen Konrad-Adenauer-Stiftung an die Öffentlichkeit zerren.

Das zweite Beispiel

Seit der Amtsübernahme der Rechtsradikalen in El Salvador wird in Solidaritätskreisen versucht, die Debatte um die Einstellung der Entwicklungshilfe neu zu beleben. Politisch ist der Fall für uns eindeutig: Es gibt weder politisch noch entwicklungspolitisch begründet ein Argument für die Entwicklungshilfe, also gehört sie eingestellt. Umgekehrt muß man festhalten, daß jede staatliche Unterstützung für die salvadoreanische Regierung Kumpanei mit den Rechtsradikalen bedeutet. Was tun? Es gibt Gruppen innerhalb der Solidarität, die behaupten, man müsse derart auf die vorgebrachten Gegenargumente von CDU/FDP aber auch SPD gegen die sofortige Einstellung eingehen, diese innerhalb ihrer eigenen Logik widerlegen und zusammen mit der SPD Stück für Stück das Denken im inneren Kreis in die andere Richtung bewegen. Die Parole hierfür heißt, man solle die Hilfe konditionieren, an Auflagen binden. Diese Strategie ist falsch, da sie davon ausgeht, es könnte eine Situation eintreten, die es rechtfertigt, der rechtsradikalen Regierung Hilfe zu geben, und zwar dann, wenn diese die Auflagen, Demokratisierung, Wahrung der Menschenrechte und Verhandlungen mit der FMLN eingehalten werden. Nichts ist absurder als diese Vorstellung. Diese Strategie wird dazu führen, daß die Entwicklungshilfe weitergeht, wir aber noch die Argumente liefern, wie dies zu rechtfertigen sei — nämlich über Auflagen. Ob die Auflagen eingehalten worden sind, definiert die Bundesregierung, nicht wir.

Ein anderes Spektrum der Solidaritätsbewegung, mit dem ich zusammenarbeite, zu dem auch medico international gehört, ging anders vor. Wir versuchen erstens mehr Öffentlichkeit über den Charakter der rechtsradikalen Regierungspolitik in El Salvador zu machen. Aus der Analyse und Bewertung der ARENA-Politik ergibt sich logisch die Forderung nach sofortiger Einstellung. Zudem haben wir versucht, alle erdenklichen Argumente, Schnörkeleien, Vorwände etc., die irgendeine Form der Hilfe weiterhin ermöglichen, zu widerlegen und darzustellen, daß die Konditionierungsforderung nach zwei Seiten völlig unsinnig ist. Aus politischem Interesse wird weder die Bundesregierung auf die Einhaltung einer Konditionierung achten, noch wird die ARENA-Regierung sich an Auflagen halten.

Um nicht als einsamer Schreier in der Wüste zu stehen, versuchen wir in den Kreisen politische Unterstützung zu finden, die mit dem Problem konfrontiert sind. Nichtregierungsorganisationen, die in El Salvador Projekte durchführen, kirchliche Einrichtungen, interessierte Presse, etc. Bisher sieht es so aus, als könnte man auf mehr Unterstützung für die radikale Position zählen, als andere gedacht haben. Um die SPD bemühen wir uns nicht, da es vergebene Mühe ist. Die SPD geht, selbst wenn sie ein Einsehen in die Problematik hat, stets von folgendem Grundsatz in ihrer Zentralamerikapolitik aus: soll Nicaragua erneut Hilfe bekommen, geht dies nur über eine regionale Konzeption, weswegen die SPD stets fordert auch Hilfe für Nicaragua, aber nicht, keine Hilfe für El Salvador oder Guatemala. Daß dieses Konzept absurd ist, zeigt die Realität. Seit sechs Jahren fordert die SPD auch Hilfe für Nicaragua, die Empfänger der Hilfe sind aber seit Jahren nur El Salvador und Guatemala.

Soweit meine Anmerkungen zur Auseinandersetzung um die Politik in der BRD und gegen die Bundesregierung und auch gegen die Sozialdemokratie als zentraler Ausgangspunkt unserer politischen Arbeit. Ich könnte mit Beispielen fortfahren. Es bietet sich noch an die Auseinandersetzungen über die Politik der Städtepartnerschaften mit Nicaragua, wo es um den gleichen Grundkonflikt geht. Wir können das nachher gerne diskutieren. Es ist nicht einfach, was Cabral von uns eingefordert hat. Wir sollten den gemeinsamen Feind in unserem Land mit den besten Mitteln und in der besten Form bekämpfen. Ich glaube, wir können nur versuchen, uns dem anzunähern und haben das Problem, daß es weder ein Patentrezept gibt noch politische Anleitungen von unseren Freunden aus Lateinamerika, die wir einfach übertragen können, sondern das wir jedesmal nach dem konkreten eigenen adäquaten Weg suchen müssen.

Da sich Solidaritätsarbeit nicht auf innenpolitische Aktivitäten beschränkt, und dies auch nicht tun sollte, ist unser anderes Problem damit nicht gelöst, das der Moral oder der inneren Einstellung, das der inneren Zerrissenheit, wenn wir konkret praktisch mit Freunden in Lateinamerika zusammenarbeiten oder ihnen gegenübertreten. Ich glaube, wollen wir nicht in die vorher beschriebenen Muster verfallen, und uns entweder in die Reihe der Paternalisten und Belehrenden oder die der Bewunderer einreihen, müssen wir zunächst aufhören, uns selbst zu belügen und die Realität so umdefinieren, wie wir sie gerne hätten.

Wie Cabral gesagt hat, haben wir mit unseren Freunden in Lateinamerika eins gemeinsam — und das ist eine sehr weitgehende Feststellung — es ist der Feind. Wir sind wie unsere Freunde Antiimperialisten, was uns verbindet und die Möglichkeit öffnet, auf ein gemeinsames Ziel zuzusteuern.

Aber wir sind deswegen weder gleich, noch haben wir im konkreten identische Interessen. Wir haben weder gleiche Ausgangsbedingungen, unter denen wir in Kontakt treten, noch ist unsere und ihre Situation vergleichbar. Es ist nicht einmal so, daß wir uns zu gleichen Teilen gleich stark benötigen. Wir sind anders als sie und sie sind anders als wir, da wir Kinder einer anderen nämlich imperialistischen Gesellschaft und Kultur sind. Sie sind uns fremd und wir ihnen auch, was Distanz schafft. Das ist die eine Seite. Die andere ist gerade umgekehrt, was die Perfidie unserer Beziehungen zu Lateinamerika ausdrückt. Lateinamerika ist uns kulturell näher als andere Kontinente, was wir als angenehm in der Solidaritätsarbeit empfinden, weil es die Fremdheit aus den Beziehungen nimmt. Unsere Sehnsucht nach Übereinstimmung mit den begehrten Objekten der internationalen Solidarität hat nicht nur dazu geführt, daß Lateinamerika ein überaus frequentierter Kontinent für die Solidaritätsbewegung ist, sondern auch, daß selbst wir vergessen, daß diese größere Nähe eine von hier aus brutal erzwungene weil eroberte ist. Es ist das Resultat des Kolonialismus und der imperialistischen Durchdringung dieser Gesellschaften. Es ist unmöglich, die eigenen Emotionen nicht in die Solidaritätsarbeit einfließen zu lassen, was gut ist, denn alles andere wäre unmenschlich. Aber wir sollten die Solidaritätsarbeit nicht derart emotionalisieren, daß wir alle Sehnsüchte aufgrund unserer Zerrissenheit in der Solidaritätsarbeit zu befriedigen versuchen. Das ist gerade auf Grund der Geschichte moralisch unzulässig, führt zur Lüge und ist eine Belastung für diejenigen in Lateinamerika, die wir unsere Freunde nennen. Die Realität der Beziehungen wird durch zwei Pole bestimmt, zwischen denen wir uns bewegen und die wir nicht auflösen können. Es gibt die Nähe, die erzwungen wurde, die aber heute die Verständigung erleichtert, es gibt die Andersartigkeit, was Fremdsein und Distanz schafft, was wir am wenigsten ertragen können.

Jan Philip Reemtsma sprach in seinem Referat in Diezenbach über den Kolonialismus etwas an, das glaube ich, auch für uns von Bedeutung ist. Es ist die Gleichwertigkeit der Menschen, von der jedes Handeln auszugehen hat. Der andere kann anders sein, ohne daß wir ihn für minderwertig halten, noch wird jemand dadurch gleichwertig, daß ich seine Identität mit mir begründe, was häufig Ausdruck in einer stark eurozentristischen Sicht findet — oder, was auch häufig das Problem der Solidaritätsbewegung ist —, daß unsere Identität mit unseren Freunden festgestellt wird, was sich in übersteigerter Bewunderung für lateinamerikanische Revolutionäre oder in der versuchten Aneignung einer anderen Kultur ausdrückt. Wenn wir wirklich ehrlich sind — ganz besonders ich schließe mich da ein — ist es auch für uns eines der größten Probleme, nicht nur die Gleichwertigkeit verbal festzustellen, sondern sie auch zu denken und zu fühlen. Dies nach beiden Seiten ihn, zur Seite unserer Freunde und auch für uns selbst. Auch wenn wir uns oft nicht leiden können, wir sind gleichwertig und sollten unsere eigene Verfaßtheit in der Solidaritätsarbeit nicht verleugnen. Aber nur, wenn uns das gelingt, und das ist schwer, können wir uns auseinandersetzen, streiten, voneinander lernen und, was das wichtigste ist — wirkliche Freundschaften schließen.

Hans Branscheidt

500 Jahre Verleugnung & die Wiederkehr des Verdrängten

Stünde einem heute noch so ohne weiteres jener „Lesende Arbeiter" Bertolt Brechts zur Verfügung, den bei der Lektüre der Geschichtsbücher dialektische Zweifel überkommen, er geriete ins Staunen bei der ihm gewissen Entdeckung, wie unterschiedlich sich kritische, demokratische oder marxistische Theoretiker im Zusammenhang mit der Frage geäußert haben:

Wer war Christoph Columbus und was waren die Motive seines epochal bedeutsamen Unternehmens?

In den Büchern ist unterschiedliches zu lesen:

Noam Chomsky bezeichnet den Genueser als den „wesentlichen Praktikanten des Genozids in jener Periode. Weil seine Reise einen Prozeß eröffnete, der die kulturelle und psychische Ausrottung von Millionen Menschen bedeutete."

Dagegen der Marxist Ernst Bloch, der ausgerechnet in seinem Prinzip Hoffnung die „geographischen Utopien" der Entdecker und Eroberer positiv gleichsetzt mit den „ärztlichen, sozialen und technischen Utopien" der Geschichte. Ohne utopische Kraft, so der Philosoph in der Sprache des Expressionismus, hätte Kolumbus niemals das ferne Amerika entdeckt: er hatte „Eden im Sinn" und wollte der Menschheit das Paradies entdecken, wie alle anderen seinesgleichen auch.

Viel nüchterner, und viel weniger im Sinne eines von renaissancehafter Neugier genährten Geistes der Utopie, beurteilt Hegel die Motive geographisch-utopischer Ausdehnung. In den Paragraphen seiner Rechtsphilosophie bezeichnet er in den 20er Jahren des vergangenen Jahrhunderts das, was bei Bloch positiv geladene utopische Triebkraft ist, als eine immanente Entwicklungstendenz der bürgerlichen Realität:

Befindet sich die „bürgerliche Gesellschaft in ungehinderter Wirksamkeit“ so „vermehrt sich die Anhäufung der Reichtümer (...) auf der einen Seite“, wie sie auf der anderen Seite die „Abhängigkeit und Not“ der „an diese Arbeit gebundenen Klasse“ erweitert. Aus diesem konstitutiven Problem, das die bürgerliche Gesellschaft durch ihren Staat mühsam und ohne endgültigen Erfolg zu schlichten sucht, resultiert eine von Hegel so bezeichnete Reaktionsform: „Durch diese Dialektik wird die bürgerliche Gesellschaft über sich selbst hinausgetrieben“ — in die Ferne sozusagen und um dem Sozialismus in den Metropolen möglichst auszuweichen.

Der Grund ist hier (bei Hegel) keineswegs Abenteuerlust und Entdeckerfreude: sondern die fehlenden subsistenten Mittel müssen woanders besorgt werden. Die Produktionsweise selber bedingt die Tatsache, daß die sich entfaltenden Gesellschaften Europas geographisch über sich selbst hinausgetrieben werden.

Dennoch ist die Angelegenheit, um die es hier geht, nicht definitiv in wenigen Paragraphen einer Rechtsphilosophie beurteilbar:

War es rohe Ausbeutung und brachiale Ausrottung samt ihrer systematischen Verfeinerung in der Folge — oder doch die Entdeckung von „Eden“ für alle Menschen, betrieben durch Zwangszivilisierung der Betroffenen mit Hilfe utopisch geleiteter Erobererpersönlichkeiten? Man wird sehen, daß die Frage bis heute in einer gewissen Doppeldeutigkeit weiterhin wirksam ist; was eine erste Auskunft über die schwere Last dessen gibt, was unerkannt, verleugnet und verdrängt werden muß.

Die nächstfällige Frage wäre wohl, was denn da nun gesucht, entdeckt und wahrgenommen wurde?

Ob am Ende, wie einige offizielle Festvorbereiter sagen, im Mittelpunkt der 500jährigen Entdeckungsfeierlichkeiten das Ergebnis der „Begegnung zweier Welten“ stehen müsse, gekrönt von einem ebenso beabsichtigten spektakulären „Hochzeitsfest“, indem die Statue des Columbus, via Barcelona auf die Reise gebracht, in New York mit der Freiheitsstatue zu kopulieren wäre?

Wenden wir uns Columbus zu, so ist dessen Wahrnehmungs-und Erkenntnismöglichkeit vorgeprägt. Praktisch gebildet sozusagen von christlich-abendländischen Glaubensmustern, nämlich dem von eigener Überlegenheits- und Rettungsmission und der gleichzeitigen Rückständigkeit und Inferiorität aller anderen. Ein solcher Raster ermöglicht eine finalistische Interpretationsstruktur: man entdeckt nichts oder ohnehin nur das, was man von vornherein angenommen hat.

Überlegenheits- *und* Rettungsmission, das ergibt dann immer fortwährend den „edlen Wilden“ oder den „bösen Wilden“. — Diese typischen Sichtweisen sind, später erst recht, häufig in ein und derselben Person des Europäers vorhanden und fungieren nur scheinbar antagonistisch, weil sie stets die eine gemeinsame Grundlage haben: die vorweg gesetzte Verkennung der Anderen und die Weigerung, sie als Subjekte anzuerkennen. Von daher auch der überkommene Fluch, daß jede Entwicklungspolitik und Solidarität, gute wie schlechte, immer von der Gefahr gezeichnet ist, lediglich die weitere Eliminierung des Fremden zu vollziehen.

Damit soll ein kleines Leitmotiv durch alle Ambivalenzen hindurch formuliert werden: Man kann erkenntnismäßig die Schlechtigkeiten des Europäers niemals aus seiner Schlechtigkeit erklären, sondern aus seinen jeweils geäußerten besten Absichten.

Für Hegel, der damit nicht alleine stand, ist ganz Amerika vor allem pure Natur. Natur hat keine Geschichte, ist Anti-Geschichte, weshalb die „ganz natürliche“ Kultur Perus und Mexicos untergehen mußte, „sowie der Geist sich ihr näherte.“

Daß sie verschwanden war nur recht und billig.

Die auf solcher Anschauung gegründete Doppeldeutigkeit

des Europäers, der als Unterwerfer auftauchte und sich dabei als Retter erlebte, der den „Eingeborenen“ empfindungslos vernichtete und zugleich voll Innerlichkeit den edlen Wilden suchte, der anderen die Hölle bereitete und per Mission den Weg ins Himmelreich weisen wollte, hat wohl bis auf den gegebenen Tag dafür gesorgt, daß fast jedes gegenseitige Verstehen und beinahe jegliche menschliche Begegnung verstellt wurde.

Franz Fanon, der auch Psychiater war, bemerkt zu diesem Mißverhältnis treffend, daß der Kolonisierte dadurch in die Situation eines fürchterlich verunsicherten „double-bind-Patienten“ gerät, dessen eigene Urteilsfähigkeit und Realitätsprüfung so verwirrt ist, daß er ständig Schwierigkeiten dabei haben muß, den europäischen Wolf nicht mit dem Schaf zu verwechseln.

Die spezifische Ambivalenz, von der die ganze Zeit die Rede ist, möchte eine ihrer Grundlagen in der Mehrdeutigkeit des bürgerlichen Staates in Europa haben, der ja seinerseits gleichzeitig als Unterdrückungssituation *und* als quasi neutraler Vermittler und Schlichter in Funktion tritt. Wobei seine Tendenz zur geographischen Erweiterung nicht nur als purer Raubzug oder nur im Sinne der Beschaffung benötigter Ressourcen zu verstehen ist; sondern der Drang über die eigenen Grenzen hinaus erleichterte rationell betrieben auch die Milderung dieses Klassenantagonismus in der bürgerlichen Sphäre: indem man eben überseeisch andere Proletariate schafft, in Bezug auf die dann die Arbeiter des Zentrums fast schon wieder bourgeois erscheinen.

Bis zu diesem Ergebnis, wie camoufliert auch immer die imperialistische Ausbeutung sich zu deklarieren weiß, herrscht allerdings noch nicht die größte Verwirrung, weil die damit einhergehenden realen Interessen ziemlich einfach identifizierbar sind.

Schwierig wird es erst, als in der Folge die transzendierenden Tagträume eines alle Schichten übergreifenden Massenpublikums ihre europäischen Phantasien auf die exotischen Welten richten, um der Dumpfheit und Stumpfheit der Kultur des gesellschaftlichen Lebens in den Nationalstaaten zu entkommen.

Das bildungsversessene Bürgertum des 18. und 19. Jahrhunderts liest kaum etwas so begeistert wie die vielfältige Reise-, Entdeckungs- und Abenteuerliteratur.

Galt diese Gattung anfangs noch als trivial und von zweifelhafter literarischer Qualität, so konnten sich solche Texte in den ökonomisch fortgeschrittenen Ländern wie England und Frankreich rasch unter bürgerlichen Vorzeichen rehabilitieren. Der reisende Handelsbürger, Entdecker und Kolonisator wurde fortan als reale Vorlage für den Abenteuerhelden genutzt — im Sinne unseres durchgängigen Themas: der Verbindung von imperialer Eroberung und Weltphantasie.

Schon am Beispiel der One-man-Utopia „Robinson Crusoe" (1719) von Daniel Defoe werden ursprüngliche Widersprüche harmonisiert und zusammengebracht: Aus innerem Unternehmensdrang bricht Robinson mit den geordneten Verhältnissen der Heimat und besteht als Vertreter des Handelskapitalismus zahllose Gefahren und Abenteuer.

Im Mittelpunkt steht jedoch Robinsons langer Überlebenskampf auf einer einsam-exotischen Insel — wo er sich erneut bewähren und die Zivilisationsgeschichte als Prüfung nachholen muß, nicht ohne seinen Diener Freitag in die insulare Herr-Knecht-Beziehung aufzunehmen, um schließlich, seinen früheren Abenteuerdrang bedauernd, die gesicherte bürgerliche Existenz im nachhinein zu verklären.

Die Deutung dieser Metaphorik ist ebenso aufschlußreich wie konstitutiv für die gesamte Bildungsgeschichte des Europäers der Kolonialzeit:

Die exotische Insel wird vor Augen des lesenden Publikums zu einem Laboratorium für die Ausbildung und Bewährung eines bürgerlichen Menschen, der den Lernprozeß der zivilisierten Menschheit an jeden Ort der Erde transportieren und an jeder Stelle nachzuholen imstande sein muß.

Man sieht daran, daß sich im Verhältnis zwischen den historisch-fiktiven Vorbildern und jenen Erwartungen, die etwa in ein Mitglied des Deutschen Entwicklungsdienstes gesetzt werden, nicht allzuviel verändert hat.

Vom bürgerlichen Robinson bis hin zum kleinbürgerlichen

Karl May: die Phantasieträger und Tonangeber für rational fundierte europäische Sehnsüchte fahren in die Ferne, real oder nur gedanklich, weil ihnen das Zuhause nur Schranken bedeutet oder sogar Gefängnis, wodurch sich gerade die Wagemutigsten, Fähigsten und Kreativsten bedroht fühlen.

Zum Problem wurde, daß diese Auswanderer, Siedler und Händler nicht länger die Hoffnung der Frühaufklärung zu teilen vermochten, daß die europäische Gesellschaft durch radikale utopische Gegenentwürfe verändert werden könnte.

Unter Rückgriff auf Rousseau wird nun plötzlich das Dasein im Naturzustand positiv besetzt. Vor dem Hintergrund der Entdeckung Tahitis durch Cook (1767) ereignet sich eine Idealisierung des Gemeinwesens der Ureinwohner im Naturzustand.

Man muß diese wechselnden Motive festhalten und sich erinnern: Die früher stets überlegenen Entdecker und Eroberer, vor denen alle fremde Manigfaltigkeit und die Tausendgestaltigkeit fremder Kulturen als bloße „Natur" verdampfen sollte, wenn der „Geist" auf sie trifft, wollen nun in regressiver Schwärmerei dem entgehen, was ihnen selber eine immer unerträglicher werdende Identitätsschwäche und Entfremdung bereitete: dem Prozeß *und* der Realität ihrer eigenen auf Ausbeutung begründeten Wirtschafts- und Lebensformen.

Daran ist bekanntlich einiges aktuell — die Hinwendung zur ungegängelten Natur, der Versuch der abstrakten Abstreifung des eigenen kulturellen Wesens, sollte im Maße der Erfüllung zweier Erwartungen subjektive Erleichterung verschaffen:
— damit die Beziehung zur Natur der Anderen wieder Lebenssinn gibt,
— und weil die fremde Armut für die Reichen tatsächlich auch noch sinnlich ausbeutbar ist.

Spätestens nachdem Rousseaus bekannte (und weitgehend mißverstandene) Losung „Zurück zur Natur" eine melancholische Wende in der Reiseutopie zeigte, erwies sich der populäre Exotismus als geeignete Darstellung des allgemeinen und umfassenden Gefühls des „Unbehagens in der Kultur" (Freud).

Die Menschen Europas, so zeigte sich, waren nicht nur per objektiver Ausbeutung und Wohlstand schicksalsmäßig auf schiefe Weise verbunden mit den Leidtragenden der Welt, sondern so auch zunehmend im Wohl und Wehe ihres unmittelbar persönlichen Lebensgefühls.

Was den Primäreroberern dann, dem Preußen Hegel, und auch dem Humanisten Goethe nicht viel mehr als „tierische Natur“ war: Spontaneität im Gemeinwesen, Varietät, Vielfalt und Lebensfreude; das letzte sozusagen, was den Armgehaltenen noch geblieben und deshalb noch zu nehmen war, mußte nun dazu herhalten, die seelische Unerträglichkeit des Reichtums erträglicher zu machen. Es ist dies die größte kannibalistische Einverleibung die jemals angestrebt wurde.

Die Unersättlichkeit des metropolitanen Menschen verlangt mithin Unterstützung noch bei der offenbar schwierigen Verdauung und Verarbeitung des Wohlstandes: er formuliert deswegen eskapistische Kompensationsstrategien, die die Entfremdung und das „Zur-Ware-werden“ aller menschlichen Beziehungen ertragen lassen.

Wir müssen also gezwungenermaßen die Geschichte der 500jährigen Verleugnung und der Wiederkehr des Verdrängten in ihren ganzen subjektdynamischen Prozeß reflektieren: bei dem die Opfer auf immer dieselbe Weise Opfer bleiben, die Täter jedoch auf ganz andersartige Weise ebenfalls zu Opfern werden.

Dies ist nicht nur geboten, weil sich in dieser Komplexität und Spannung der innere Zusammenhang und damit die Wahrheit des Verdrängungsprozesses offenbart, sondern weil über solche Reflexion sich die einzig adäquate quasi therapeutische Möglichkeit der Aufhebung des globalen Vergewaltigungszusammenhangs ausdeutbar machen lassen könnte.

Unterziehen wir also, um das Dilemma des Europäers zu erkennen, dessen internationalistische Aktionsweisen noch einmal einer wirkungsgeschichtlichen Deutung.

Trauer und Projektion

Die bürgerlichen Kinder des 19. Jahrhunderts lasen mit nicht enden wollender Begeisterung Coopers Geschichten vom Lederstrumpf Natty Bummppo, der als sympathischer weißer Typus des zivilisationsflüchtigen Abenteurers erscheint, dessen kulturelles Pfadfindertum auch darin besteht, in der göttlichen Wildnis der Natur jene Tugenden wieder aufzustöbern, die in der Zivilisation längst verdorben sind. „Edle Wilde" wie Chingachgook, Unkas oder Conanchet repräsentieren in diesem Sinne die bessere Seite der Menschheit. Das bürgerliche Ideal Natty Bummppo bedeutet einen frühen alternativen Austritt aus der Gesellschaft und einen einbildungsreichen Pilgerzug in die exotische Ferne, um eine andere und bessere Lebensgeschichte zu führen und sein wahres Ich im Kampf mit und gegen die Natur zu erproben.

Doch gehen die sehnsuchtsvollen Projektionen des europäischen Abenteurers, der „weiß" einfach nicht mehr leben kann, nicht auf. Lederstrumpf erkennt, daß Besiedlung und Zerstörung des Naturraums nicht aufzuhalten sind. Wobei er sich als Scout, Jäger und Beschützer bedrängter Siedler objektiv und gegen seinen Willen zum Vorreiter der Zerstörung seines Handlungsraumes macht. So sucht er in immer tieferem projektiven Einbildungszwang sein Heil in der Freundschaft mit Chingachgook und flieht mit ihm in immer entferntere Gegenden, bis auch diese von Zivilisation erfaßt sind.

Es sind dies — und zwar bis auf den heutigen Tag — die dramatischen Züge des melancholisch trauernden Europäers, dessen unlösbares Schicksal darin besteht, im Vollzug und im Mittelpunkt dessen, was er an Zerstörung anrichtet, noch einmal „sein" Glück zu finden, das er in genau dem Maße verliert, wie er über alles siegt. Die Trauer, die ihn daraufhin befällt, ist nicht mehr aufzuarbeiten, sie schlägt im Vollzuge endloser Mordtaten um in Starre, Stummheit und Versteinerung: „Ein jeder tötet das, was er am liebsten liebt" (Oskar Wilde). Die damit ausgesprochene Paradoxie erklärt das Grundproblem des weißen Entdeckers, der den „noblen Wilden" zur seelischen Kompensation sucht, den er als „dreckigen Kaffern" auf seinen Feldern ausbeutet.

Das Dilemma des Europäers hat daher deutlich schizoide Züge: er trennt isolierend zwischen dem, was er will, und dem, was er tut. Deshalb versteht er sein eigenes Tun nicht und wird sich selbst fremd — und die „Trauer", die er gar nicht mehr empfinden kann, dient nur der Aufrechterhaltung dieser Spaltung wie der psychologischen Abwehr ihrer Folgen.

Heute muß festgestellt werden, daß nach über 100 Jahren Ethnologie, angesichts weltweiter Informations- und Mediensysteme mit ihrer überreichen Nachrichtenflut das Bild außereuropäischer Kulturen noch immer aus projizierten exotischen Stereotypen besteht und das Verständnis wie die Wertung fremder Kulturformen weitgehend nach unangemessenen eurozentrischen Maßstäben vorgenommen wird. Die Schwierigkeit, sich in der aktuellen Welt zurechtzufinden, der Verlust einstmals gesichert erscheinender Standpunkte, die Frage nach dem Lebenssinn lasten wie ein Alp auf dem abendländischen Bewußtsein. Aus Orientierungslosigkeit und gerade auch aus wachsenden Schuldvorwürfen, bedingt durch die Aufklärung über Eroberungs- und Kolonialzeit, entwickeln sich erneut Haltungen, die zur Selbstverleugnung und zu einer scheinbaren Begeisterung für andere Kulturen führen und eine kritische Betrachtung vermissen lassen.

Wie jeweils falsch wir aber die „Dritte Welt" sehen, phantasieren oder realisieren, korrespondiert mit einer zentralen Frage der europäischen Aufklärung, nämlich inwieweit sich ökonomischer Fortschritt mit moralischer Vervollkommnung vereinbaren ließe. Die Frage blieb ungelöst, wurde aber dennoch entschieden: Europa hatte sich die reale Herrschaft über Ökonomie und Ressourcen verschafft und verzichtete dafür auf Phantasie und Lebensqualität, die als Eigentum exotischer Menschen projektiv vermutet wurden. Es kam nun nur noch darauf an, beides, so getrennt es auch sein mochte, fortan in einem rechten Mischungsverhältnis in paralleler Weise nutzbar zu machen: die eroberten Werte der Armen für die reale Produktion, ihre Imagination und Lebenskunst für die Stabilisierung der verarmten seelischen Lage der Reichen.

Dieses unreife Verhältnis, bei dem nichts mehr zueinander paßt, benötigt und ermöglicht aus Anpassungsgründen den Mechanismus der Projektion, der es dem Täter im Zustand der Isolierung von seiner eigenen Tat noch möglich macht, von Trauer zu reden. Es sind solche Projektionen, die als existentielle Lebenslüge unsere Unterentwicklung ausmachen.

***

„Der ‚Fremde' wird so begreifbar und erweist sich als vertrauter, als man gedacht hat." (Deutsche Welthungerhilfe, Aktion 88)

„Das Paradoxon der Sozialisation besteht darin, daß jeder Mensch nichts kennen, wissen, erfassen kann, was nicht durch seine Sozialisation vermittelt wäre." (K.H. Wolf, Ethnologe)

Wie entkommt man dem aufgezeigten und durchaus pathologischen Dilemma einer fehlerhaften, eingeschränkten Wahrnehmung, wenn man nicht will, was die eingangs zitierte große Hilfsorganisation tut, die in der intimitäts-terroristischen Sprache des modernen Eroberers den Fremden dadurch eliminiert, daß sie ihn als alten Bekannten vorstellt?

Führt man das durch das andere Eingangszitat aufgeworfene alte erkenntnistheoretische Problem weiter aus, ist damit etwas gemeint, was auch die Gedanken Hegels zu diesem Thema schon leitete:

In gewissem Maße kann jeder nur verstehen, was er schon weiß. Von einem gewissen Grad des radikalen Umbruchs im Kontext an müßte er verstummen. Analogien aber führen nur auf ihn selbst zurück.

Um dem geschilderten Dilemma zu entkommen, glauben wir an eine einfache Lösung, die auf die Hoffnung setzt, wenigstens der Betroffene könne noch authentisch reagieren.

Deshalb auch kein Linker, der nicht mit Hilfe des vage verstandenen Begriffes „Projektion" seine Warnung vor dem von eigener Seite her angelegten fundamentalen Mißverständnis artikuliert; keine „Dritte- Welt-Gruppe", die in ihrer erkenntnismäßigen Not nicht darauf bestünde, die „Betroffenen selbst" zu Wort kommen zu lassen. Als ob in solcher Unterstellung nicht ein schrecklicher Zynismus enthalten wäre: ausgerechnet von den Zerstörten und Verstörten jene Intaktheit zu fordern, die aufgrund dessen, was ihnen je geschah, so ohne weiteres gar nicht vorhanden sein kann. Der oberflächliche Gedanke, der sich in solcher Hoffnung ausdrückt, ist nur selber wieder projektiv. Die Auskunft Franz Fanons lautete ganz anders: „Weil der Kolonialismus eine systematische Negation des anderen ist, eine blindwütige Entschlossenheit, dem anderen jedes menschliche Attribut abzustreiten, treibt er das beherrschte Volk dazu, sich ständig die Frage zu stellen: ‚Wer bin ich eigentlich?'"

Je länger wir auf die Suche nach den „wahren Betroffenen" gehen, die uns authentisch die fremde Wirklichkeit nahebringen, desto mehr werden wir gewahr, daß die Betroffenen (als Intakte gesehen) selbst ein Mythos sind. Unser Mythos, der Mythos gewisser Kreise der europäischen Linken. Diesem Mythos liegt der Irrtum zugrunde, daß jeder Mensch seine eigene Kultur am besten versteht und darüber souverän Aussagen machen kann, die andere als wahr empfinden können.

Die Betroffenen, die ihre Wahrheit sagen sollen, von denen wir zu unserem Plaisir erwarten, daß sie uns ihre Verhältnisse in aller Einfachheit und Unmittelbarkeit vorbuchstabieren, sind selber die Opfer der 500jährigen sozialen und kulturellen Deformierung. Ihre vielbeschworene und beliebte „Identität" steht höchstens auf die eine und einzige Art zur Verfügung: als Wunde, als eine Summe von Traumen und Narben.

Wenn unsere eigene kulturelle Position nach 1492 und nach Auschwitz nur die der radikalen Aufmerksamkeit gegenüber den Opfern sein kann, dann gehört zu dieser Feststellung, daß die Verhältnisse zwischen den Armen und den Reichen ihrer unterschiedlichen Lage wegen nicht verglichen werden können.

Allein im Verlust unser aller Kultur reichen wir uns im Negativen beinahe schon wieder die Hände.

Der weltreisende Mensch ohne Eigenschaften, oder: Der koloniale Mimetismus und die Verfügung über fremde Kultur

Die Funktion des Mimetismus ist zunächst plausibel erklärbar: es handelt sich um den psychischen Zwang beim Kolonisierten, die Kultur des Kolonisators so perfekt wie möglich nachzuahmen. Der Mimetismus füllt jene kulturelle Lücke, die der Kolonisator bei der Zerschlagung der traditionellen Verhältnisse geschaffen hat.

Viel schwieriger ist für die heutige Zeit zu beantworten, wieso in ehemals kolonisierten jetzt aber „unabhängigen" Gesellschaften diese Faszination anhält.

Vielleicht ist dies am ehesten dadurch erklärbar, daß im Zeichen eines allgemeinen Kulturverlustes nicht einfach kontingente kulturelle Formationen unterscheidbar und alternativ einander gegenüberstehen, sondern daß die transformative Verschmelzung einer sich scheinbar entgegenkommenden Interkontinentalkultur jeden Unterschied beseitigt — zugunsten der Marktförmigkeit aller ästhetischen Produktionen.

Wiederum soll dies am Beispiel des Vertreters aus dem Norden erläutert werden. Dieser moderne Zeitgenosse, stets auf der Höhe der Zeit und über fast alles aufgeklärt, nimmt in dieser Verfassung zunehmend aktiver an allen möglichen internationalen Begegnungen teil, am großgeschriebenen interkulturellen Dialog und am Austausch von Kunst und Kultur.

Wie er das macht und was da stattfindet, darüber können heute weniger Philosophen und Kulturkritiker unmittelbar urteilen als Zollbeamte, die das Gepäck unserer rastlos reisenden neuen Weltbürger zu sistieren haben: sie stoßen auf Tonnen von Souvenirs, die der Kulturgenosse mitbringt: Ethno-Kitsch und Airport-Art.

Man erhält sie an den Brennpunkten des Reisens, auf Flughäfen und in Hotels exotischer Länder. Aber auch jenseits ihrer regionalen Abstammungsgebiete am Kölner Hauptbahnhof: Gondeln aus Venedig, den Eiffelturm, balinesische Lackfrösche und asiatische Schattenspielpuppen.

Die moderne Weltkultur wird offenbar zum Anhängsel der Fremdenverkehrsindustrie, zu einer den Erdball überziehenden „als-ob-Kultur". Deren dekulturiertes Erscheinungsbild hat die Echtheit eliminiert und versperrt den kulturgeschichtlichen Rückgriff. Ehemals fromme, kultische Gegenstände sind Armreifen und verkitschte Broschen geworden, restlos entmythologisiert und profanisiert von den aufgeklärten Trägern der Moderne und auf diese Art wieder in begriffslose Fetische und neue Mythen verwandelt.

Der Austausch innerhalb der internationalen Pidgin-Kultur beruht dabei auf Gegenseitigkeit: Krachlederne und Schwarzwaldpuppen — gegen die Sphinx aus Onyx.

Die kulturelle Begegnung zwischen den Dekulturierten geschieht ebenso vorgeprägt wie transkulturell: Es ist völlig unerheblich, ob sich der Käufer von Kunstersatz heimischen Stereotypen hingibt, wie z.B. ein Deutscher, der sich eine für japanische Touristen entwickelte Kuckucksuhr, einen Bierkrug oder die Betenden Hände von Dürer zulegt, oder ob die gleichen Dinge von einem Ausländer als exotisches Souvenir erstanden werden.

Entscheidend ist jeweils die Wirkung der trivialen Magie, die Einfachheit dieser Kultur aus zweiter Hand, die gerade deshalb fasziniert, weil sie die Mühe jeder Erschließung erspart. Der koloniale Mimetismus findet seine Fortsetzung in dieser Faszination — für die der Vertreter des Nordens sein Bedürfnis, seine Kaufkraft und seinen Markt zur Verfügung stellt.

Die Sinnerfassung solcher Objekte ist nicht mehr vorgesehen. Die Eindimensionalität des Ethno-Kitsches, der um der „guten Sache" willen auch in fast jedem „Dritte Welt-Laden" lauert, entspricht ihrer Ausdrucksform einem von Eigenschaftsverfall gekennzeichneten Wahrnehmungsraster, das die Kulturlandschaften der Welt ohne jede Tiefenschärfe einordnet.

Wer damit die Wohnung schmückt, den Lederschild im Schlafzimmer und den Gebetsteppich in der Diele, drückt derart nur ein einziges Datum noch aus: er war da und er gehört dazu. So dekorieren die Aufgeklärten der Metropolen, die „Entwickelten", ihre eigene kulturelle Erosion durch neue Fetische.

Der Wunsch, für eine kurze Zeitspanne dem ungelebten Leben der heimischen Sphäre, dem Arbeitsdruck zu entfliehen, hat einen Massentourismus provoziert, der nicht nur die Strände verdreckt und die Natur zerstört, sondern der in seiner sublimen Konsequenz eine irreversible Vernichtung aller Kultur bedeutet. Daß die Menschheit am wachsenden Ozonloch und am Verlust der tropischen Wälder sterben möchte, mag eine reale Gefahr bedeuten, die allerdings erst dann eintreten könnte, wenn die Menschen zuvor bereits durch ihre Kulturlosigkeit rettungslos kretinisiert sind.

Jeglicher Kulturaustausch, die Folkloredarbietung am solidarischen Veranstaltungsabend, wird zum wehmütigen Stimulationsakt, wenn jene, die sich da zwecks Bestätigung ihrer gegenseitigen Identität treffen, sich nicht zuallererst darüber verständigen, daß sie über keine mehr verfügen.

Ein touristischer Boom, wildes und sanftes Reisen, Erholungs- und Entwicklungstourneen, internationale Städtepartnerschaften, alternative und Businessreisen samt ethnologischen Exkursionen, alles übertreffend, was je von klassischen Eroberern an Aktivitäten geleistet wurde, ziehen wie ein verheerender Sturm kulturelle Folgen nach sich, die sich zwangsläufig in den Bereichen der Kunst und der kulturellen Techniken niedergeschlagen haben, die eine neuartige interkontinentale Kommunikation und Sprache einführen und damit auch die Gestalt eines aus alledem zusammengesetzen neuen Weltbürgers.

Seinem Bild entsprechend, produzieren die Vertreter der anderen Seite ebenfalls sich selbst.

Die moderne Hauptforderung gerade auch der westlichen Alternativen nach „Identität" drückt die ultimative Forderung aus, daß man sich im Andern nur selber wiederentdecken will. Gesucht wird nicht das Fremde und das Nicht-Identische, um das es eigentlich gehen müßte, sondern das Übereinstimmende, das nur dadurch zustandekommt, wenn das Fremde bereitwillig abdankt und sich selber eliminiert.

Die Möglichkeit, dem reichen Besucher Ethno-Kitsch verkaufen zu können, und dadurch die eigene hungernde Existenz aufzubessern, hat zu einem Strukturwandel überlieferter Kulturfertigkeiten geführt. Traditionelle Werkstoffe werden durch billigere und besser zu verarbeitende ersetzt. In vielen Fällen ist die Herstellung „echter Kunst“ in andere Länder verlegt worden, um besonders preiswert anbieten zu können. Der atztekische Kalender findet sich auf Wandtellern, Brieftaschen, Mokkalöffeln und Feuerzeughülsen genauso wie auf dem Zifferblatt von Uhren wieder. Erlaubt ist, was dem gefällt, der zahlt, und, da die Metropolenmenschen rational sind, besonders das, was obendrein noch nützlich ist.

Die moderne Craftskultur dient keinem ästhetischen Prinzip mehr, sie ist allein den Marktgesetzen unterworfen, deren Funktionieren zuliebe ist unser Verständnis des Fremden gezeichnet von Kulturstereotypen, die eine möglichst simple Identifikation zulassen. Der Reisende, der in den mitgebrachten Objekten den Anderen wahrnehmen möchte, erkennt darin in wiederum entfremdeter Gestalt nur sich selbst, statt im Unbekannten das zu erleben, was er nicht ist. Je wohlmeinender die Rede davon ist, das Fremde sei gar nicht so fremd, sondern „vertrauter als man gedacht hat“ (Welthungerhilfe), desto deutlicher nur tritt die Haltung des hochmodernen Eroberers zutage, der nicht nur das Geld, sondern auch die Seele (Kunst) des somit endgültig Unterworfenen sein eigen nennen möchte.

Die damit verbundene moderne Ausrottung kultureller Eigenschaften ist grenzenlos. Wenn etwa in Kenia oder Tanzania nach Masken á la Westafrika gefragt wird, wo es solche Gebilde nie gegeben hat, dann wird schrecklichste Ignoranz sichtbar — und der afrikanische Händler fragt sich alsbald, ob man dem Käufer den Gefallen nicht einfach tun sollte. Mit einem mal tauchen sogenannte Massai-Masken auf, obwohl die Massai vorher solche nicht hatten.

Mit großer Wahrscheinlichkeit werden sie eines Tages von den Massai selbst als autochthone, eigene Kulturobjekte angesehen werden.

Die Verballhornung internationaler Kultur ist die Produktform eines weltumspannenden Bewußtseins, das die Kulturen als Lieferanten von Artikeln begreift, die den eigenen trivialen

Erkenntnisstand bestätigen.

Das Verbrechen aber, daß die Warenform immer auch die Kunstform sein soll, wirkt genauso im Zentrum seiner Verursacher: wahrgenommen werden kann nur noch das, was einfach, simpel und direkt plausibel ist. Auch die „Dritte-Welt-Lektüre“ wird immer kürzer, einfacher und griffiger, die dazugehörige Dia-Serie immer didaktischer: die seelische Verarbeitung der Welt wird leichtgemacht indem sie nach Übereinstimmung und formaler Identität strebt, so wie die vorprozessierte Ernährung auf eigenen Genuß und Geschmack als kritische Rezeptoren verzichten kann.

Die praktische Eigenschaftslosigkeit des modernen Weltbürgers arbeitet hin auf die durchschnittstatistische Angleichung aller Individuen: als Interkontinentalkultur ist sie in ihrer Substanz nur mit einem einzigen Wort beschreibbar, das zugleich ihr Urteil ist: Auschwitz. Dem zentralen Kulturobjekt der Moderne, das auch nicht eine seiner schrecklichen Eigenschaften verloren hat.

***

Die phänotypischen Merkmale des neuen sozialen Weltbürgertyps beruhen darauf, daß in der globalen Verwirklichung des Falschen alles scheinbar identisch wird. Die Farbenkommandeure von Benetton und die Zigarettenindustrie feiern dieses Bild auf großen aktuellen Reklamewänden unter der Offerte „Come together“, die das jugendliche, lachende und strahlende Ensemble des neuen multikulturellen word-citizens zeigen, dessen Darsteller keine Träne mehr vergießen.

Ganze Formationen kritischer Entwicklungspädagogen werden ihr Programm umstellen müssen, das bei der collagenhaften Auswertung des Inhalts solcher Werbung darin bestand, bewußtseinskritisch darauf aufmerksam zu machen, daß Farbige, Schwarze und Exoten in zahlenmäßiger Minderheit stets nur im Hintergrund erscheinen. Der Duft der großen weiten Welt von Stuyvesant rückt sie nun mehrheitlich nach vorne: der Weiße gehört nur noch in einfacher Singularität dazu.

Nichts wäre allerdings falscher, als darin die neuerdings bescheidene Eingliederung des Europäers in das intersubjektive Weltgeschehen zu entdecken.

Dieses neue weltsoziale Denken, das verräterische „Wir", drückt nur einmal mehr die subjektive Not des Reichen aus, der unentwegt in die noch nicht gänzlich sterilisierte Fremde aufbricht, damit andere ihm dort bestätigen, daß auch er tatsächlich noch lebendig ist.

Während die Armen der Welt der Not und der Kriege wegen in die nördlichen Länder aufbrechen, gehen unsere Identitätsflüchtlinge sinnsuchend in die Ferne. Da die pauschaltouristischen Urlaube dieses Bedürfnis immer weniger befriedigen, wird der Aufenthalt auf den Malediven oder in der Karibik durch einen privaten Medikamententransport nach dort veredelt, weil eben die Armut sogar „sinnlich" noch ausbeutbar ist.

Dabei sollen die Fremden jetzt definitiv phallisch-onanistisch zu Tode geliebt werden, wenn in der TAZ gewerbsmäßig zum „Besuch der letzten Nomadenfrauen Kurdistans" aufgerufen wird, womit jene gemeint sind, welche die Anwendung unseres profitablen „Wirtschaftsgutes-Giftgas" gerade noch überleben konnten.

Ihnen wird vom entwicklungsinteressierten Besucher gnadenlos und auf der Stelle vom Sechskornbrot bis zum Sexualverhalten alles eingepaukt und für die Zukunft abverlangt, was man selber dann doch letztendlich für den einzig richtigen Lebensstil hält.

Solche „Identitätssuche" durchdringt heute auf eine Weise subtil-wirkungsvoll die Kulturen anderer, daß sämtliche Kolonialeroberer der letzten 500 Jahre neidvoll davor erblassen müßten.

Was verdrängt werden mußte kehrt alles wieder: Weil der Täter seit 500 Jahren im Zustand des unglücklichen Bewußtseins lebt, weswegen er nunmehr das Geschehen auf verkehrte Weise durch erneute Vergewaltigung wieder gutmachen möchte: in der alten Rolle des Retters und Vernichters in einer sozialen Person.

Aber es gibt andere, weniger dem historischen Unbewußten

und der Täterpsychologie geschuldete Gründe dafür, den armen Teil der Erde nun vollends kompatibel an den reichen anzuschließen: Weil die von uns beherrschte Weltökonomie wirkungsgeschichtlich gesehen immer bedrohlicher sich auswirkt, wodurch das bislang gültige Trennungsverhältnis von Täter-Opfer tendenziell außer Kraft gesetzt wird.

Was damit gemeint ist, demonstrierte — vor kurzem — ein aufschlußreiches Beispiel internationaler Kooperation. In mehreren europäischen Zeitungen erschien gleichzeitig eine großformatige Anzeige als Aufruf zur „Rettung der Biosphäre". Appellativ unterzeichnet von Helmut Kohl, Francois Mitterand bis hin zu König Hussein von Jordanien. Wer noch ein wenig denkt, stutzt denn doch. Früher wendete man sich an sie, wenden sie sich jetzt an uns? Wer eigentlich ist noch verantwortlich? An wen richten wir nun unsere Resolutionen und Unterschriftenlisten?

Wenn die Staatschefs armer Länder nach Bonn kommen hält ihnen neuerdings dort regelmäßig ein Herr Töpfer eine öffentliche Standpauke: sie hielten es falsch mit dem Umweltschutz.

Früher galt das eher umgekehrt. Die Repräsentanten der unterentwickelt gehaltenen Länder beschwerten sich über äußere Eingriffe in ihre natürlichen Ressourcen, über Verschwendung und neokoloniale Ausbeutung.

Die falsche Synthese

Es scheint einiges dafür zu sprechen, daß eine der Größe und Bedeutung allseitiger Katastrophen entsprechende umfassende Neuverteilung des Verhältnisses von Verursacher und Betroffenem erfolgen soll. Ähnlich dem zweifelhaften Satz, daß der Bankrotteur am meisten von Buchhaltung versteht, reklamieren die Täter nun auch noch die Vernunft gegenüber jenen, die um ihre bloße Selbsterhaltung kämpfen.

In der Tat wissen sie für die ganze geschichtliche Vergangenheit, wovon sie reden. Der Aufstieg aller reichen Zivilisationen wäre ohne die vorherige Abholzung der eigenen ursprünglichen Wälder undenkbar gewesen. Das, was wir heute „unseren deutschen Wald“ nennen, ist das historisch junge Ergebnis von Wiederaufforstung. Ausgedrückt durch soldatisch in Reih und Glied bepflanzte Schonungen, die nicht Naturqualität darstellen, sondern den verwalteten Wirtschaftswald. Der primäre Wald Europas mußte fallen und diente Stamm für Stamm den neuen Industrien, den Bauwerken imperialer Reichsgründung und dem Bau von Flotten zwecks Realisierung kolonialer Ausbeutung.

Insofern sind wir durchaus das Vorbild dessen, was aktuell als Zerstörung von Klimazonen und Regenwäldern beklagt wird. Mit dem bedeutungsvollen Unterschied allerdings, daß die Verwendung und Verschwendung der europäischen Naturpotentiale wirtschaftlich von uns selber und für uns genutzt werden konnte. Erst dann und im Vollzug dessen gingen die späteren Propheten der „freien Marktwirtschaft“ dazu über, auch die Naturverhältnisse der anderen so weit aus dem Lot zu bringen, daß inzwischen nicht mehr nur die unmittelbar Betroffenen davon bedroht sind — sondern wir selber auch.

Und das genau ist der neue springende Punkt. Bisher hatte alle Ausbeutung in ihren Konsequenzen auf eine klare Unterscheidung zwischen Tätern und Opfern gesetzt. Die einen waren die garantierten Nutznießer, die anderen trugen die gesamte Bürde: so war es profitabel, und so sollte es sein und bleiben. Aber da nun nicht mehr nur die Profite, sondern auch die negativen Folgen auf uns zurückschlagen, daß also auch die Täter zu Opfern ihrer wirtschaftlichen Veranstaltungen werden, wenn das globale Klima sich verändert und auch den Menschen in den reichen Ländern das Atmen schwer fällt — dann wollen wir so nicht gewettet haben.

Wo sich dies Verhältnis eröffnet, droht eine tiefsitzende, schreckliche Ahnung über die privilegierte Menschheit zu kommen, die sie unbewußt immer schon plagte: daß ihre bisherige Produktionsweise falsch gewesen ist. Daß die Entschädigung für alle geschäftliche Cleverness immer nur aus neuen Quantitäten von sachlichem Luxus und Konsumstandard bestand, der, damit er auch Geltung hatte, bis zur völligen Erschöpfung der Erde getrieben werden mußte. Es gehört zum innersten Prinzip dieser Ersatzbefriedigung, daß man nie genug kriegen kann, weil sie falsch ist. Und weil das Leben der Warenbesitzer, die selber zur Ware wurden, von äußerster Frustration und von aus Erlebnisunfähigkeit geborener Langeweile sich zusammensetzt, ist auch ihr Verhältnis zur ferneren Außenwelt durch synthetische Genußsucht und extremes Anspruchsdenken geprägt.

Den verarmten Ländern wird nunmehr nicht nur der Reichtum abgepreßt, sondern obendrein der Befehl erteilt, gefälligst für abenteuerliche Erlebnisse, ungegängelte Natur und exotische Intaktheit zur Verfügung zu stehen.

Haben die Tiefflugjäger im eigenen Land die bayrischen Barockkirchen bis ins Fundament erschüttert, besteht der reiche Anspruchsdenker auf seinem „Recht“, im türkischen Kappadokien Stille und in der Weite Kanadas unbeschädigte Natur erleben zu können. Aber wer so denkt, ist betrogen, noch wo er betrügt: wo nicht Jets der Bundeswehr die Ebenen der Türkei verlärmen, da vergiftet die jüngste Tankerkatastrophe dauerhaft die Ökologie in Kanada oder Alaska. Der betrogene Betrüger, der sich überall für die enttäuschende Erfahrung schadlos halten will, selber nur Rädchen in einem entfremdeten System ungelebter Lebenswelten zu sein, erfährt damit auf traumatische Weise vom Ende seines Lateins. Nun stellt er die Wahrheit vollends auf den Kopf und bildet die falsche Synthese: es ist die Vernichtungswut der Armen, die sich mörderisch auf die Natur stürzen. Und da die Politiker der Industrieländer Rede um Rede lautstark und andauernd den Schutz derselben fordern, ist die Vernunft auf paradoxe Weise wieder allein repräsentiert von jenen, die den irrationalen Gang der Erodierung der Erde in Gang gesetzt und strategisch vollzogen haben.

Es ist dann unbedingt an der Zeit, die Rettung des Regenwaldes zu fordern oder die des Panda-Bären.

Umweltschutzorganisationen, ökologische Parteien und kritische Hilfsorganisationen haben diese große Sache längst fest in ihre Produktpalette aufgenommen und das Problem — offen oder weniger offen — derart anthropologisiert, daß sämtliche

Großverursacher ökologischer Katastrophen sich nur freuen können.

Weil nach neuester Sprachregelung „der Mensch" schuld sein soll, der als der weltgefährdende Streßfaktor Nr. 1 fungiert.

Ich denke dabei natürlich an die aktiven wie passiven Mitwirkenden der Kampagne „Eine Welt für alle", die Anfang 1990 bei ZDF und ARD als eine ganze Medien- und Aktionswoche über uns kommen soll, deren Vertreter — bevor man sie davon abbrachte — sich kürzlich nicht des Vorschlags entblödeten, 40.000 Kinder zur Unterstreichung des Spektakels auf den Weg nach Bonn zu schicken, weil so viele täglich sterben; wobei offenbar derlei massenästhetisch wirksame Kindermärsche manch einen nicht mehr an totalitäre Vorbilder erinnern, sondern vermeintlich dazu dienen sollen, kritisches Bewußtsein entwickeln zu können.

Was mich stutzig macht ist die verräterische Sprache bei einer großen Zahl dieser durchaus demokratisch fundierten Organisationen und Parteien, wenn von den Wäldern anderer als von „unserer Lunge" oder „unserer besten Klimaanlage" die Rede ist.

Es ist dies das neuerdings wieder chauvinistische Vokabular narzißtischer Größenphantasien, wo in der Sprache bereits die vitalen und natürlichen Lebenswelten anderer als bloße Erweiterungsorgane des eigenen politischen Körpers selbst mit Beschlag belegt werden.

Es ist dies, besonders bei den Spendenorganisationen, die Spekulation darauf, daß man in solcher Eroberungs- und Verfügungsdiktion Geld und Zustimmung in den wohlhabenden Ländern am ehesten erhält, weil die Finanzen nun nicht mehr einfach rausgeschmissenes Geld sind, sondern weil man bareweg etwas für sich selber tut, wenn man seine eigenen elementaren Atmungsgeräte zu erhalten sucht. Sollte das für die Zukunft Geltung und Entwicklung haben, wäre die Phase der kritischen Aufklärungsarbeit der westdeutschen Kampagnen und Hilfsorganisationen vorerst wieder abgeschlossen.

Genau auf solchen negativen Vorstellungen ist das Bild des neuen und anthropologisierten „Weltbürgers" gegründet — es erscheint darin die Wiederkehr des Verdrängten als der finale Versuch, die reelle Subsumption des Weltgeschehens einseitig unter Hinweis auf das wesentlich eigene gattungsgeschichtliche Überleben zu sanktionieren.

Nicht zufällig ist in diesem Zusammenhang, daß die mit Hilfe weltbürgerlicher Floskeln angestrebte kosmetische Beseitigung der 500jährigen Wunde sich vor dem Hintergrund der weltweiten Akklamation des Kapitalismus ereignet und im Zusammenhang steht mit der erneuten Formierung Europas als dominierender wirtschaftlicher, politischer und nicht zuletzt kultureller Macht.

Es ist das, was wir nicht nur 1992 lachenden Gesichts in kitschigster Verbrüderung feiern sollen: die tatsächliche Vollendung des globalen Triumphs über das unterdrückte Allgemeine.

Die PR-Agenten auch kritisch orientierter Hilfsorganisationen, die den internationalen Kapitalismus nur noch pro forma denunzieren, halten sich gerne an die neue Tendenz, „der Mensch sei schuld" — und ökologisch-europäische Vernunft allein die Rettung. Die „Spender sind überinformiert" und deshalb des Elends überdrüssig, verlangen daher leichte argumentative Kost rund Erfolgserlebnisse dazu, und nicht mehr die Aufklärung über den lästigen, weil unbeseitigbaren Hunger. Die „Aufklärung sei am Ende", wird einem wissend mitgeteilt. Der neue Sozialtypus, realpolitisch gewandet, will endlich Leistung und Ergebnis sehen, sagt die am Weltgemeinwohl orientierte Argumentation, um in erlogener Harmonie die ökologischen Schäden der anderen anzugehen. Deshalb so, weil das aktuelle ökologisch-anthropologische Harmoniebedürfnis der egoistischen Überlebenswut von reichen Eroberern entspricht, die sich niemals vorstellen können, auch anderen Leuten einmal Platz zu machen.

Fünfundzwanzig Jahre nach Ludwig Erhards Theorie der „Formierten Gesellschaft", als damals *uns* mitgeteilt wurde, wir säßen „alle in einem Boot", erfährt der damit verbundene Begriff des „Sozialpartners" seine internationale geographische Ausdehnung. Aus der Perspektive der reichsten Länder wird das Bild einer „einzigen Welt" (Kampagne 1990) formuliert, in der auf einmal die Tatsache gegensätzlicher Interessen nicht mehr gegeben sein soll — und deren Fortbestand nur auf der Grundlage der metropolitanen Weltvernunft möglich sei.

Die zweite, subtile und endgültige Phase der Eroberung der Erde ist damit 500 Jahre nach Columbus eröffnet: der Regenwald *und* die Armut der Armen sollen gleichermaßen erhalten bleiben, um das satte Überleben plus der dazugehörigen Atmungsqualität der Reichen weiterhin zu sichern.

***

Ich will am Ende meiner Ausführungen diese Feststellung so einfach doch nicht stehen lassen — und es schon gar nicht dabei belassen, den bisherigen Sieger als den gelungenen Triumphator darzustellen.

Wenn ich so wenig von den Opfern und Leidtragenden jener fatalen Entdeckungsreise des genuesischen Schiffsführers gesprochen habe, dann gewiß nicht, um deren Schicksal kleinzuschreiben, sondern um durch die ausführliche Beschreibung der jämmerlichen Verfassung des „Siegers" diesen vielleicht auch Mut zu machen.

Eine positive Identität, die der Emanzipation der Unterdrückten bündig-griffig zur Verfügung stünde, existiert allerdings nicht: jedoch ist am Beispiel des Europäers am besten zu erfahren, daß sein Modell für die Welt, die Geschichte und die Menschen nichts taugt.

Die Schriftsteller und alle die einfachen Veränderer der armgehaltenen Länder sollten in alle ihre Beschreibungen das erbarmungswürdige Bild des Europäers aufnehmen, dessen Schicksal am Ende das desjenigen ist, der am schlimmsten scheiterte.

In Heinrich Manns großartigem Vorwort zu dem surrealistischen Roman „Die Reise des Horace Pirouelle" von Philippe Soupault wurde dies vor Jahren schon zur allgemeinen Abschreckung ausgedrückt:

„Der Neger in der Eiswüste, dies soll das Bild des jetzigen Menschen sein. Wie jetzt gelebt wird, ist negerhaft, und Herz und

Leben sind Eiswüsten. So sieht man, obwohl man sachlich bleibt. Der Neger in der ‚Reise des Horace Pirouelle' findet dort oben in Grönland einen weißen ‚Greis' von vielleicht 40 Jahren, der sich nach begangenen Kriegsgreueln gegen Norden an den Rand der Welt zurückgezogen hat: dies ist das furchtbarste Schicksal, die Jugend verloren, Schandtaten hinter sich und vor sich, nur das Verzehren vieler Konservendosen zu haben, sonst nichts."

Die Proletarier aller Länder, so mein allerletzter Satz, haben diesem Schicksal nichts mehr hinzuzufügen.

Karl Heinz Roth

Zwangsarbeit und Kolonialismus – Das Beispiel Deutschland

In den Jahren 1904 bis 1907 führte der wilhelminische Imperialismus Krieg. Es war eine militärische Auseinandersetzung besonderer Art: ein Kolonialkrieg gegen Afrika. In Deutsch-Südwestafrika standen im Januar 1904 die Herero auf. Der Hintergrund: die Landenteignungen hatten zugenommen, die Pfändung ihrer Viehherden hatte System bekommen, es gab ungesühnte Morde von deutschen Marodeuren an den Hereros, und es wurde eine Eisenbahntrasse der Otavi-Gesellschaft diagonal durch ihr Stammesgebiet geplant und gebaut. Dieser Aufstand wurde im August 1904 in einer Entscheidungs- und Vernichtungsschlacht am Waterberg niedergeschlagen. Im Oktober 1904 folgte der Aufstand der Nama. Nach dem Tod ihres Häuptlings ging er im Oktober 1905 in einen Guerilla-Krieg über und endete 1907/1908 ebenfalls mit einer vernichtenden Niederlage.

In Deutsch-Ostafrika kam es 1905 und 1906 zum Maji-Maji-Aufstand. Ausgelöst wurde er durch die Einführung von Zwangsarbeit auf Baumwollplantagen der Kolonialverwaltung zusätzlich zur Zwangsarbeit auf den Privatfarmen der deutschen Siedler sowie zur gerade eingeführten Hüttenbesteuerung. Diese beiden großen Aufstandsbewegungen waren begleitet von weiteren Aufständen beispielsweise in Togo und Kamerun. Die Aufstandsbekämpfung galt als „Buschkrieg“ am Rand des Zeitgeschehens. Die Kriege waren überschattet vom russisch-japanischen Krieg und den anschließenden revolutionären Bewegungen im zaristischen Rußland. Für das wilhelminische Deutschland und dessen Drang nach „Weltgeltung“ hatten sie vielleicht gerade wegen ihrer randständigen Situation eine Schlüsselbedeutung.

Der deutsche Imperialismus versetzte dem Widerstand der traditionellen afrikanischen Gesellschaften den Todesstoß und schloß die Etappe der kolonialistischen Zerstörung, der Unterwerfung Afrikas ab, die seitens Englands, Frankreichs, Belgiens und Portugals in den siebziger Jahren des 19. Jahrhunderts anschließend an den Niedergang des Sklavendreieckshandels der frühen kapitalistischen Weltökonomie begonnen worden war. Der deutsche Imperialismus verband erstmals das Prinzip der kolonialen Zwangsarbeit mit einer Politik der integriert geplanten Massenvernichtung, und dafür waren die Aufstände ein willkommener Anlaß. Erstmals wurde in der modernen Geschichte des 19. Jahrhunderts der Schritt vom Massaker mit Hilfe überlegener Waffen — beispielsweise der Einführung des Maschinengewehrs — zum Völkermord getan, der sozialpolitisch und ökonomisch geplant und determiniert war. Die Kessel- und Vernichtungsschlacht bei Waterberg beispielsweise war so angelegt, daß die 80.000 Hereros einen Fluchtweg wählen mußten, der sie in die Wüste führte. Wenn sie versuchten, aus diesem Fluchtweg auszubrechen, wurden sie durch Zangenoperationen der ungeheuer überlegenen deutschen Kolonialarmee in die Wüste zurückgetrieben. Ich zitiere einige Passagen aus der offiziellen Darstellung des Generalstabs:

„Diese kühne Unternehmung zeigt die rücksichtslose Energie der deutschen Führung bei der Verfolgung des geschlagenen Feindes in glänzendem Lichte. Keine Mühen, keine Entbehrungen wurden gescheut, um dem Feinde den letzten Rest seiner Widerstandkraft zu rauben. Wie ein halb zu Tode gehetztes Wild ward er von Wasserstelle zu Wasserstelle gescheucht, bis er schließlich willenlos ein Opfer der Natur seines eigenen Landes wurde. Die wasserlose Omaheke sollte vollenden, was die deutschen Waffen begonnen hatten: die Vernichtung des Herero-Volkes." Von 80.000 überlebten zunächst 15.000.

Der damalige Gouverneur der deutschen Kolonialtruppen, von Trotha, erließ nach dieser Vernichtungsschlacht eine offizielle Proklamation an die Hereros, in der er ganz klar davon ausging, daß jeder Herero und zwar nicht nur die Männer, vernichtet werden würde, wenn er zurückkehrte. Diese Vernichtungsproklamation erregte dann doch die Gemüter, aber Generalstabschef von Schliefen verteidigte von Trotha und schrieb an den damaligen Reichskanzler Bülow:

„Daß er, von Trotha, die ganze Nation der Hereros vernichten oder aus dem Lande treiben will, darin kann man ihm beistimmen. Ein Zusammenleben der Schwarzen mit den Weißen wird nach dem, was vorgegangen ist, sehr schwierig sein, wenn nicht erstere dauernd in einem Zustand der Zwangsarbeit, also eine Art Sklaverei gehalten werden. Der entbrannte Rassenkampf ist nur durch die Vernichtung einer Partei abzuschließen."

Tatsächlich überlebende Hereros wurden dann nach ihrer Gefangennahme in Eisenbahn-Zwangsarbeiterlagern bei Swakopmund durch Arbeit vernichtet.

Die eingefangenen Nama, die mit ihrem Aufstand einige Monate später begonnen hatten und als Hottentotten bezeichnet wurden, kamen in ein Konzentrationslager auf der feuchtkalten Haifischinsel vor der Lüderitzbucht.

Die Vernichtung der Gefangenen sollte durch die Deportation der noch freien Stämme in die Kolonie Togo zwecks „klimatischer Vernichtung" ergänzt werden. 1906 hatte ein Autor der „Zeitschrift für Kolonialpolitik, Kolonialrecht und Kolonialwirtschaft" dies folgendermaßen gerechtfertigt:

„Der Hottentott ist ein Nomade und als solcher faul und arbeitsunlustig. Es sind ganz natürliche, naturwissenschaftliche Gründe, die es bewirken, daß der Hottentott zum Aussterben verurteilt ist. Eine Rasse, die sich neuen Existenzbedingungen nicht anpassen kann, verliert dadurch ihre Existenzberechtigung und geht unter. Das ist ein ehernes Naturgesetz, dem keine künstlichen Mittel Einhalt tun können."

Der Maji-Maji-Aufstand wiederum wurde durch das Prinzip der verbrannten Erde niedergeschlagen. Ernten, Saatgut und Dörfer wurden systematisch zerstört. 26.000 Afrikaner waren unmittelbar Opfer der Massaker, mindestens 150.000 starben anschließend den Hungertod.

Was macht nun den besonderen Charakter dieser Vernichtungsoperation aus? Und wie ist er in den entstehenden deutschen Kolonialismus einzuordnen?

Die Akten und die übrigen Quellen zeigen, daß die administrativ-militärische Systematisierung des Massakers zum durchkalkulierten Völkermord genau rekonstruiert werden kann. Der Kolonialkrieg wurde von der Spitze des wilhelminischen Regimes geführt. Generalstab, Reichskanzlei und Kaiser und keineswegs irgendwelche untergeordneten, wildgewordenen Kommandeure trugen die Verantwortung. Dieser Krieg wurde von Anfang bis Schluß geplant und von der Spitze her durchgeführt. Die Täter waren sich immer bewußt, daß sie als Akteure in der letzten Phase der Zerstörung der afrikanischen Stammesgesellschaften handelten. Sie sahen sich sozusagen in der letzten Minute an der Spitze des kolonialistischen Eroberungswettlaufs. Massaker und Schlächtereien hat es auch in den französischen, britischen, portugiesischen und belgischen Kolonien gegeben, aber sie waren noch nicht sozialtechnisch integriert. Ihnen wurden durch taktische Gegenzüge die Generalisierungstendenzen genommen. Beispielsweise bei der Tschad-Mission von Voulet und Chanoine gingen in einer Meuterei der kommandierenden Einsatz-Offiziere die Truppen unter, als die Zentralregierung 1896/97 intervenierte. Die Soldateska der British-South-Africa-Company wurde nach der Niederschlagung der Nedebele-Rebellion von 1896 entmachtet. Es wurde eine dezentralisierte Kolonialverwaltung und das Prinzip des „Indirect-Rule" eingeführt.

Die deutsche Kolonialpraxis hat auch weitaus intensivere Rückwirkungen auf das metropolitane Mutterland gehabt. Diese Rückwirkungen, die es natürlich auch in den anderen imperialistischen Metropolen gab, waren hier ungleich massiver. Wegen des durch die Massaker in Südwestafrika ausgelösten Skandals inszenierte Reichskanzler Bülow die Auflösung des Reichstags, und es kam 1907 bezeichnenderweise zu den sogenannten Hottentottenwahlen. Sie signalisierten einen Rücktransport des modernisierten Vernichtungsprinzips mit ungeheuren Folgewirkungen für die Ausübung der politisch-ökonomischen Macht in der Metropole, in Deutschland. Zunächst einmal entstanden aus der Aufarbeitung dieser Massaker ganz neue Vernichtungs-Wissenschaften. Darauf werde ich gleich noch eingehen. Auf der anderen Seite wurde die koloniale Vernichtung durch Arbeit zu einem Herrschaftsparadigma aufgewertet, das die wilhelminische Fremdarbeiterpolitik sofort radikalisiert hat.

Und nicht zuletzt — vielleicht ist das das wichtigste von allem — kam es in der Auseinandersetzung um diese Kolonialkriege zum Abschluß des Integrationsprozesses der organisierten Arbeiterbewegung in den wilhelminischen Imperialismus, noch vor dem Aufstieg von Gustav Noske, und zwar sowohl bei der Basis als auch bei der Führung der organisierten Arbeiterschaft. Die damalige selbsternannte Avantgarde der europäischen Arbeiterbewegung zieht sich aus dem totalisierten Kontext der globalen Ausbeutung von Arbeitskraft reformistisch und konsensbereit in die Metropole zurück. Sie tritt bei aller Detailkritik in Einzelheiten an die Seite der kolonialistischen „Kulturbringer".

Was waren nun die Folgen der erstmals entstandenen Symbiose von Zwangsarbeit und Vernichtung durch Arbeit? Dafür ist entscheidend die Skizzierung der Ereignisse nach der Niederschlagung dieser antikolonialistischen Aufstände. In Südwestafrika wurde eine schrankenlose administrative Diktatur des Blocks von Siedlern, Kolonialgesellschaft und Militär gegen die Afrikaner aufgerichtet, die die totale Land- und Viehenteignung aller Stammesgesellschaften — auch derjenigen, die nicht an den Aufständen beteiligt gewesen waren — durchsetzte. Dabei sind gerade die Details wichtig, weil sie in die europäische Geschichte zurückkehren. Für alle Afrikaner wurde ein Paßmarkenzwang eingeführt, eine Nummer aus dem Eingeborenen-Register des jeweiligen Bezirks war sichtbar auf einer Plakette zu tragen. Das wurde zynisch als Hundehalsband bezeichnet. Diese Plakette — es gab ja später dann noch andere Plaketten in der deutschen Sozialgeschichte — mußte jedem Europäer vorgezeigt werden. Jeder Europäer hatte Polizeigewalt, er konnte die Nummer überprüfen und die Afrikaner — wenn er wollte — festnehmen. Wollte ein Afrikaner den jeweiligen Distrikt verlassen, mußte er einen Reisepaß beantragen, und den bekam er nur nach der Zustimmung seines deutschen Ausbeuters. Die Kolonialverwaltung entwickelte in Südwestafrika das moderne Erfassungssystem, und das sollte Folgen haben. Für die Afrikaner wurde zusätzlich ein Wohnzwang eingeführt, Wohnerlaubnis erhielten sie nur noch auf Regierungsland oder auf europäischen Farmen. Es durften nie mehr als zehn Zwangsarbeiter oder zehn Zwangsarbeiterfamilien an einem Ort zusammenbleiben. Außerhalb dieser Bezirke waren sie Freiwild. Sie wurden willkürlich abgeschossen. Es gab eine fortgesetzte Zerstörung in allen Stammesgebieten. Die Familienclans wurden zerrissen, propagiert unter dem Schlagwort „Versagung der Frau". Ich zitiere aus einer Dissertation aus Heidelberg aus dem Jahre 1913:

„Der Grund liegt darin, daß die Familien des zugewanderten bzw. des eingeführten Arbeiters ohne Fürsorge des Arbeitgebers nicht bestehen könnten, diese Fürsorgepflicht aber dem letzteren nicht zugemutet werden kann."

Es wurde ein Kontraktsystem zur Zwangsarbeit eingeführt, auf dessen Details ich hier nicht eingehen will. Aber ich will nur darauf hinweisen, daß die größten Anteile des Minimallohns — der noch nicht einmal zur Ernährung der Familien ausreichte — zurückbehalten wurden zur „Sicherung der Ansprüche des Arbeitgebers, für Schaden infolge Vertragsbruchs des Arbeiters sowie der Kosten einer infolge Krankheit des Arbeiters erforderlichen vorzeitigen Heimbeförderung."

Hinzu kam ein administrativ perfekt durchstrukturiertes Strafensystem, wie es sonst in keiner Kolonie existiert hat. Bei jeder Form von Widersetzlichkeit gab es genau geplante und genau verwaltete Prügel- und Ruten-Strafen, Kettenhaft, Einzelhaft, natürlich Todesstrafe, Zwangsarbeit ohne Lohnelemente usw. In Südwestafrika entstand nach 1906/07 ein System der Apartheid.

Und wie war es in Deutsch-Ost-Afrika? Dort sah es auf den ersten Blick anders aus. Dort wurden nach den Massakern administrative Reformen verfügt. Bewirkt haben sie nichts. Die Zwangsarbeit auf den deutschen Plantagen blieb unangetastet. Die Folgen waren in diesen beiden und den anderen deutschen Kolonien Bevölkerungsrückgang, Depopulation, Massenepidemien, ein ständiges Wechselspiel von Razzia und Flucht, ein völliger sozialer Verfall. Das wiederum führte zum Import von Kuliarbeitern aus Indien und China, zur Organisation von Wanderarbeit in Südwestafrika aus dem benachbarten Ovambo-Land in das entstehende Apartheidsystem. Es kam zu einer Perfektionierung des Zwangsarbeitsrechts in allen deutschen Kolonien, das Vorbilder aus der belgischen, französischen, englischen und portugiesischen Kolonialpraxis aufnahm und zusammen mit den eigenen Erfahrungen der Aufstandsbekämpfung weiter vorantrieb.

Und nun zu den Rückwirkungen auf das Reich. In den Kolonialkriegen war der Kern eines neuen Staats- und Wirtschaftsterrorismus entstanden, der jederzeit aus den Kolonien zurückexportiert werden konnte. Der neue administrative Terrorismus zirkulierte mit den Verwaltungseliten, die im Fall der Kolonialbeamten besonders mobil waren. Die Vernichtungsschlacht wurde zum herrschenden Paradigma, zur herrschenden Doktrin der gesamten Militärplanung in den Militärkasten.

Die Fremdarbeiterpolitik des deutschen Imperialismus in Europa selbst, beispielsweise der ostelbischen Junker mit ihrer Fremdarbeiterzentrale für polnische Wanderarbeiter, wurde radikalisiert. Es gab eine direkte Wechselbeziehung zwischen der Transformation der Wanderarbeit in Europa und den kolonialistischen Erfahrungen. Die Einführung der Zwangsarbeit im ersten Weltkrieg in Polen und in den anderen besetzten Gebieten wäre ohne die kolonialistische Erfahrung vor 1914 in dieser Intensität nie denkbar gewesen. Interessant und wichtig ist auch die Tatsache, daß das Bündnis der Freikorps mit Noske in der Novemberrevolution im Täterkern aus der Kolonialelite entstanden war, daß Noske selber nach 1907/08 als geheimer Kolonialminister der Sozialdemokratie galt. Das alles zeigt, daß ein Potential, das in den neunziger Jahren im Gefolge der Kolonialpolitik entstanden war und sich konsolidiert hatte, immer stärker auch zurücktransportiert wurde, bis es sich erstmals in den Massakern zur Niederschlagung der Novemberrevolution entlud. Ich möchte daran erinnern, daß Gustav Noske, mitschuldig an der Ermordung von Rosa Luxemburg, diese jahrelang zuvor als polnische Ostjüdin diskriminiert hatte. Der Kolonialismus und der moderne Antisemitismus der deutschen Eliten — einschließlich der sozialdemokratischen Eliten — hängen eng miteinander zusammen.

Es entstand aber auch eine neue ethnologische, anthropologische und rassenbiologische Vernichtungswissenschaft. Nachträglich wurde eine Legitimationsbasis geschaffen für ein universales Prinzip der Vernichtung durch Arbeit. Wenn man die Dokumente und die Akten liest, dann merkt man, daß die Rassenideologie zumindest im Fall Deutschland nachträglich entwickelt wird, um die Schlächterei, das Massaker und das daraus hervorwachsende System der modernen Zwangsarbeit zu rechtfertigen.

Den Startschuß lieferte ein Buch des Anthropologen Eugen Fischer über die „Rehobother Bastards“, eine Mischungspopulation aus Buren und Nama-Frauen in Südwestafrika 1912. Die Rehobother hatten auf Seiten der Deutschen in den Kolonialkriegen gekämpft, sie hatten eine Schlüsselstellung innegehabt, weil ihr Stammesterritorium zwischen den Siedlungsgebieten der Herero und der Nama gelegen war. Ihre Kollaboration hat sich aber nicht ausgezahlt. Die Brisanz des Ansatzes von Fischer liegt darin, daß er versucht hat, den legitimatorischen Rassismus mit der damaligen modernsten Form der genetischen Theorie, nämlich der Theorie der Mendelschen Vererbungsgesetze, zu verbinden. Er kommt in seiner Arbeit zu folgendem abschließenden Urteil: Die Bastarde sollen vorübergehend zu einer eingeborenen Arbeiterschicht und insofern in eine neue

Rassenhierarchie als Unterschicht eingebaut werden. Deshalb sei die damals schon diskutierte sofortige Vernichtung nicht funktional:

„Der Standpunkt, man lasse sie dann eben zugrunde gehen, ist natürlich unhaltbar, solange wir hoffen können, im Bastardvolk für uns eine wertvolle Bevölkerung zu erhalten und zu erziehen, die bestimmte Arbeit in der großen und nötigen Arbeitsteilung einer Kolonialkultur übernimmt, aber auch nur solange."

Der Rassismus wird so zum Vehikel der gleichzeitigen Verwertung von unterschiedlich gewaltmäßig ausgebeuteter Arbeitskraft: Sklaverei — Zwangsarbeit — Zwischenform zur freien Arbeit — im Interesse einer beschleunigten kapitalistischen Entwicklung. Eugen Fischer hat aber auch die Rolle des Kolonialismus als dem entscheidenden Initialzünder gegen jede Art von sozialer Emanzipation überhaupt erkannt. Er hat gesagt, Kolonialpolitik sei „natürlich von einem ewigen Friedens-und Gleichheitsstandpunkt aus Unrecht. Glücklicherweise herrscht nicht dieser, sondern ein gesunder Expansionsdrang ist stärker." Fischer hat mit seinem Buch den entscheidenden Durchbruch zur Vernichtungswissenschaft in der deutschen Anthropologie, Völkerkunde und Genetik zustande gebracht.

Der deutsche Kolonialismus blieb in seiner Metropole auch nach 1914 virulent, vielleicht gerade deshalb, weil er keine Kolonien und somit kein Territorium mehr zur Verfügung hatte, das das neue Tandem Vernichtung durch Arbeit und Staatsterrorismus hätte eingrenzen oder absorbieren können. Es entstand eine erklärte Wartestellung in der Weimarer Republik. Und dann realisierte sich der wissenschaftliche Kolonialismus, nach innen gerichtet, mit rassistischen Anwendungsgebieten während der Nazidiktatur. Es kommt zu einer Synthese der neuen Vernichtungsmentalität mit den älteren Wurzeln des Antisemitismus. Ich kann hier nur Schlagworte nennen, beispielsweise den Madagaskarplan, den Plan, die jüdische Bevölkerung nach Madagaskar zu deportieren, um sie dort „klimatisch" zu vernichten. Er wurde entwickelt von Leuten, die 35 Jahre zuvor die „klimatische Vernichtung" der Nama propagiert hatten. Die Ökonomisierung der Endlösung, der Massenvernichtung der Juden, findet immer wieder Theoretiker und Praktiker, die durch die Kolonialschulen und durch die Kolonialpraxis gegangen waren. Das Sklavenhaltermonopol der SS entstand 1941 aus den Vernichtungslagern und es war ab März 1942 parallelisiert mit einer innereuropäischen Zwangsarbeiterjagd des Generalbevollmächtigten für den Arbeitseinsatz. Wenn man die Dokumente über diese beiden parallel geschalteten Jagdbehörden für Zwangsarbeit ohne den direkten Bezug zum Nazismus studiert, dann wird man erinnert an die Sklaven- und Zwangsarbeiterjagden in den deutschen Kolonialgebieten, die als eine Art Matrix gedient haben, als Matrix vor allem mit ihrer Perfektion und ihrer Systematik. Es kam also zu einer Rück-Projektion des kolonialistischen Staatsterrorismus auf die innere Politik der Metropole, aber auch auf den eigenen eroberten europäischen „Ostraum". Das läßt sich personell und administrativ nachweisen. Ich erinnere nur an den Rassenhygieniker Wolfgang Abel, übrigens ein Schüler des zitierten Eugen Fischer, der im Herbst 1941 die Ermordung der sogenannten sowjetischen Kommissare rassenbiologisch begründet hat: die Kommissare seien nämlich überwiegend Angehörige der nordischen Rasse und müßten gerade deshalb liquidiert werden. Wolfgang Abel hat im Reichsforschungsrat seit 1941 eine Rassenbiologische Forschungsstelle für die Kolonialplanung aufgebaut. Die Malaria- und Fleckfieberexperimente in den Konzentrationslagern wurden von Leuten durchgeführt, die sie 1939/40 zunächst für die zurückzuerobernden Kolonialgebiete geplant hatten. Philipp Bouhler, der Chef der Kanzlei des Führers und Organisator der psychiatrischen Anstaltsmorde, der „Aktion T4", war vorgesehen als Leiter der „Operation Sisal", nämlich der Rück-Eroberung Ostafrikas und der Einführung eines kolonialistischen Regimes in Ostafrika. Der „Generalplan Ost", der die Massenvernichtung von 30 Millionen Menschen in Osteuropa vorsah, war geplant und dimensioniert als ein Siedlungs- und Apartheidskonzept mit ganz deutlicher Beziehung zur Kolonialpraxis vor 1914. Es gab aber auch eine direkte konzeptionelle Rückkehr zu den überseeischen Erfahrungen bei der Vernichtung durch Arbeit. 1938 bis 1942 entfaltete sich während der Nazidiktatur eine ungeheuer intensive Kolonialplanung. Noch nie in der modernen Zeitgeschichte wurde eine gar nicht existierende Kolonialsphäre derart intensiv und perfekt verwaltet. Es war geplant, Zentralafrika von den beiden Weltmeeren aus zu erobern, es war beabsichtigt, den ganzen zentralafrikanischen Gürtel als eine Vorschaltzone für das größere Südafrika zu annektieren und als Apartheidsafrika auszubauen. Im Zusammenhang mit dieser Planung entstanden sozialwissenschaftliche Forschungszentren, die alle Erfahrungen der Zwangsarbeit aus der klassischen Kolonialperiode verwerteten und systematisierten. Das Arbeitswissenschaftliche Institut der Deutschen Arbeitsfront beispielsweise hat über 40 Denkschriften verfaßt, um die „koloniale Arbeitspolitik" zu systematisieren. Es hat die Apartheidspolitik der 60er Jahre vorweggenommen und es hat sie verbunden mit einer besonderen Form der tribalistischen Integration einer ausgewählten Häuptlingsschicht, wie sie in der belgischen Kolonialpolitik entwickelt worden war. Dieser ganze kolonialistische Planungskomplex war intensiv ökonomisch-politisch verflochten mit einem Weltprogramm, das außerordentlich modern war.

Und hier komme ich zum erstenmal auf den „Sonderauftrag Lateinamerika". Im Kontext der Kolonialplanung entstanden Modelle, andere Kontinente — beispielsweise Lateinamerika — oder andere Regionen in Südosteuropa zwischen die kolonialistische Ausbeutungssphäre und die metropolitane Entwicklung zu schalten und sie zur Semiperipherie zu machen. Max Ilgner, ein führender Manager der I.G. Farben, hat dieses Modell erstmals 1936 auf den Begriff gebracht und an dieser Konzeption bis zum Kriegsende weitergearbeitet:

„Nur da, wo die Industrialisierung aus vernünftigen Gründen nicht aufgehalten werden kann, sollte man sich einschalten und auch nur soweit wie es notwendig ist, um einerseits seine eigene Exportsituation zu untermauern und andererseits, um sich einen entsprechenden Anteil an der zukünftigen Kaufkraftsteigerung für einen zusätzlichen Export zu sichern." Es war das Konzept einer nazistischen One-World mit einer europäischen Metropole, einer Semiperipherie und einer intensiv ausgebeuteten und begrenzt entwickelten Peripherie im Sinn einer reaktivierten Kolonialpolitik.

Ich möchte zumindest in einigen Stichworten etwas über den Widerstand sagen. In den deutschen Kolonialgebieten entstanden nach den Vernichtungsfeldzügen von 1904 Widerstandsstrukturen, wie sie uns eigentlich nur aus der Geschichte des Sklavenwiderstands zwischen dem 16. und 18. Jahrhundert bekannt sind. Es bildeten sich Geheimbünde, es kam zu einer Pseudo-Christianisierung, aber auch zu Selbst-Abtreibungen, zu rituellen Selbstmorden, es kam zu ständigen Fluchtbewegungen, zu einem ständigen Wechselspiel zwischen Flucht und Razzia. Erst in den zwanziger Jahren während der Mandatszeit entstand in Westafrika der Panafrikanismus und verband sich mit der damaligen internationalen Arbeiterbewegung, die vor allem in ihrem internationalen Kontext eine Hafenarbeiter-und Seeleutebewegung, eine multirassische Arbeiterbewegung war. Sie war zunächst bei der IWW an der amerikanischen Ostküste verankert, dann in den afroamerikanischen Revolten auf den karibischen Inseln aktiv. Es kam auch zu einer Annäherung an die kommunistische Arbeiterbewegung in der Komintern zwischen 1927 und 1934. Ein Windhauch von realer proletarischer Internationalität begann zu wehen, der sich antagonistisch auf dem Niveau der kapitalistischen Weltökonomie der 20er Jahre bewegte. Dieser Hauch von Internationalität ist seit 1934 mehrfach zerbrochen: erst unter Stalin, der den Panafrikanismus seinen diplomatischen Annäherungsversuchen an die imperialistischen Mächte preisgab, dann in der Mc-Carthy-Ära, und zuletzt kam es zur Deformierung des panafrikanischen Antikolonialismus durch seine künstlichen Staatenbildungen. Darüber wäre sehr viel zu diskutieren und sehr viel zu arbeiten, gerade in einer Situation, wo wir, wie beispielsweise heute auf dieser Tagung, zum erstenmal versuchen, konkret internationalistisch zu denken in einem kontinentalen Bezugsrahmen. Wir versuchen es zum erstenmal, seit langer Zeit wieder, möchte ich sagen.

Ich möchte abschließend etwas sagen über die Wurzeln des nachnazistischen westdeutschen Neokolonialismus. Der Nazismus hat intensive Spuren in der internationalen Nachkriegspolitik und vor allem bei der Bekämpfung dieser Befreiungsbewegungen hinterlassen. Wir fangen erst an, diese Spuren aufzuarbeiten, aber wir sind uns schon sicher, daß es sich nicht nur um Episoden handelt, sondern daß es programatische Bedeutung hat, hier weiterzuarbeiten. Es kam seit 1943/44 aus Nazideutschland zu geheimen Kapitalexporten nach Übersee. Die „cloaked assets", die getarnten Vermögen und Kapitalbeteiligungen in Übersee und vor allem in Lateinamerika wurden seit 1943/44 reaktiviert. Diese Vermögen und Kapitalwerte wurden über die Schweiz, Schweden und natürlich vor allem Spanien und Portugal transferiert. Spanien wurde zum Transferland in Richtung Lateinamerika, Portugal in Richtung Schwarzafrika und Südafrika, über die Türkei gingen Vermögenswerte in die arabischen Länder. Es gab ein geheimes Untersuchungsprojekt des Treasury Department der USA. Im Projekt „Safehaven" wurde versucht, herauszufinden, wie die Milliardentransfers liefen, um den Nazismus kurz vor seiner Niederlage international zu stabilisieren. 1945/46 setzte dann der Massenexodus der Täter ein, und der erfolgte zu einem erheblichen Teil entlang diesen Linien der voraufgegangenen Vermögensverschiebungen. Ich kann Ihnen nur Stichworte nennen: die „Rattenlinie" der SS beispielsweise, die SS-Emigration über den Vatikan und das Internationale Komitee vom Roten Kreuz; das Projekt „Odessa", der geheime Exodus des Sicherheitsdienstes der SS; aber auch der Transfer, der über die westalliierten Geheimdienste und den CIC bzw. OSS der US-Amerikaner lief. Es kam aber auch zu Massenemigrationen, die bis heute überhaupt noch nicht aufgearbeitet sind, wie beispielsweise die Tatsache, daß ganze Divisionen wie die Niederländische SS nach dem Kriegsende unter der Voraussetzung amnestiert wurden, daß sie bereit waren, nach Niederländisch-Indien, das heutige Indonesien zu gehen, um dort die Befreiungsbewegung niederzuschlagen. Das alles sind nur Stichpunkte. Aber sie zeigen, daß es eine Kontinuität gibt, und diese Kontinuität gilt es aufzuarbeiten.

Auf diesen ersten Exodus von Kapital und Massenverbrechern folgte eine Massenauswanderung und zwar ganzer Bevölkerungsschichten: die enteigneten Junker und Flüchtlingsschichten der DDR, sowie NS- und Wirtschaftschargen mit kolonialer Ausbeutungserfahrung in den frühen 50er Jahren. Die Lastenausgleichs- und Kriegsfolgengesetze wurden so manipuliert, daß auch diejenigen entschädigt wurden, die überseeischen Besitz verloren hatten. Dies verbindet sich schon mit der Expansion der neokolonialistischen Handelsbeziehungen und dem Kapitalexport seit den 60er Jahren. Die Täter bevölkern die Verkaufsniederlassungen der westdeutschen Exportunternehmen in den drei Kontinenten, vor allem in Lateinamerika. Es kommt aber auch zu einer Reaktivierung ihres Know-how über die Aufstandsbekämpfungs-Strategien seit den 60er Jahren. Das nazistische Vernichtungserbe und die Erfahrung der Organisation von Zwangsarbeit gingen ein in den kollektiven Neokolonialismus, der seit 20 Jahren vorherrscht. In den entstehenden Militärdiktaturen Afrikas, Asiens und Lateinamerikas werden die Spuren der nazistischen Täter plötzlich wieder sichtbar. Zur Synthese finden sie in der counter-insurgency-warfare der Kennedy-Ära, die nicht die französisch-britischen Erfahrungen im Indochina-Krieg, in Algerien oder Malaya zur Voraussetzung hat, sondern die Nazi-Erfahrungen bei der Bekämpfung der sowjetischen Partisanenbewegung zur Folie nimmt und damit eine militärische Voraussetzung für die „Grüne Revolution" schafft.

Daneben kommt es zu einer intensiven Partizipation am kollektiven Neokolonialismus des Westens. Auch hier könnte ich einige Beispiele nennen, so das „Info-Institut für Wirtschaftsforschung", das in den 60er Jahren arbeits-, sozial- und bevölkerungspolitisch Probleme in allen drei Kontinenten untersuchen läßt und für die neokolonialistische Praxis zur Verfügung hält. In diese Planung geht das gesamte Paradigma der nazistischen Bevölkerungswissenschaft ein. Aber auch auf den ersten Blick weniger anrüchige Institutionen, wie beispielsweise die Friedrich Ebert-Stiftung, reaktivieren den wissenschaftlichen Kolonialismus der „Sozialistischen Monatshefte" aus den Jahren 1904 bis 1914. Es wäre ein eigenes Referat wert, zu zeigen, wie bestimmte Theorien der nazistischen Bevölkerungswissenschaft wie beispielsweise die Mombertsche Bevölkerungsformel, die die Manipulation der Bevölkerungsentwicklung zum Schlüssel der Entwicklungsplanung bzw. der Nichtentwicklungsplanung macht, sich international über die bundesdeutschen Wirtschaftsforschungsinstitute durchgesetzt haben. Das alles zusammengenommen bildet die wissenschaftliche Matrix, die seit den 60er Jahren die Kapitalexporte und die staatliche Entwicklungshilfe begleitet und den sich multinational diversifizierenden Konzernen die Infrastruktur liefert, innerhalb derer sie dann ihre Weltmachtfabriken aufbauen und die Volkswirtschaften der drei Kontinente innerhalb von 20 Jahren in Depressionsgebiete umwandeln. Dabei hat die Strategie der Zwangsarbeit immer eine doppelte Funktion inne. Es entstehen ganz neue Apartheid-Kolonien: wir müssen uns klarmachen, daß die Apartheidsökonomie Südafrikas erst im Verlaufe der 60er Jahre als Übernahme des wichtigsten arbeitspolitischen Vermächtnisses des Nazismus für die Nachkriegsgeschichte voll realisiert worden ist. Gleichzeitig wird die Zwangsarbeit den technologischen Innovationen angepaßt und vor allem für die neuentstehenden Weltmachtfabriken weiterentwickelt, denen nur wenige Segmente des neuen Weltproletariats — beispielsweise in Südkorea — durch gewaltige Massenkämpfe in den letzten Jahren entronnen sind. Das unsichtbare Erfahrungspotential des deutschen Imperialismus kann also, was seine kolonialistische und neokolonialistische Tradition betrifft, nicht hoch genug eingeschätzt werden.

Ich möchte mit einigen zusammenfassenden Überlegungen schließen. Das imperialistische Deutschland war nur 30 Jahre lang sichtbar Kolonialmacht, nämlich von 1884 bis 1914. Gemessen an den gesamtwirtschaftlichen Daten waren die Direktinvestitionen und die Gewinne aus den sogenannten Schutzgebieten deutscher Flagge fast vernachlässigenswerte Größen. Dennoch hat das entscheidende Paradigma des Kolonialismus deutscher Provenienz, nämlich Zwangsarbeit und eine nachträglich rassenideologisch legitimierte Vernichtung durch Arbeit, einen zentralen Stellenwert. In den deutschen Kolonien wurde mit präziser Geplantheit und verwalteter Vernichtungsmentalität in drei Jahrzehnten nachgeholt, wofür die klassischen imperialistischen Mächte Jahrhunderte gebraucht hatten. Getreu der Beobachtung von Aimé Cesaire stellte die dabei entwickelte Symbiose von Arbeitspolitik und Staatsterrorismus als Mittel zur beschleunigten nachholenden Kapitalakkumulation einen ersten Focus dar, der sich gerade aufgrund des Verlusts der Kolonien auf die gesamte Arbeits- und Sozialpolitik des deutschen Imperialismus zurückprojizierte: Der kolonialistische Focus einer aus dem Stand administrativ perfekt inszenierten Vernichtung durch Arbeit, mündete nach mehreren katastrophalen wie epochalen Vermittlungsschritten (erster Weltkrieg, Novemberrevolution) im Nazifaschismus und prägte dann dessen ungezügelte Expansions- und Okkupationsdynamik mit. Er hinterließ nach 1945 ein Erfahrungspotential, das sich zunächst untergründig ausbreitete und dann als anerkannter Kernbestand des kollektiven Neokolonialismus seit der Kennedy-Ära zur Bekämpfung der antiimperialistischen Befreiungsbewegung beigetragen hat.

Was können wir aus all dem lernen? Theoretisch-analytisch sehr viel. Wir sollten endlich dazu bereit sein, die eurozentristische Optik bei der Analyse des Imperialismus zu verlassen. Der Imperialismus war und ist das Machtsystem einer kapitalistischen One-World. Er entfaltet ein homogenes Ausbeutungssystem, das immer Sklaven-, Zwangs- und freie Arbeit miteinander kombiniert. Dieses Ausbeutungssystem existiert global seit dem 16. Jahrhundert in Lateinamerika, örtlich beispielsweise noch 1944 in Auschwitz und seit den 60er Jahren wieder in Südafrika. Gerade die Geschichte der Zwangsarbeit belehrt uns über die permanente globale Beziehung von Metropole, Peripherie und Semiperipherie. Die vulgärmarxistische Legende, daß der Kapitalismus in sich die Tendenz zur freien Lohnarbeit enthalte und diese dann objektiv fortschrittlich sei, war schon immer eine Fiktion und wird immer eine Fiktion bleiben.

Daraus ergibt sich für die politisch-antagonistische Perspektive die Forderung, jegliche territoriale oder gar nationale Begrenzung revolutionärer Arbeit zu verlassen. Zwischen 1927 und 1934 waren sich antikoloniale Befreiungsbewegung und kommunistisch-metropolitane Arbeiterbewegung so nah wie nie zuvor und vielleicht auch wie nie später in der Geschichte. Diese Periode verband den Antirassismus der Afro-Amerikaner in den zentral- und lateinamerikanischen Befreiungsbewegungen mit den fortgeschrittensten proletarischen Kampfformen der Semiperipherie und in den Metropolen. Wenn es überhaupt noch so etwas wie historische Vorbilder gibt, so die Heroen dieser Periode: George Padmore beispielsweise oder die anderen Intellektuellen und Militanten aus der karibischen Region wie beispielsweise C.L.R. James. Aber auch Willi Münzenberg organisierte 1927 den ersten Weltkongreß der Antiimperialistischen Liga. Hamburger Hafenarbeiter schmuggelten den „Negro Worker" auf die Schiffe der internationalen Seefahrtslinien. Der „Negro Worker" wurde hier in Hamburg von George Padmore in der Rothesoodstraße 1930 bis 1933 redigiert. Das internationale Transportarbeiterproletariat war damals multinational und so vielrassig wie heute. Seine Bedeutung ist heute in der Ära des international dezentralisierten und flexibilisierten Konzernkapitalismus noch gestiegen.

Aber die Politik und Programmatik in der IWW und später der Dritten Internationale und vor allem der Internationalen der Seeleute und Hafenarbeiter war auf den ersten Blick nur eine ganz kurze Episode, genauso episodenhaft wie die scheinbar so nebensächliche Ära der sichtbaren Phase des deutschen Kolonialismus. Wir sollten, wenn wir heute über neue internationalistische Dimensionen nachdenken, diese Episoden etwas genauer aufarbeiten. Das Phänomen Zwangsarbeit verbindet die einzelnen Territorien des kapitalistischen Weltsystems natürlich weitaus komplexer, als sich dies am Fall seiner Verortung in der deutschen Kolonialgeschichte rekonstruieren läßt. Eines aber ist auf jeden Fall klar. Die Geschichtsschreibung von unten hat eines mit den authentisch-antiimperialistischen Bewegungen gemeinsam: ihren universalen und internationalistischen Blick und zusätzlich die Lösung der Bündnisfragen zwischen Bauern, Indígenas und Arbeitern.

Autoren und Texte

Alfred Schmidt

Professor für Philosophie, Johann Wolfgang Goethe Universität, Frankfurt/M. Bei dem hier veröffentlichten Text handelt es sich um seinen, von ihm selbst überarbeiteten, Vortrag des Dietzenbacher Seminars.

Jan Philipp Reemtsma

Mitarbeiter des Hamburger Instituts für Sozialforschung. „Cortéz et al." ist die vom Autor überarbeitete Fassung des auf dem Dietzenbacher Seminar gehaltenen Vortrags.

Heinz Dieterich

Professor für Soziologie an der Universidad Autónoma Metropolitana, Mexico City. Das Essay „Ironien der Weltgeschichte ..." ist das überarbeitete und erweiterte Essay des Dietzenbacher Seminars. Der Vortrag „George Orwells Schüler ..." wurde auf dem Bundeskongreß in Hamburg gehalten.

Noam Chomsky

Professor für Linguistik am Massachusetts Institute of Technology. Chomsky ist einer der transzendentalen Intellektuellen der Gegenwart, vergleichbar Persönlichkeiten wie Jean Paul Sartre und Bertrand Russell. Seine Kritik und Analysen des US-Systems sind unabdingbar zum Verständnis der „Freien Welt". Das hier wiedergegebene Interview führte *América la Patria Grande* Anfang 1989. Übersetzung: Bruni Höfer.

Iñaki Egaña

Mitarbeiter an der baskischen Tageszeitung „Egin" und in den baskischen Komitees gegen die Feiern zum V Centenario, „Amaiurko Quetzal Agiria". Vortrag auf dem Bundeskongreß in Hamburg. Übersetzung: Maria Eisenhuth.

Alba Guzmán

Langjährige Direktorin des Ausbildungsprogramms für „indígena"-Frauen im mexikanischen Wissenschafts- und Erziehungsministerium (SEP). Zur Zeit, „Regionales Zentrum für Erwachsenenbildung und funktionale Alphabetisierung für Lateinamerika" (CREFAL), Michoacan, Mexico. Vortrag auf dem Bundeskongreß in Hamburg. Übersetzung: Rosemarie Karges.

Miguel Bonasso

1973 Pressesprecher des argentinischen Präsidenten H. Campora, später Untergrundkämpfer gegen die argentinische Militärjunta. Seit 1977 im mexikanischen Exil. Gegenwärtig Direktor der (Anfang 1990 erscheinenden) mexikanischen Tageszeitung *El Independiente*. Vortrag auf dem Bundeskongreß 1989. Übersetzung: H. Dieterich.

Angel Tolosa

Repräsentant der kolumbianischen Bauernvereinigung ANUC und einer der Organisatoren der Bauern-„Indígena"-Kampagne „500 años de resistencia indígena-popular". Überarbeiteter Text des Vortrags auf dem Bundeskongreß in Hamburg. Übersetzung von Gundula Neucheler.

Gaby Gottwald

Engagiert im Internationalismusbereich der Grünen. Mitarbeiterin und Mit-Herausgeberin vielfacher Texte zur Mittelamerika-Solidarität, u.a. des „Contra-Buches" und der Broschüre über El Salvador, „D'Aubuissons neue ARENA". Der hier abgedruckte Text entspricht dem auf dem Bundeskongreß gehaltenen Vortrag.

Hans Branscheidt

Früher u.a. tätig in der gewerkschaftlichen Bildungsarbeit. Seit einigen Jahren Mitarbeiter bei Medico International. Der hier veröffentlichte Text ist die überarbeitete Fassung des Vortrages auf dem Bundeskongreß.

Karl Heinz Roth

Mitarbeiter der Hamburger „Stiftung für Sozialgeschichte des 20. Jahrhunderts". Autor und Herausgeber verschiedener wichtiger Bände und Essays zu Problemen des Nationalsozialismus und kontemporärer Politik. Wir veröffentlichen hier den vom Autor durchgesehenen Text des auf dem Hamburger Bundeskongreß gehaltenen Vortrags.

Arbeitsprogramm für den 2. BRD-Bundeskongreß:

»Emanzipation und lateinamerikanische Identität: 1492-1992“

Der 2. Bundeskongreß („encuentro nacional“) des Forums findet am 29./30. September 1990 in Frankfurt/Main statt. Die ersten Stunden des Plenums (1. Tag, Samstag) sind drei 30-Minuten-Vorträgen sowie ca. sechs 15-Minuten-Vorträgen gewidmet, die sich auf verschiedene Aspekte der Thematik beziehen. Für die Hauptvorträge sind namhafte ReferentInnen gewonnen worden. Die kürzeren Vorträge sind Resümees der Arbeitsergebnisse jener Initiativen und Gruppen, die im Rahmen von „Emanzipation und Identität“ über die Problematik des atlantischen Herrschaftssystems arbeiten.

Nach den Vorträgen und Resümees löst sich das Plenum auf in Arbeitsgruppen, die von den jeweiligen ReferentInnen geleitet werden. Am Sonntag werden die aus den Arbeitsgruppen vorliegenden Ergebnisse im Plenum referiert und dienen zur Vertiefung der Arbeit für das folgende Jahr.

Zur Zeit der Drucklegung dieses Buches bestehen folgende Arbeitszusammenhänge des Forums:

Außenverschuldung Lateinamerikas

Prof. Wolfgang Schöller und Prof. Herbert Schui werden im Sommersemester 1990 im Rahmen des Forums eine zweistündige Lehrveranstaltung an der Hochschule für Wirtschaft und Politik (HWP) abhalten. *Titel: „500 Jahre Ausbeutung Lateinamerikas — Geschichte und Perspektiven"*.

Themenschwerpunkte: 1. Ressourcentransfer, Sklaverei etc. (Hier soll u.a. der Versuch unternommen werden zu quantifizieren, wie hoch die aus Sklavenhandel, kolonialer Ausplünderung usw. resultierende — wenn auch nicht anerkannte — Außenverschuldung der Ersten Welt gegenüber der Dritten Welt ist.) 2. Die Rolle von Kirche, Staat, Privatwirtschaft. 3. Gegenwärtige Verschuldung. 4. Perspektiven.
Ort: Hochschule für Wirtschaft und Politik, Von Melle Park 9, 2000 Hamburg 13.

Deutscher Kolonialismus in Lateinamerika: 1492-1898

Prof. Martin Franzbach wird im Sommersemester 1990 an der Universität Bremen in Zusammenarbeit mit Prof. Max Zeuske von der Sektion Lateinamerikawissenschaften der Universität Rostock und Dr. Ulrich Strulick ein zweistündiges Seminar über das Thema *Deutscher Kolonialismus in Lateinamerika: 1492-1898* abhalten. In diesem Seminar soll *u.a.* mittels erhaltener Archive die Teilnahme und Bereicherung der kommerziellen Handelsbourgeoisie an den Sklavenhaltergesellschaften der Karibik erforscht werden.
Ort: Universität Bremen, Universitätsallee, 2800 Bremen.

Das internationale Drogenproblem am Beispiel Kolumbiens

Die Kolumbiengruppe Berlin arbeitet seit einiger Zeit über die Drogenproblematik, wobei die Interessen und Positionen der USA, Europas und Lateinamerikas berücksichtigt werden. Gruppen oder Personen, die ebenfalls an diesem Thema arbeiten (wollen), sind eingeladen, sich an diesem Arbeitszusammenhang zu beteiligen.

Inkulturation und Befreiung – die Verweigerung des kulturellen Polyzentrismus in Lateinamerika

Diese Lehrveranstaltung wird wahrscheinlich von Prof. J.B. Metz im SS 1990 an der Universität Münster durchgeführt. Prof. Metz (von manchen auch als „Großvater der Befreiungstheologie" bezeichnet) wird über religiöse, kirchliche und theologische Aspekte der Konquista und Folgezeit arbeiten, wobei geplant ist, die Veranstaltung interdisziplinär durchzuführen. Ort: Universität Münster, Johannisstr. 8-10, 4400 Münster.

Rückgabe der geraubten Kulturschätze

Die Rückgabe der während des Kolonialismus (und danach) geraubten Kulturschätze an ihre rechtmäßigen Eigentümer ist einer der zentralen kulturellen Aspekte der Arbeit zum V Centenario. Das Forum hat diese Kampagne, die auf verschiedenen Stufen durchgeführt werden wird, Anfang Dezember 1989 mit dem im folgenden abgedruckten Brief initiiert, der an mehr als zehn „Völkerkunde-Museen" und ähnliche Einrichtungen in der BRD geschickt wurde. Wie bei den anderen Arbeitszusammenhängen laden wir auch hier interessierte Personen und Gruppen zur Mitarbeit ein.

Kinderausbeutung und Weltmarkt – am Beispiel Lateinamerikas

Das Problem der Kinder in der Dritten Welt wird in den Metropolen im allgemeinen nur unter dem Aspekt des Hungers und fehlender Ausbildung diskutiert. Gleichwohl sind sie auch *wesentlicher* und *systematischer* Bestandteil der Weltökonomie, innerhalb derer sie einen bedeutenden Teil des Weltbruttosozialprodukts erarbeiten. Ebenso sind sie häufig Systemopfer sexueller Gewalt. Diese und andere Aspekte des Problems herauszuarbeiten und in das öffentliche Bewußtsein einzuführen, ist eine wesentliche Aufgabe für die Arbeit der nächsten Jahre. Das Forum hat erste erfolgreiche Gespräche über einen

Forschungs- und Arbeitszusammenhang geführt und bittet alle, die daran teilnehmen wollen, sich Ende Februar an die nationale Koordination zu wenden.

Wir laden alle interessierten Gruppen und Personen, insbesondere auch die kritischen Hochschullehrer, ein, an diesen Arbeitszusammenhängen teilzunehmen bzw. eigene vorzuschlagen. Für weitergehende Information, Möglichkeiten der Zusammenarbeit und Vorschläge neuer Arbeitszusammenhänge wendet Euch bitte an die nationale Koordination: Monimbó e.V., Darmstädter Str. 23, 6057-Dietzenbach, Tel.: 06074-26891.

concurso y foro
internacional independiente
emancipación e identidad de américa latina: 1492-1992
comité internacional organizador

Betr.: 500. Jahrestag der „Entdeckung" Amerikas

Sehr geehrte Damen und Herren,
aus Anlaß des 500. Jahrestages der „Entdeckung" Amerikas durch Christoph Columbus zeichnen sich vielfältige Initiativen und Aktivitäten gesellschaftlicher und staatlicher Institutionen zur Zelebration oder auch kritischen Konmemoration des historischen Ereignisses ab.

„Emanzipation und lateinamerikanische Identität: 1492-1992" ist ein unabhängiges wissenschaftlich-kulturelles Forum, in dem über 100 Co-Sponsor-Institutionen und Unterstützerkomitees — viele von ihnen aus dem Wissenschaftsbereich — aus 20 Ländern Amerikas und Europas über die entsprechende Thematik arbeiten.

Mehr als 80 bekannte Persönlichkeiten des internationalen wissenschaftlichen und kulturellen Lebens, u.a. Paulo Freire, Darcy Ribeiro, Adolfo Perez Esquivel, Leonardo Boff, Noam Chomsky, Pierre Vilar, Jean Ziegler, Rafael Alberti, Fernando Benitez, Mario Benedetti, Ernesto Cardenal, Hortensia Bussi de Allende, Domitila Chungara (siehe beigefügte Liste des Ehrenrates und der Sponsor-Organisationen) unterstützen als partizipierende Mitglieder des Ehrenrates dieses pluralistische Wissenschafts- und Kulturforum.

Die Publikation von Büchern, graphischen Materialien, der dreimonatlich erscheinenden Zeitschrift *América la Patria Grande* — mit Distribution in 20 Ländern —, die Abhaltung wissenschaftlicher Kongresse, künstlerischer, kultureller und basisnaher Veranstaltungen auf der „grassroots"-Ebene, eines internationalen Wettbewerbs in den Genres: Essay, Roman, Zeitdokument, Fotografie, Radio, Video, Karikatur usf. (Gesamtpreise ca. 45.000.- DM) gehören zu den Aktivitäten, die das Forum weltweit realisiert.

Angeregt durch ein „Agreement" zwischen dem Smithonian Institute in Washington, D.C. und Repräsentationsorganen der „American Indians" — dahingehend, daß erstere einen Teil der in ihrem Besitz befindlichen Kulturgüter den legitimen Nachfolgern der präkolumbianischen Völker zurückgibt — sind wir zu der Überzeugung gelangt, daß der 12. Oktober 1992 („500. Jahrestag der ‚Entdeckung' Amerikas") aufgrund seines hohen Symbolgehaltes der geeignete Zeitpunkt ist, die in den europäischen Museen gelagerten Kulturgegenstände und Artefakte ihren rechtmäßigen Eigentümern zurückzugeben.

Die raison d'être eines solchen Vorhabens ist unmittelbar evident. Die Mehrheit der in unseren Museen präsenten Exponate wurde während der Kolonialzeit durch vielfältige Formen mittelbarer oder unmittelbarer Gewalt expropriiert. In Übereinstimmung mit dem System internationaler Rechtsnormen und demokratischer Gemeinordnung, das sich mit dem Ende der Dekolonisierung herausbildete und in Konkordanz mit dem gerade gegenwärtig zu beobachtenden weltweiten Trend zur Demokratisierung und Selbstbestimmung der Völker, ist es angebracht und notwendig, der modernen Rechtsstaatlichkeit und demokratischem Denken entsprechend auch auf dem Gebiet der expropriierten Kulturschätze zu handeln.

In diesem Sinn wäre die Rückgabe besagter Kulturschätze an die Ursprungsvölker bzw. die ihnen entsprechenden Nationen, am 12. Oktober 1992, der adäquate Ausdruck für das konstitutiv rechtsstaatlich-demokratische Denken, welches die Verfassungen und die Politik unserer parlamentarischen Demokratien kennzeichnet.

Glücklicherweise hat nun ja auch der technische Fortschritt es ermöglicht, alle Exponate weitgehend authentisch zu reproduzieren, so daß ihre Rückgabe weder zum Schaden der Bildungsmöglichkeiten noch des „Bildungshungers“ der europäischen Bevölkerung ausschlagen müßte.

Es scheint uns evident zu sein, daß u.a. die Kosten für die Replikate sowie den Rücktransport der Kulturschätze in die Urheberländer von den Staaten übernommen werden, in deren Besitz sich die Exponate gegenwärtig befinden.

Wir sind sicher, daß die hier vorgetragenen Ideen nicht neu für Sie sind und daß die entsprechende Diskussion in Ihrer Institution bereits weit fortgeschritten ist. Wir wären Ihnen daher dankbar, wenn Sie uns möglichst bald über die Position des von Ihnen geführten Museums vis-à-vis dieser Problematik informieren könnten, insbesondere auch, welche Kulturschätze der altamerikanischen Völker Sie zu repatriieren gedenken und zu welchem Zeitpunkt das geschehen soll.

In der Hoffnung auf eine positive Zusammenarbeit verbleibe ich

mit freundlichen Grüßen,
Prof. Dr. Heinz Dieterich
Koordinator

P.S. Bitte richten Sie Ihre Antwort an die nationale Koordination des Forums in der Bundesrepublik: Monimbó e.V., Darmstädter Str. 23, D-6057 Dietzenbach, BRD; (Tel. 06074/26891).

Concurso Internacional Independiente
Emancipación e Identidad de América Latina: 1492-1992

Bases Generales

Teilnahmebedingungen für den Wettbewerb »Emancipación e Identidad de América Latina: 1492-1992«

Der Wettbewerb „Emancipación e Identidad de América Latina: 1492-1992" wird im spanischsprachigen Raum in acht Gattungen/Kategorien durchgeführt: Essay, Roman, Zeitdokument, Karikatur, didaktischer Comic, Geschichte, Fotographie, Video und Radio (Hörspiel). Die ausgesetzten Gesamtpreise betragen 45.000.- DM. Die Teilnahmebedingungen können bei der nationalen Koordination angefordert werden.

Ab März 1990 wird dieser Wettbewerb in einigen Kategorien auch auf den deutschsprachigen Raum ausgedehnt, so daß teilnehmende Arbeiten in deutscher Sprache abgegeben werden können. Die Teilnahmebedingungen werden ab 1. März in der nationalen Koordination vorliegen.

concurso internacional independiente
emancipación e identidad de américa latina: 1492-1992

BASES DEL
concurso de producción radiofónica

aler
asociación latinoamericana de educación radiofónica

OBJETIVO DEL CONCURSO: Dentro de los objetivos y líneamientos de "EMANCIPACION E IDENTIDAD DE AMERICA LATINA: 1492-1992", PRODUCIR y DIVULGAR a través de la RADIO, medio de comunicación de mayor alcance y penetración en el continente, producciones radiofónicas relacionadas al tema de los 500 años.

PARTICIPANTES: Personas o instituciones de cualquier nacionalidad, vinculadas con la realidad latinoamericana.

PREMIO: 1.000,oo US$ otorgados por ALER, Institución co–patrocinadora, para la mejor producción.

TEMA: Los 500 años.

IDIOMA: Español o portugués.

DURACION de la producción: mínimo 12 minutos, máximo 26 minutos.

ENVIOS DE LAS PRODUCCIONES:
- Se debe enviar el MATERIAL GRABADO en cinta abierta, pista completa, velocidad 7.5 o en cassette chromo.
- Cada programa deberá ser acompañado de un original y una copia de los libretos escritos.
- Deberán ser producciones INEDITAS, es decir: programas que no han salido al aire.
- Los autores mandarán sus obras con el seudónimo que consideren y, en un sobre aparte, sellado, su nombre y dirección verdaderos.

DIRECCION DE ENVIO: ALER, Casilla 4639–A, Quito –ECUADOR.

FECHA LIMITE DE ENVIO: 31 de julio de 1990

LA PREMIACION: Será hecha en Quito – Ecuador por un Jurado Internacional compuesto por especialistas.

USO DE LAS PRODUCCIONES: ALER y Emancipación e Identidad de América Latina: 1492–1992 se reservan el derecho de uso de los programas enviados. Los 10 mejores programas serán distribuídos en Latinoamérica.

América
LA PATRIA GRANDE

Heinz Dieterich:
Caminar hacia la libertad...

Rubén Dri:
América Latina: Identidad, memoria histórica y utopía.

Jorge Enrique Adoum:
El proceso de emancipación no ha concluido...

Leonard Peltier:
Opresión y resistencia del indio norteamericano

Seminario de Frankfurt:
Profundizar la solidaridad en las metrópolis.

David Herrera:
Latinoamérica: canción que no ha nacido aún.

Colaboraciones gráficas: *Apebas, Eko, Eneko, Naranjo, Ulises, Pavel Egüez.*

Bases Generales del Concurso Internacional Independiente.

órgano informativo
del foro y concurso
internacional independiente
emancipación e identidad
de américa latina: 1492-1992

Número 5 Octubre-Diciembre de 1989

América la Patria Grande kann über eine Jahresspende von 40.- DM per Luftpost direkt dreimonatlich aus Mexico Stadt erhalten werden. Spende bitte auf die Bank für Gemeinwirtschaft, Theaterplatz 2, 6000 Frankfurt/M. 11, Kt.Nr. 2710921800, BLZ 500 101 11 und Kopie der Einzahlung an „Emancipacíon e Identidad...", Aptd. Postal 80-bis, Mexico 1, D.F., Mexico schicken.
Ab 1. Januar 1990 wird die gleiche Ausgabe auch von unserer spanischen Koordination in Madrid gedruckt und kann daher ebenfalls (3 Wochen später) für einen Preis von DM 30.- über unsere Koordination in Dietzenbach bezogen werden.

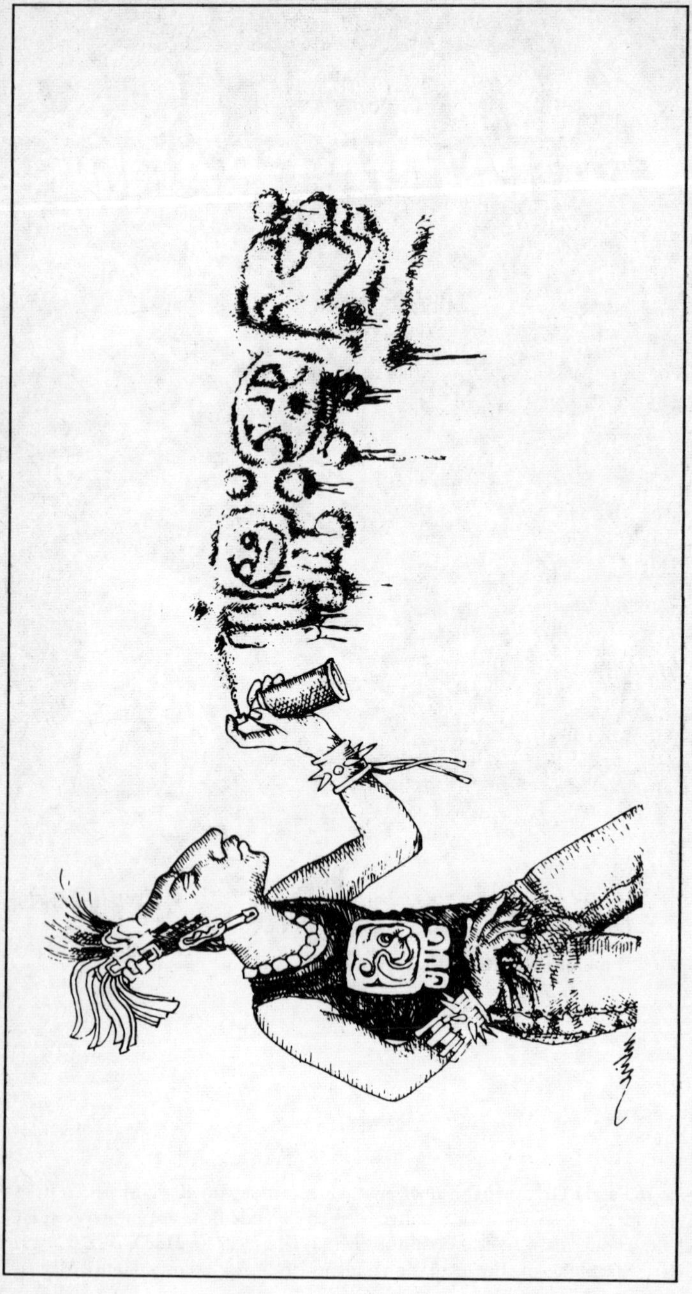

Spendenaufruf

für das Projekt

Emanzipation und lateinamerikanische Identität: 1492 - 1992 500 Jahre Atlantischer Kolonialismus

Am 12. Oktober 1992 jährt sich zum 500. mal der Tag, an dem Columbus »Amerika entdeckte« und für die Europäer in Besitz nahm. Damals entstand jenes internationale System, welches wir heute als Erste und Dritte Welt kennen.

Multinationale Konzerne (wie Coca-Cola), akademische Institutionen und viele Regierungen der Eersten Welt, angeführt von der spanischen, haben Milliarden Dollar bereitgestellt, um den 500. Jahrestag (V Centenario) für ihre kommerziellen und politischen Interessen zu nutzen. Die Stimme der Völker Lateinamerikas, ausgebeutet und abhängig, geht im Lärm der Jubelfeiern unter.

Das hier vorgestellte Projekt ist das z.Z. einzige existierende internationale Forum, welches den nationalen Initiativen gestattet, in kritisch-emanzipatorischer Absicht länderübergreifend und koordiniert gegen das imperiale Projekt des V Centenario zu arbeiten.

Dies aufgrund verschiedener Gesichtspunkte:

1. Es genießt die Unterstützung von mehr als 70 der bekanntesten kritischen Persönlichkeiten des europäisch-amerikanischen Wissenschafts- und Kulturlebens (Mitglieder des Ehrenrates).
2. Über 100 Institutionen und Unterstützerkomitees in 22 Ländern Amerikas und Europas partizipieren am Projekt.
3. America, la Patria Grande, die (nicht kommerzielle) Dreimonatszeitschrift des Forums, ist das einzige kritische internationale Kommunikationsmittel über und gegen den V Centenario, das regelmäßig in 22 Ländern verteilt wird und an die kritischen Sektoren gelangt.
4. Singulär ist ebenfalls der »Internationale Wettbewerb« (über die Thematik) in den Gattungen: Essay, Roman, Karikatur, Geschichte, Zeitdokument, Video, Fotographie und Radio-Theater, welcher Gesamtpreise in Höhe von 22.300,- Dollar aufweist.
5. Nationale Kongresse von Intellektuellen, Wissenschaftlern und Aktivisten finden jährlich in verschiedenen Ländern statt: 1989 in Honduras, Ecuador, Peru, Bolivien, Argewntinien, BRD und Norwegen.

Die bisherige Entwicklung des, 1986 in Mexico konstituierten, Projekts war möglich durch die finanzielle Unterstützung folgender Institutionen: Umverteilen-Stiftung für eine solidarische Welt, Berlin; Verein Monimbo, Dietzenbach; medico international, Frankfurt/M.; terre des hommes, Osnabrück; terre des hommes, Basel; Swiss Aid, Bern; Internationale Liga für die Rechte und die Befreiung der Völker (Fundacion Lelio Basso), Mailand; Spanische Komitees gegen den V Centenario, insbesondere in Euskadia, Cataluna und Galizien; Universidad de Michoacan, Mexico.

Zur weiteren Entwicklung dieser internationalen Arbeits- und Kommunikationsstruktur gegen die imperialen Triumphfeiern benötigen wir Eure Hilfe.

Spenden erbeten auf das Konto des Vereins Monimbo

Monimbo e.V., Konto-Nr.: 1760 900 900 , Stichwort: 500-Jahre
Bank für Gemeinwirtschaft, Dietzenbach

Die Spenden sind steuerlich abzugsfähig. Auf Wunsch stellen wir eine Steuerbescheinigung aus.

Vertrieb:

Das Fünfhundertjährige Reich
Emanzipation und lateinamerikanische Identität: 1492-1992

Medico International, Obermainanlage 7, 6 Frankfurt/M. 1, Tel. 069-499 00 41;
Solidaritätsshop Dritte Welt GmbH, Hamburger Allee 52, 6000 Frankfurt/M. 90, Tel. 069-77 88 63;
Monimbó e.V., Darmstädter Str. 23, 6057-Dietzenbach, Tel. 06074-268 91.

Nuestra América frente al V Centenario*
Emancipación e Identidad de América Latina: 1492-1992

Mit Beiträgen von: Mario Benedetti, Miguel Bonasso, Luis Cardoza y Aragón, Alejo Carpentier, Heinz Dieterich, Enrique Dussel, Roberto Fernández Retamar, Pablo Guadarrama, Gustavo Gutiérrez, James Petras, Elena Poniatowska, Augusto Roa Bastos, Gregorio Selser (Essays), Noam Chomsky, Fidel Castro, Domitila Chungara, Oswaldo Guayasamín (Interviews), Pedro Casaldáliga, Apebas, Eko, Manuel, Naranjo, Oki, Palomo, Ríus, Sendra, Ulises (Poesie und Karikatur).

Monimbó e.V., Darmstädter Str. 23, 6057-Dietzenbach, Tel. 06074-268 91.
Solidaritätsshop Dritte Welt GmbH, Hamburger Allee 52, 6000 Frankfurt/M. 90, Tel. 069-77 88 63

**Hinweis*: Dieses Buch erscheint in deutscher Übersetzung im September 1990 im Lamuv-Verlag.